「一体全体ロック・ドラマーってのはクソ何なんだ？」75歳のチャーリー（2015年）（Marc Nader/ZUMA WIRE/Alamy）

ミックのパンツを見張れ！　1969年のライヴ・シーン。映画『ギミー・シェルター』から（Photofest）

キース・タイムにおけるミック・テイラー、チャーリー、ミック・ジャガー。
ロスアンゼルス、イングルウッド・フォーラムにて（1972年）（Ethan Russell ©Ethan Russell）

《ならず者》期のチャーリー。バックステージにて（1972年）（Ethan Russell ©Ethan Russell）

ホノルルでのライヴ（1973年）（Robert Knight Archives/Redferns/Getty Images）

ザ・セックス・ピストルズなんか気にすんな。ザ・ローリング・ストーンズ登場。
1978年のライヴ（Ed Perlstein/Redferns/Getty Images）

タフ、タフ、タフ、タフ、タフ、タフ。ディスコ・ミーツ・パンク（1978年）（Photofest）

好調のチャーリー（1981年）（Photofest）

ジャズ野郎、チャーリー・ワッツ。たまたまロックスターになっただけ（Continuum Records）

チャーリー・ワッツ論

ドラマーを憐れむ歌

ザ・ローリング・ストーンズの
リズムの秘密を探る

マイク・エディスン　著
稲葉光俊　訳

SYMPATHY FOR THE DRUMMER
by Mike Edison

Japanese translation published by arrangement with
Rowman & Littlefield Publishers, Inc. through The
English Agency (Japan) Ltd.
Translated by Mitsutoshi Inaba
Published in Japan
by
Disk Union Co., Ltd.

Sympathy for the Drummer
Why Charlie Watts Matters

by Mike Edison

DU BOOKS

音楽には二種類ある。
いい音楽と悪い音楽だ。私はいいのをやっている。
——ルイ・アームストロング

一体全体ロック・ドラマーってのはクソ何なんだ?
——チャーリー・ワッツ

チャーリー・ワッツ論――ドラマーを憐れむ歌　目次

※本文〔　〕は訳者による注釈

ニューヨーク・シティのチャーリー・ワッツ（1964年）（Trinity Mirror/Mirrorpix/Alamy）

序

ミック、キース、そしてチャーリーがストーンズである。

Ladies and Gentlemen, The Rolling Stones

それは破壊的で真正面からの挑戦だった。そしてショー・ビジネス界において誰が優れていて、誰がそうではないのかということに対する異議申し立てでもあった。

彼らこそがパワーであり、美であった。同じフィールドにいたものは全て抜き去っていった。淫らなリフ、グルーヴィーなダンス・ヒッツ、汚らしい地下室のブギー、薄っぺらでクスリまみれの嘆き、これらを牽引していたドラマーがチャーリー・ワッツだ。

彼らは自分たちより前にいた他の誰よりもハードにドライヴした。そして誰が考えるよりも高い品格と豊かなニュアンスをもって演奏した。言い換えるなら彼らの音楽をはっきりと定義づけている正確さと、「そんなことどうだっていいじゃねえか」としか言いようのないルーズさとの合わせ技だ。このグループに一切の妥協はなかった。可愛らしいカントリー・ソングですらヘロインについてだった。

彼らは熱心さと等量の想像力をもって過去と未来を受け入れた。**カントリーとブルースが暴力と**

ＬＳＤに出会う別次元の宇宙を作り上げることによって、アメリカン・ミュージックの歴史を形作っていった。ディスコビートはスティール・ギターと絡み合った。彼らのゴスペルは卑猥だった。全てセックスの匂いがした。

チャーリー・ワッツは五十年間にわたってスネアドラムを両足に挟み、これら全ての背後に文字通り陣取りながら、ビート・キーパーからシャーマンへと進化していった。彼のハイハットが鳴っている。考え抜かれた気品をもって開いたり閉まったりしながら。セックスとヴードゥーの涵養、悪魔とのダンス、自由奔放だが巧妙な意図をもってカタカタと鳴っている。

チャーリー・ワッツは目撃者であり、サバイバーであり、古典的な意味における武者詩人《warrior poet》だ。捉えどころのない残忍さ、昨今では珍しい気品、そしてリズムを臨機応変に操る力をもちながら、当たり前になってしまった一斉射撃など軽々とやってのける。イージーなスィングと、よく跳ねあがる不釣り合いなフィルとをもって歌の中に入り込む。偉大なシンガーがそうするように。さらにこの時代の最も卑劣な歌における容赦ない一撃は、このバンドの最高の夜に、彼らは現状に対する実存的な脅威だというお墨付きを与えた。チャーリーは息をする余裕がさほどない音楽にもそのスペースを見つけた。彼は時間を引き延ばした。これ見よがしなスペクタクルに群がる奴隷のような聴衆に媚び、安物のポップを求めて自分たちのドラムを吹き飛ばすようなドラマーがいる一方、彼は卓越した腕前と謙虚さとをもって、質素なドラムセットを演奏した。そしてグルーヴを解き放った。

彼はシンガーとギターマンに犠牲を払うことになった。人々はさして勇気ももたずに牢から脱出してしまった。

★

チャーリー・ワッツはザ・ローリング・ストーンズのドラマーだ（いや、おそらくこれまではそうだった）。1962年、汗まみれのロンドンのクラブでキャリアを始めた、あのイギリスのポップグループだ。そしてキャリアの頂点で「世界最高のロックンロール・バンド」として知られた。そのタイトルに異論はない。

ザ・ローリング・ストーンズについて何も知らない読者がこの本を手に取っているのを想像するのは難しい。だからと言って、キー・プレイヤーたちについて何も触れずに、言葉を定義づけるための暇を全く取らないというのもどうかと思う。まずは交戦規定を説明しておかねばなるまい。そしてドラムスを演奏するということは、とにもかくにもコンテクスト（脈絡）が全てなのである。誰かの家に呼ばれて、ドラムだけで歌を演奏してくれなどと頼まれた人はいるか？　そんなことあるわけないだろう。お許し願おう。謹んでバンドを紹介させていただく。

シンガーはミック・ジャガーと呼ばれるやつだ。チャーリーはそいつのことを時々「ピーターパン」と呼ぶ。なぜなら地球は太陽の周りを回っているという不変の原理を無視するような癖があるからだ。もう76歳にもなるというのにミック・ジャガーは跳ねあがったり、動き回ったりする「ブレ」のままで、こいつは朝食に何を食っているのか、それはどこかから仕入れられないものか、ティーンエイジャーを不思議がらせるようなやつだ。

時に彼は芸術史上最も驚くべき詩人の一人に数えられた。ザ・ローリング・ストーンズの現実、そして彼らが生きた時代からインスピレーションを得たバイロンのような本能をもち合わせていたからだ。その時代とはブルース純粋主義者に始まり、華々しく下世話で、ザ・ビートルズへの怪しげな返答（LSDは祝福だったが呪いでもあった）、ロック貴族、パンクロックへの復讐、最後にはフットボール場でのコンサートを完売するための新作など不要としたバックカタログと、神話的なステータスをもったショービズの巨人への道である。これら時代の移り変わりと共に構造的文化変容があったことはほぼ間違いない。

ミックはケネディ家殺し、レイプと殺人への咆哮、剥げ落ちていくような愛を賞賛するなどして、ある世代を定義するような歌を共作した。彼の人格の最悪の側面は〈ステューピッド・ガール〉、〈アンダー・マイ・サム〉、〈女たち〉のような歌を産んだが、もしそれが今世紀の始まりだったなら、叩きのめされていただろう。彼は時に派手なジェンダー・ベンダーであり、想像できる限りのサイズと肌の色の女性について小声で歌い、あるいはシックス・ナインについて情熱的に歌うような、あまり躍動的とは言えない情熱をもったロマンチストだった。またある時には不敵なアーティスト、稀に見る才能をもったシンガー、道化師、年配の政治家でもあり、流行を追いかけたり、作ったり、ファッションの餌食となったり、ロック・ミュージックの歴史における最も偉大なフロントマンだったこともある。彼は傷ついた神なのだ。他の立派な神が全てそうであるように。

ミックが太陽であり、空であり、そこに浮かぶ星ならば、彼の古い友人、キース・リチャーズは地に足のついたブーツといったところだ。摩訶不思議なリズムに対する本能と良質のセンスを与えられた博識なギタリストであり、チャック・ベリーのダブル・ストップと古いデルタ・ブルースのチューニングを自分なりのやり方に捻じ曲げ、独特の生きる喜びをもって、それらを鍛え上げる。これまで存在したリフを全て破壊してしまうようなシンプル極まりないリフを繰り出し、それでいてエゴが演奏の前面に出てくることは決してない。かつてはこの地球上で最も有名なジャンキーとして君臨し、長らくサバイバーとして称えられた。他の誰よりもハードに酒とドラッグと仕事に接する能力は、アーサー王と同じくらい神聖なものだ。実際、彼はザ・ローリング・ストーンズの有る無しにかかわらず（人間という生物として）生きてはいるが、ストーンズのために生きているのだ。〈ジャンピン・ジャック・フラッシュ〉のリフは他の何よりも生を肯定するものであるから。

キースはミックの完全な引き立て役に回った。ソングライティング・チーム、ジャガー／リチャーズはストーンズを動かす軸であり、ステージ上ではザ・グリマー・ツインズ、いわばロックンロール革命のボニーとクライドとなった。しかしこのマシーンのエンジンは、彼らの後方にいる両足にスネアドラムを挟んだ男だったのだ。

キースはチャーリー・ワッツにとって最良のミュージック・パートナーであった。キースとチャーリーは陰謀の中にさらなる陰謀を作った。彼らは二人でストーンズにユニークな枠と流れをもたらした。キースのリズムギターのカッティングと摩訶不思議なリフのセンスが、チャーリーのスィングのセンスを前方に押し出す。これがストーンズのトレードマークとなったビートへの助走と穏やかな引きを推し進めているのだ。これこそチャーリー・ワッツはなぜ重要かという理由のナンバー・ワンだ。チャーリーは「予兆（anticipation）」と「貫通（penetration）」の違いを誰よりも理解していた。チャーリーはキースに軋轢を与え、ミックを爆発させた。

★

チャーリー、ミック、そしてキースこそがザ・ローリング・ストーンズだった。他は全員、替えが利いた。

他のメンバーにはブライアン・ジョーンズがいた。グループの創始者であり、エルモア・ジェームズとスリム・ハーポのプリミティヴな都会の魔法をマスターした明らかに才能を持ったブルースマンだった。グループに目的を与え、バターのような滑らかさでスライドギターのリフとハーモニカの穿孔《せんこう》を生み出した。彼はキースと共に、「古風な織物芸術（Ancient Art of Weaving）」として知られる、互いを補い合う二つのギターという関係を始めた。つまりリズムギターとリードギターのどちらも、そのサウンドスケープ上、互いを凌駕しないオーガニックなシチューになるような関係だ。後にブライアンは、ダルシマー、マリンバ、そしてメロトロンなどエキゾチックなものにも手を染めながら、グリモワール（魔法）を拡大していった。この美しい男の指先からこぼれ落ちる音楽、そして初期ストーンズのヒットへの貢献は輝くように燃えた。彼が生きたライフスタイルと時代の犠牲となって燃え尽きてしまうまでは。1969年、彼ははっきりと解雇を告げられ、その直後、プールで死体となって発見された。失意と永遠の謎を残して。

ブライアンの後釜、ミック・テイラーは毛色の異なる馬で、リズム・セクションの上にどっかりと乗っかった、あまり揺れないリードギタリストだった。そしてストーンズのクラシック・レコードのあちらこちらに、突き刺すようなギターとメロディーの空気力学をもたらした。彼らが「世界最高のロックンロール・バンド」というタイトルを最初に得たのはこの頃だ。そのことに異論はなかった。彼らは無敵で、自分たちがすることの最高峰にあり、音楽、ファッション、ヤク中の生活において、彼らを後追いする全てのバンドの見本となった。

テイラーは自分の歌を書かせてもらえないという少しばかりナンセンスな理由でバンドを脱退し、

それ以来後悔しているようだ。

ストーンズは次のギタリストを探すための二、三のオーディションの後、旧友ロニー・ウッドを獲得することとなった。ややできそこないのストーンズのようなザ・フェイセズの元メンバーで、キースといとも簡単に同調した（ロニーは手に負えない子供、楽観主義者、おマヌケ、その全てだったが、キースは武装せずに旅行することなど滅多にない海賊だ）。しかし、「古風な織物芸術」は以前ほど良いものにはならなかった。

ロニーは彼の前任者二人を足したよりも長くバンドに在籍した。その意味では確かに交換不可とも言えるが、彼がただの雇い人ではなく（正式な）パートナーとして迎えられる前に二十年もバンドにいたことを考えるなら、ブレイントラストはどちらにも賭けると思われる。このグループにおいて仕事を失う確率は高いのだ。

最後とはいえ、決して軽んじるべきでないザ・ローリング・ストーンズのオリジナル・メンバーは、恐ろしく過小評価されているベーシスト、ビル・ワイマンである。彼が成し遂げたこととバンドへの在籍は、全くそれに見合う評価をされてこなかった。ミックスの中に埋め込まれているとはいえ、彼はかなりの腕前でバンドを牽引し、混乱してもおかしくない状況に秩序をもたらした。全く疑いようもなくストーンズ・サウンドの構成部分であった。

彼がバンドからの離脱を正式に表明したのは１９９３年、56歳の時であり、バンドに三十年在籍し、そのことについては満足しているかのようだった。彼がもっと早く辞めていたらストーンズがどう道に迷ったか誰にも分からないが、彼は自分が作り上げたものを後任に任せる形でバンドを去ることができた。ビルの後釜の演奏は素晴らしいが、その設計図は彼がこのチームに加わる以前に描かれたものだ。

彼らこそがザ・ローリング・ストーンズである。キーボード奏者、正確に言えばピアニストもいて、その一人は音楽の才能ではなく、ルックスのためにメンバーから降格された。彼らのサウンドを決定付けるために助力を与え、ドン・ペリニヨンでいっぱいの浴槽（ストーンズにとってもかなりの心づけだ）で酔っ払ったサクソフォン奏者もいた。さらにマリファナによる自らのバッド・トリップで燃え尽きる前に、ストーンズをただの非行少年から真っ当なギャングへと成長を後押ししたプロデューサーもいた。それは怒りと復活劇に満ちた出エジプト記、そして福音書の他の逸話と同じくらい大胆な話だ。それらについては後で触れる。

この本のテーマ、チャーリー・ワッツは頑固なジャズ・ファンであり、ストーンズに加入した当時、ロックにはほとんど愛情を抱かなかったし、ドラッグにもほとんど興味を示さなかったが、やがてそれらの犠牲になることとなった。ダーティーなブルース、安っぽいカントリー、そして下卑たハードロックをジャズと同じ正確さでスィングする彼の能力は、この組織の「絶対必要条件」となった。**「世界最高のロックンロール・バンド」**は**「世界最高のロックンロール・ドラマー」**なしに存在し得なかったのだ。

★

ザ・ローリング・ストーンズについては、永遠に続くミックとキースの謎、ドラッグ、内紛、女性について等々、すでに多くのことが書かれている。怒れるフェミニストによる小冊子、媚びた提灯記事、批判的論文、ファンブック、扇情的なジャーナリズム、評伝、プロデューサー、グルーピー、取り巻きによるもの、キースのインタビューから抜粋された「知恵の書」、公式のコーヒーテーブルブック、オーラル・ヒストリー、夥しい数の写真集等々。さらに歴史上最もドキュメントされた人間という地位に満足することなく、彼らの中には自分たちの立場からの本を書いた者もいた。

全員が共通して唯一同意しそうなことは、チャーリー・ワッツこそがこの車のモーターだったということだ。キースは繰り返しこう言っている。「チャーリーがいなければ、ストーンズはない」と。

しかしチャーリー・ワッツについて書かれたものは無に等しい。

このことはおそらくチャーリーの謙虚さにも関係しているのだろう。彼がもっと雄弁であれば、あそこまでの紳士でなかったなら、ミュージシャンである以上にもっとイカれた演奏をしていれば、彼のユーモアがあそこまでドライではなかったら、セックス、ドラッグ、そして乱痴気騒ぎにハマって、（それとは逆に）アンチ・ロックスターのように振る舞っていなければ（若くして結婚し、上品で、スポットライトにはほとんど興味がない）、あるいは車でプールに突っ込んだり、ホテルに火をつけたりしていれば、彼に関する本や映画の一つもあっただろう。もし彼の目から光線でも発されていれば、遊園地には（彼を模した）乗り物があったかもしれない。

　しかしオルタモントでの殺人、数知れないガサ入れと犠牲者、時代における最も素晴らしい音楽ドキュメントの創造など、彼はいつもその場所にいた。彼の壊れたドラム・フィルはまああのレコードを素晴らしいものに変え、おもちゃのドラムセットはあらゆる時代において最も威嚇的で、暴力的な歌の支柱となった。たとえ彼が最もありそうになかったところ、すなわちこの世の中で最も危険なロックンロール・バンドにジャズを見つけたとしても、彼のリズムには古《いにしえ》の知識があった。

　彼はますます複雑化していくツアー全般にわたりミック・ジャガーが小さな尻を振っているところを眺め、キース・リチャーズと共にロードの人生を生き延びただけでなく、彼らと共に脈打つ心臓となった。そしてスポーツの歴史上、**最も優美で、セクシーなリズム・セクション**となったのである。ザ・ローリング・ストーンズに何らかの形で影響されていないバンドなんているのだろうか？

　このドラマーについて語る時が来た。

『レディース&ジェントルメン：ザ・ローリング・ストーンズ』（1972年）のポスター

1章

チャーリーの愛したジャズ・ドラマーたち、そしてロックンロールとは何か?

All That Jazz

ドラムスの演奏とはタフな「騒音」だ。「騒音」とは、つまるところ効果ある言葉を意味する。ドラムスはやかましく、そして広いスペースをとる。それはカーペットの数フィートどころか、砲弾のようなリムショットとバスドラムのズンという音が鳴り響く広い戦場のようですらあるのだ。少なくとも私の経験によれば、ドラムスとは「こいつは迷惑だな」という思いが日に日に募っている隣人からの苦情と警察からの訪問を受けるような人生の始まりなのである。

ドラムスはかつて戦場で演奏された。スネアドラムのラッタッタという音はマスケット銃、大砲、そして傷ついた兵士による身の毛もよだつような叫びを飛び越えて響き渡った。絵画にも描かれているように、アメリカ陸軍は歴史上最もやかましい革命を戦った。そこにはいつでもスネアドラムを叩きまくるクソドラマーがいたのだ。ジーン・クルーパが〈シング・シング・シング〉で聴衆を魅了し、彼の雇い主ベニー・グッドマンのオーケストラをその時代のメタリカのようにした百五十年も前から。

★

ある日、学校で病気になって（他に理由があるわけがないが）、うちでゲーム番組「ウィールズ・オブ・フォーチュン」を見ていた時のことだ。ゲームの目的は参加者がヒントをもらってパズルを解くことだが、その日のヒントの一つは「子供が両親に言う最低のこと」であった。全く予測不能のように思うかもしれないが、答えは意外にも、面白くも何ともない「ドラムスを演奏したい」というものであった。[*1]

ドラムスにボリューム・スイッチはない。近代的なドラムスは、まともに演奏するなら、木製のスティックで叩く。ロックンロールのドラムセットは、最大のインパクトを生じるよう設定された大砲のごとく、調律された一連の兵器なのだ。[*2]

1970年代、ディスコティックとして知られるコカインの宮殿は、ドラムスという基盤の上に建てられていた。ミックスの中でもはっきり聞き取れる「ブーン、シュク、ブーン、ブーン、シュク」という重いビートがその底辺にあった。それはジャズにおいてもその形式の中核となるもので、もちろんロックンロールとして知られるヒドラの背骨でもあった。

熟練したドラマーは悲しい歌をより悲しく響かせ、喜びに溢れたコーラスを天国まで届かせることもできる。また見知らぬ人とのセックスをつかさどる重要な原動力ともなる。かつて多くの戯れと革命がそうであったように、それらはダンスフロアで始まるのだ。

聴力がなくなってしまうかのようなタムタムの「スワック」という音、耳をつんざくような大型のクラッシュ・シンバル（ドラマーの周りに飾られている、カミソリのエッジのような空飛ぶ円盤に似た円形の金属、あるいはゴーンという音を立てる、地球圏外のジャングルから来た真鍮製の動物のようなもの）のアタックとぶったまげるような墜落は、シンフォニー・オーケストラ、スィングバンド、そして冷蔵庫ほどの大きさもあるアンプを鳴らすボリューム・フェチがギタリストをやっている、とてつもなくうるさいロック・バンドすら突き抜けていくようにデザインされている。ちなみに、だからこそ《レッド・ツェッペリンⅣ》は、ストーンした時にさえ、どんなに大きな音でかけても、電話のベルなど鳴ってもいないのに、まるでそうであるかのように思えるレコードなのだ。そのことについては後述する。

下手くそなドラマーは瞬く間に歌をダメにしてしまう。一緒に演奏することになるドラマーに与

＊1　チャーリー・ワッツは「ドラムビート・マガジン」に次のように語っている。「ドラムスは子供に買ってやる最悪のものだ。あのノイズときたら信じられないよ。アパート全体に響くんだから」

＊2　前掲書。「ボリュームは（自分で）コントロールするってことが、ドラムスを演奏することに対する名誉の一つなんだ」とチャーリーは述べている。

えるアドヴァイスで必ず思い出すのがボブ・ディランの言葉だ。「あいつがやっちゃいけないのは、〈アイ・ゲット・ア・キック・アウト・オブ・ユー〉って歌の〝キック〟のところでクラッシュ・シンバルを叩くことだ」

優れたドラマーになるための要素の大部分は「こうしたい」という誘惑に逆らうことだ。だからこそチャーリー・ワッツは重要なのだ。彼はやりすぎることなく、派手なフィルを叩くこともなく、他のメンバーとスペースをめぐって争ったりすることもなく、単に「そうできるから」という理由で「それ」をすることもない。彼は音楽のほとんど隙間のないところにニュアンスを見つけ、そして彼の最良の共犯者、キース・リチャーズと一緒になって、ストーンズにどうだと言わんばかりのビートをもたらすのだ。

もちろんストリートのあちら側にはキース・ムーンがいる。ザ・フーの開けっ広げなアンセム、〈無法の世界〉でタムタムの修羅場を駆けめぐるあいつのことだ。彼のこれ見よがしで無茶苦茶なドラミングは、純粋かつ不遜な喜び、そしてロック・ミュージックによって闘われる革命というパフォーマンス政治をうまく表現してはいる。それは「至難の技」だと言ってよい。しかし彼がコール・ポーターを演奏すれば、すぐさま終わってしまうということは誰の目にも明らかだろう。ストーンズだと10秒ともたない。

〈無法の世界〉はムーンの名高いキャリア中、偶然にも完璧にイン・タイムで演奏しているおそらく唯一の瞬間である。それは彼がなぞって演奏しているコンピューター仕掛けのシンセサイザーによるところが大きいのだが、そのことは少なくとも6分間にわたり、彼の革命を完全な無政府主義へと転換させる助力となった。しかしながら、後述するように、素晴らしいドラミングを考える上で、タイムキーピングは最も誤解されている迷信にすぎない。いみじくもアルバート・アインシュタインとチャーリー・ワッツが示してくれたように、時間とは代替可能な数量なのである。最も人間らしい意味においても、誰もメトロノームみたいに動くようなやつとセックスしたくないだろう。それならなぜロックンロールをそんなふうに演奏するんだ？

さらに愛とセックスが同じ価値のものであるのと同様、ロックンロールにおいて最も重要ともいうべき等価性が存在する。つまり「ロール」こそが最も重要な要素であり、その中にスィング、誘惑、そしてこのエンジンの潤滑油が内在するのだ。キース・リチャーズは好んで言う。「なあ兄ちゃん、ロールなんだよ。ロックなんか意味ないのさ。そう受け入れるしかねえだろ。だってロールが王様なんだから。悪いけどな、大抵のガキはロールが遅れるんだ」

ロールは「予兆（anticipation）」で、ロックは「貫通（penetration）」だ。どんなアホでもロックする。子供でも、サカリのついたティーンエイジャーでも。**だがチャーリー・ワッツはロールするのだ。**

どんなスーパー・ヒーローにも生い立ちにまつわる話が必要だ。

チャーリー・ワッツは1941年6月2日、彼の両親チャールズとリリアンの間に、戦争で廃墟となったロンドンで生まれた。父親はロンドン・ミッドランド・スコティッシュ鉄道が運営する市内電車の運転手だった。

さらに重要なのは、チコ・ハミルトンの最高に柔らかなブラシ演奏を擁したジェリー・マリガンの〈ウォーキン・シューズ〉、そして純粋なジャズというよりリズム・アンド・ブルースに近いアール・ボスティックによる〈フラミンゴ〉こそ、チャーリーにとっての放射線を浴びたクモであり、ガンマ光線だったことである。

〈ウォーキン・シューズ〉はイージーにスィングし、ビッグ・バンド時代特有のストンプがない。グルーヴィー、キャッチー、セクシーで悩ましいが、明らかにエキサイティングではない。ドラムスは急がない。ホットではなくクールなのだ。チャーリーがそれを最初に聞いたのは13歳の時だったと言っている。それからすぐバンジョーから弦を外し、自分のブラシで演奏するようになった。

チャーリーはドラム・レッスンを受けなかった。彼がバンジョーを演奏し始めて一年後、彼の父はその後ポピュラー音楽のコースを変えることとなった奔放かつ無我の境地で、息子に中古のドラ

★

ムセットを買い与えた。

チャーリーは野心的なグラフィック・デザイナーで、卒業するまでには広告業界の階段を登り始めていたようなアートスクールの学生であった。どう転んでも成功は約束されていたが、たとえギグのギャラが分配制でも、ドラムスを演奏する方を好んだ。彼はあちこちのコーヒーショップでセロニアス・モンクの作品やモダン・ジャズ作品の演奏に加わった。(ユダヤ教の）バル・ミツバー・バンドの演奏に駆けつけたのは少しやりすぎだが、ピアニストが自分のすることを理解してさえいれば、カバーできるといつも言っていた。何はともあれ、彼はジャズが大好きで、ドラムスを演奏することを愛していたということが重要なのである。

オフィスで仕事するより音楽を演奏する方が好きだという人は確かに大勢いるが、では実際にその選択をする者がどれほどいるだろう？　歯医者になるために演奏から足を洗ったやつらをたくさん知っているが、しかしそのおかげで彼らの人生はずいぶんマシなものになった。明らかに払うべく犠牲でもって世界は住み良い場所になっているのだ。

あえて述べておくが、チャーリー自身、「ダウンビート」誌に印をつけていたのは、新世界（アメリカ）からのヒップなサウンドのためだけではなく、あつらえのフレアー・パンツのためだった。ジャズ奏者はドレスアップの仕方をよく知っていたのだ。ある時点で彼もいい音を出すためには、うまく着飾らなければいけないということを理解した。チャーリーはいつでもエッジが効いていた。確かに後年にはストーンズTシャツでギグに現れることもあったが（ミックがどんなフロックを着て現れていたか、それは問うまい）、スーツとネクタイでの演奏をやってみるといい。1970年代のしばらくのあいだ、チャーリーは「ベスト・ドラマー」の常連だった。21世紀の始まりまでに彼はドラミングのために有名になっただけでなく、「ヴァニティー・フェア」や「ジェントルメンズ・クォータリー」のような少しいい香りのする贅沢な雑誌の「ベスト・ドレッサー」リストにも登場した。もしチャーリーが死ぬような運命にあったなら、それにはすでに配役が割り当ててあったのだろう。ヒーローの幾人かは常人を遥かに超える力をもっていたが、チャーリーはスィングのやり方を知っていたのだ。彼は洗練されていた。大抵のやつらはクールな服を持っていただけだが、チャーリーは「ゾーク」（「バシーン！」というエネルギーの炸裂に匹敵するもの）をもっていたのだ。

★

チャーリーが成長していた時代、ジャズドラミングの全体は、パパ・ジョー・ジョーンズとかフィリー・ジョー・ジョーンズという名前のスーパーマンたちが行うレースによってすでに構築されていた。前者はカウント・ベイシー・オーケストラとの仕事で知られ、後者はマイルス・デイヴィスと演奏していた時期が最もよく知られている。これこそがチャーリーのパワーの源流だ。つまり不必要な混乱なしに歌を前に進める付点八分音符と三連符の連打である。

チャーリーなら今では忘れられた1930年代のビッグ・バンド・ドラマー、シド・カトレットとデイヴ・タフについて、砂糖でハイになった子供のように捲し立てることもあるだろう。彼はニューヨークの52丁目がジャズのメッカだった時代についても畏怖をもって語る。ウッドストックのジミ・ヘンドリックスやフォーラムのレッド・ツェッペリンを見逃した世代同様、チャーリーの夢はハーレムのコットンクラブでデューク・エリントンを、シカゴのローズランドでルイ・アームストロングを、そしてどこでもいいからチャーリー・パーカーを見ることだった。

またチャーリー・パーカーへの愛は、アーティストとしてもデザイナーとしても駆け出しだった1960年、パーカーについての子供向けの本『オード・トゥ・ハイ・フライング・バード（Ode to High Flying Bird)』を書いたことにも現れている。「彼は友達がニューヨークのシーンについて熱く語るのをよく耳にしていました」。チャーリー（・パーカー）は友達にこう言った。「カンザス・シティの巣からニューヨークに向かって飛んできたんだ」。1991年、偶然にもロックスターだった時代、チャーリーは『オード・トゥ・ハイ・フライング・バード』を復刻し、併せてレコード《フロム・ワン・チャーリー》を制作する。これは「チャーリー・ワッツはなぜ重要か」という理由の一つである。彼は自分の一門に常に忠実だった。ザ・ローリング・ストーンズという重石の下にあった時でさえ、ジャズを離れたことはなかったのである。

彼が偏愛したのは次のようなアーティストだ。マックス・ローチ、ケニー・クラーク、ロイ・ヘインズなどビ・バップのパイオニアたち、チック・ウェッブ、ベビー・ドッズといったホット・ジャズのアイドル、そしてトニー・ウィリアムス（ティーンエイジャーの頃にマイルス・デイヴィスに雇われ、恐るべきシンバル・テクニックをもった、全く独自の天才）、そしてエルヴィン・ジョーンズなどだ。ジョーンズの影響はチャーリー・ワッツのハード・ジャンプやスィングよりも、ジミ・ヘンドリックス・エクスペリエンス所属、全くの表現主義者的ドラマー、ミッチ・ミッチェルの奏法により明らかに見て取れる。しかしこのとはまた別の意味で「チャーリー・ワッツはなぜ重要か」ということを説明している。彼は仕事場に持っていくものと、うちに置いてくるものとをよく理解していた。

チャーリーがドラムスを演奏しようというはっきりしたアイディアを持った頃、ジーン・クルーパから直接影響を受けていないドラマーは一人もいなかった。クルーパは「スィングの王様」で、他の誰よりもドラマーをスターにした。1937年、彼がベニー・グッドマン・オーケストラと共に〈シング・シング・シング〉でソロを取った時、聴衆は呆気に取られた。彼のドラムスはあのドラム・ブギーと共に吠えた。ビッグ・バンドのステージを原初的なリズムがあれほど支配してしまうことなど、かつてないことだったのである。クルーパのドラムスは音楽的だった。そして「ロール」としていた。それはジャングルとボールルームとの間に生息していた。それは「ロックンロール」という言葉がまだ「ファック」を婉曲的に意味していた時代の「ロックンロール」だった。[*3]〈シング・シング・シング〉は近代的なドラムソロの始まりでもあり、また同様に、有害無益なドラムソロの始まりでもあった。なぜならこのゲームの歴史において素晴らしいドラムソロと言えるものがほんの少ししかないことは明白だからだ。クルーパの〈シング・シング・シング〉、デイヴ・ブルーベックの〈テイク・ファイヴ〉におけるジョー・モレロの時間を忘れさせるようなブレイク、ザ・サファリズの〈ワイプ・アウト〉（忘れ去られたロン・ウィルスンがドラマー）、ジョン・ボーナムによるレッド・ツェッペリンの巨大なセンターピース、〈モビー・ディック〉などだ。その他は私に言わせれば「音楽外の活動」で、ショー・ビジネスのナンセンスだ。マックス・ローチの素晴らしい音楽やバディ・リッチのセンセーショナルな過激さが例を示したにもかかわらず。[*4]

これらのことについてはまた別の機会に話そう。今はザ・ローリング・ストーンズが「ロック（貫通＝penetration）」の前に必ず「ロール（予兆＝anticipation）」するジャズ野郎をバンドに迎え入れるという賢明さを持っていたということだけで十分である。つまりどれだけの音符を演奏できるか

＊3　〈ロック・アンド・ロール〉というフレーズは、洋上での船の動きを描いた舟唄の詩の一部が発祥である。しかし船乗りは（いつの時代でも）船乗りであって、他の数千もの婉曲表現同様、すぐに二つの意味をもつようになった。また「モーゼの腕の中でゆらゆら揺られて……（rocking and rolling…）」という歌詞に見られるように、このフレーズはスピリチュアルとゴスペルでもよく使われたが、それから間もなくレイス・レコードに登場した。１９２２年、トリクシー・スミスの〈マイ・マン・ロックス・ミー（ウィズ・ワン・ステディ・ロール）〉が、「それ」についての最初のレコードだと一般的に言われている。この話にはもっと続きがあるが、これで要点はお分かりだろう。

ということによって自分の力量を測らず、自らの仕事、つまり歌を理解し、バンドを素晴らしく響かせることを最優先にすることでエゴを抑えるような人間だ。他のドラマーがドラムスと格闘していた一方、チャーリーは手腕を揮うたのだ。彼はいつスィングするべきか、そしていつストンプするべきか分かっていた。チャーリーはドラムソロを演奏しなかったが、技量がなかったからではない。そんなことをする必要などなかったからだ。

＊4　〈レッド・ツェッペリンの〉〈モビー・ディック〉は、論理的にこの〔近代的なドラムソロの〕延長線上にあり、往々にしてマックス・ローチの〈ドラム・オルソー・ワルツ〉に基づいている。つまりジーン・クルーパのクレイジーなシンコペーション、及び〈ワイプ・アウト〉の推進力に、バディ・リッチのすさまじいテクニック・パワーを混ぜ合わせたものだ。ボーナムは、チャーリー・ワッツ同様、ジョー・モレロの大ファンで、素手でドラムスを叩くアイディアは彼から得たものである。ついでに言うと、〈テイク・ファイヴ〉におけるソロの美しさの一部分は、モレロが自由にソロをとっている一方で、ピアノがずっとヴァンプを続け、モレロのために時間（小節）を示している点だ。ギター・プレイヤーがソロをとっている時だって、バンドが止まったり、ステージを去ったりしないだろう。それと同じことである。

2章 ロックンロール黎明期のドラマーたち

The Devil's Music

ここ何世代かの音楽ファンはプリンスとデヴィッド・ボウイがロック界初のゲテモノだというアイディアと共に成長してきた。つまり彼らこそが解放者、規格外れ、パイオニア、パラダイムシフターであり、普通では考えられないようなスタイル、そして妥協を知らない自意識こそが、フォロワーたちのためにドアを開け放ったというアイディアだ。

しかし、まずはエルヴィスがいた。

エルヴィスは全くもってミシシッピーの見せ物小屋であり、本当に1パーセントほどしかいなかった最小数派だった。彼がはいていたピンクの幅広ズボン、ローズオイルとワセリンの香り漂うオールバック、長いもみ上げ、ツートーン・シューズ、そしてあの目周りの厚化粧等をどう捉えていいか分からなかった若者は、彼のことをオカマとか、さらにひどい呼び名で呼んだ。エルヴィスは黒人のように歌い、ザ・スパイダー・フロム・マーズのようにドレスアップした。当然のことながら女たちは彼を愛し、男たちは彼を殺したがった。

サン・レコーズからの最初期のヒット曲にはドラムスがなかったにもかかわらず、**「ビッグ・ビート」に対する畏怖がこれほどのものだったということは覚えておかなくてはならない。**[*1] しかしエルヴィスがメンフィスのローカル・ラジオを卒業し（ここのDJたちは彼がどこの高校に通っていたかを巧妙にリスナーに教え、そのことで彼が白人だと知らしめた）、RCAレコーズとルイジアナ・ヘイライドのビッグ・タイムに行き着くまでに（28州、198のステーションで放送された）、彼はキッズをさらに興奮させるには今一つ足りていない要因を見つけ出した。「ビッグ・ビート」である。

ヘイライドのハウス・ドラマー、D・J・フォンタナは、ルイジアナのストリップ・クラブで演奏することから、ステージでセックスを売る能力を完璧に学んだ。最大限腰を振るにはバックビートのスピードをいつ上げればよいか、そしてピストルが破壊的な効果をあげるにはいつスネアドラムの引き金を引き、いつ発射すればいいか彼は理解していたのだ。

エルヴィス初期のテレビ出演では（1955年、初のテレビ出演となったルイジアナ・ヘイライドのテレビ版も含めて）、ドラムスはカーテンの後ろに隠されていた。フォンタナが演奏した時もそうだった。それまでそうだったように、ドラムスは「敵」と見做されていたのだ。

フォンタナはスネアドラムの後ろで自分が何をやっているのかはっきりと分かっていた。あの手の「セックス・ビート」はゴーゴー・バーの仕事を通じてのみ学べるということ。さらに今、より猥褻にシンコペートするストリッパー・ジャズはカントリー・ミュージック、黒人のR&B、最新のロカビリーを混ぜっ返したものの中に道を見出したということ。ベタベタしたリバーブ、滴り落ちるエコー、それらの中に飴玉の中心を包み込んでしまうかのような「ロカビリー・スタイル」である。

チャーリーは「〈ハウンド・ドッグ〉は全時代で最も優れたドラム・トラックだ」と「MOJO」誌に語った。「だけどD・J・フォンタナがテレビで演奏しているのを見ると、昨今やっているようには演奏していない。彼はビッグ・バンド・ドラマーが4分の4拍子のスィングものを演奏するのと同じように、シャッフルとスィングを演奏している」。エルヴィスの中にジャズを見つけるのはチャーリーに任せておこう。

エルヴィスと彼のバンドはRCAからのデビュー盤に「ダーティーさ」をうまく配した。そして後にストーンズがそうしたように、カントリー、ゴスペル、そして彼が愛して止まなかったもう一つの音楽、スピリチュアル（ジュビリー・シンガーズのような、ゴスペル以前の黒人宗教音楽）でサウンドに味付けをしながら、ブルース、バラード、ストンパーズ、悲鳴、アッパー、ダウナー、笑い声を上げる者、叫び声を上げる者の間を縦横無尽に移動していったのである。

ある意味エルヴィスはザ・ローリング・ストーンズのブループリント（設計図）であった。彼の

＊1　（ドラムスの入っていないサン・レコーズからのエルヴィスによる作品は）〈ザッツ・オールライト〉、〈グッド・ロッキン・トゥナイト〉、〈ミルクカウ・ブルース・ブギー〉である。

方がより原典に近いが、両方とも同じ源泉からの流れを汲んでいた。エルヴィスは全くもって見事としか言いようがなかった。そして後にストーンズが彼らの最良の時代にそうしたように、若者の反抗に対する素晴らしく、意義深い貢献だった。

★

若者の反抗にとっての最良の出来事は、車にラジオを取り付けるということであった。今やロックンローラーの第一波は脱出モードにあり、そこにサウンドトラックとバックビートとを兼ね備えていた。占い師や先進的な社会学者でなくとも、この等式がどこに向かっていたか理解可能なはずだ。

今となっては馬鹿げているが、「若者の反抗」は戦後の文化転換における絶好のポイントであった。アメリカの歴史上、初めて若者にスポットが当たったのだ。やっと若さがかっこいい時代になったのである。彼らは自分の親が聞いていた音楽を聞かなかった初めての世代だった。彼らには独自のグループの呼び名があり、独自のヒーローをもち、独自の自己認識方法があった。そして「ビート」こそ彼らを狂乱させるものだった。あの「クレイジー・ビート」だ。

ここでもう一つ思い出しておかなくてはならないことは、かつてドラムスは違法だったということとだ。白人のティーンエイジャーではなく、反抗に理由があろうとなかろうと、ドラムスは純粋に危険で、破壊的な力であり、コミュニケーションと暴動の手段だったのである。サウスキャロライナの奴隷法には次のことが書かれている。

この地域の安全に絶対に必要なものとして、
黒人と他の奴隷の放浪と集会を禁じる。
常に、とりわけ土曜日の晩、日曜日、そして他の祝日においては、
木剣、他の危ない武器の使用や携行、
あるいは集会を呼びかけたり、邪悪な計画や目的を知らしめるべく、
ドラムス、ホーン、他の騒音を発する楽器を禁ずる。

性的欲求不満のでしゃばり、人種差別主義者、道徳の荒廃に対して立ち上がった監視人たちが新しいロックンロールは若者にとって危険だと宣言した時、彼らは自分たちの祖先が知っていた考え、つまり「あの黒いもの」を前面に持ち出してきたのである。ロックンロールはアフリカン・デザインによるもので、南部の貧乏白人がテレビで「あれはジャングル・ミュージックだ」と貶していたが、全くもってそれは正しかった。だからこそ素晴らしかったのである。

1950年代の教会が配る小冊子が雨あとの筍のように広まった。

ロックンロールは悪魔の音楽です。

催眠効果のあるヴードゥー・リズムには気をつけましょう。

子供に黒人のレコードを聞かせてはいけません。

ロックンロールは殺人、麻薬中毒、レイプの根源であり、人種隔離主義者や自薦の白人道徳主義者にしてみれば、ドラムのビートには棘があったのだ。髪をオールバックにしたとある説教師が声だかに話す（明らかにこいつはそれを直に経験したようだ）。「ロックンロールは若者の反抗を後押ししている要因だ。ロックンロールを歌うと、何が起こり、どんなに邪悪な気分を抱くことか知っている。平均的なティーンエイジャーにどうしてこの音楽が好きなのか聞いてみるがいい。彼らはこう答える。〝ビートさ。ビート！〟」

フランク・シナトラですら流行に乗っかった。1957年、彼がヨーロッパのゴシップ雑誌にわめきちらした話をアメリカの新聞が早々に取り上げた。彼はロックンロールを「最も動物的で、醜く、退行的、邪悪な表現形式で、聞くに耐えないもの」と呼んだ。そしてエルヴィスを攻撃して、こう続けた。「(ロックンロールは) 若者の間に、ほぼ完全に否定的かつ破壊的な衝動を生じさせるよ。

それは愚かで偽りの匂いがする。その大部分は頭の悪い黒人によって歌われたり、演奏されたり、書かれたりしているのさ。そして精神年齢が3歳から7歳の子供のような反復と、陰険で、猥褻な（実のところ汚らしい）歌詞によっているんだ。そして前にも言ったように、この地球上にいるもみあげを生やした非行少年全員の軍楽となっている」。もちろん彼は全く間違っているというわけではない。エルヴィスは真摯にこう答えている。「私の記憶が正確なら、彼だって流行の一部だったじゃないか。ならばどうして昨今の若者を不道徳だとか非行少年だとか呼べるんだ」。エルヴィスは信頼に足る。

★

もう何年もの間あなたはプラトンの洞窟の壁に影を見てきた。月の上を歩いた男については多くが語られてきたのに、ロケットを作った方の話はあまり聞かない。今ここでそれを正そう。ドラマーにとって1950年代は激動の時代であった。R&Bではジャンプ・アンド・ジャイヴが燃え上がり、それと同じように重要なことは、レイ・チャールズが古い世界と新しい世界を分け隔てる一線に火をつけたことである。

この時代のリズム・アンド・ブルースはすでにセックスに溢れてはいたが、1959年、レイ・

チャールズが〈ホワッド・アイ・セイ〉で爆発した時には、オーガズム狂乱の頂点に達した。レイの音楽は恍惚とし、喜びに溢れ、前に進む力をもったゴスペル音楽に基づく栄光を全て兼ね備えていた。ブラザー・レイは世俗的な歓喜でそれを表現したのだ。「ウー、アー、ベイビー、いい気持ちだ」。しかしながら、ワイルドにベルが鳴るようなシンバル・ワークと推進力のあるタムタムのタトゥーを伴ったミルト・ターナーのクレイジー・ルンバ・ビートこそがこの曲に今まで聞いたこともないようなルーズさ、つまり「ロール」を与えたのだ。

それ以前、恐るべきコニー・ケイがレイのバンドに出入りしていた。レイの初期のヒットの一つ（1953年の）〈メス・アラウンド〉での大音量のプレイがよく知られている。それは今日でさえ最もアグレッシブで、今からパーティーが始まるようなブギー・リフの一つに数えられる。そしてビッグ・ジョー・ターナーによる最初期のロックンロール・ブルース・シャウター、ブギウギの象徴〈シェイク・ラトル・アンド・ロール〉（1954年）でバックビートを叩きまくっていたのがコニーだったことにも触れておかねばならない。しかしながら、彼が最も知られているのはジャズ・プレイヤーとしてであり、何十年にもわたって、超口当たりのいいモダン・ジャズ・カルテットをスイングし続けてきた。

ビル・ピープルズはレイの草分け的な〈アイ・ガット・ア・ウーマン〉でドラムスを叩いて、この曲を前へ前へと駆り立てた。この曲は真正なゴスペル作品から盗用され、肉欲の地に植えられた

（基本的にはザ・サザン・トーンズの〈イット・マスト・ビー・ジーザス〉からの盗作である）[*2]。それは〈ロンリー・アヴェニュー〉（1956年）では、残忍なほどに揃えられた拍を打ちつけた。それはハードかつダーティーな鼓動で、後にドクター・ジョンが「ジャンカーのブルース」と呼んだほどだ。ゆっくりと回るリズムは、ヘロイン常習者がほとんど足を上げずにシャッフルする様を思い起こさせたからである。こんなふうに演奏するのはほぼ不可能だ。

これらのドラマーは全て心情的にはジャズ・プレイヤーである。実際ビル・ピープルズはフィリー・ジョー・ジョーンズからレッスンを受けている。[*3] これらの音楽に対して単に「反応する」のではなく「聞いている」なら得心がいくはずである。なぜならジャズ、R&B、ロックンロール、ゴスペル、ブルース、カントリー、パンク……**結局のところこれらは全て同じクソだからだ**。リトル・リチャードが「何を食ってるかじゃねえんだよ。どうやって噛み砕くかなんだ」と言ったように。

＊2　〈レイ・チャールズのナンバーで〉エルヴィスがカバーしたのは、〈アイ・ガット・ア・ウーマン〉と〈ホワッド・アイ・セイ〉である。彼はカントリー、R&B、ロックンロールに線引きをするようなやつではなかった。ホットなものを聞いた時には、そのことを素直に理解していたのだ。

＊3　ちょっと面白い話がある。それと同時に黙示的でもある。もう何度も言われていることだが、聞いたことのない人には話しておかないと横着をしているような気になる。フィリー・ジョー・ジョーンズが60年代にロンドンへ行った際、選抜の生徒何人かにドラム・レッスンをすることになった。キース・ムーンが名乗りをあげ、ジョーンズもそれに同意した。ムーンがドラムキットに座って、少しばかりレッスンした後、ジョーンズは「そんなふうに演奏してどれくらい貰うんだい」と質問した。ムーンが答えると、ジョーンズは「（私がレッスンして）それを台無しにしない方がいいな」と言ったということである。

エルヴィス、プリンス、ボウイどころか、リトル・リチャードはいわば独立リーグだった。彼は髪を逆立て、クレオパトラ以上に目周りに化粧をほどこした、気の狂った黒人の無法行為とでも言えるものだった。1955年、彼がピアノから「ウワッ、バラ、ルモーバ、ラッバンブン！」と叫んだ時、そのメッセージが伝わらないわけはなかった。ある偉人は「心を自由にすれば、ケツがついてくる」と言った。

★

リトル・リチャードのドラマーは彼の音楽には不可欠なその道の名手たちだった。リトル・リチャードの前ではエルヴィスでさえ借りてきたネコのようだ。彼の音楽は過剰にセクシャルで、真っ黒で、野蛮であり、1950年代のアイゼンハワー時代、グレーのカーペットを夢見るようなヤボったい生活と安物の幻想的な反映の中で歓迎され、言うまでもなく理解された。ある説教師が警告したように「国全体にわたる人種混合」をもたらしたわけではなかったが、混乱状態は約束されたも同然であった。そのビートはキッズを狂わせた。挑発的な歌詞と推進力のあるリズムは「トーラーブール」を意味した。一緒に踊っていた男女は「楽しい軋轢」を共にすることになった。

リトル・リチャードが録音したニューオーリンズには、幸運にも、世界中どの地域の人口比率にも増して偉大なドラマーたちがいた。

チャールズ・コナーはこのストーリーにおける無名のヒーローだ。彼は最も熱量の高い、そして決して忘れることのできないドラム・イントロをもたらした。それは「引き伸ばされたダブル・シャッフル」として知られる騒音、無慈悲で、地中に杭を打ちつけるような音の塊、リトル・リチャードの〈キープ・ア・ノッキン〉の発火点となったロッキン・ローリンな爆発だ。レッド・ツェッペリンがいみじくも〈ロックンロール〉と名付けた曲のイントロで、ジョン・ボーナムがエナジー・アップして使った「あれ」と言うと、ピンとくる読者もいるだろう。

「フラム」、「パラディドゥル」、そして「ダブル・シャッフル」とは異なる「ダブルタイム」など、ドラマーは彼ら独自の言語を話すということを述べておくべきだが、リトル・リチャード・バンドは、初期ロックンロールにおいて、シンコペーションとスィングが音楽の心臓部となるべく修練の場であったと述べるにとどめよう。[*4] つまりビッグ・バンドとダンスの時代に行き渡ったハード・シャッフル・ビートは、後に主流となる直線的なリズムへ変化したということだ。音楽的にいうなら、気の狂ったようなピアノ奏者が「ダン・ダン・ダン・ダン・ダン・ダン・ダン!!!!!!」とやっている一方で、ドラマーがただ単にライド・シンバルを「ティン・ティン・タ・ティン」と叩くだけでは不可能になってきたのである。

「最初にリズムにファンクを入れたのはコナーだ」とジェームズ・ブラウンが後に言ったように、それはちょっとしたリズムのダーウィン現象であった。にもかかわらず、コナーはドラマーの間でさえあまり知られていない。

リトル・リチャードのもう一人の偉大なドラマーはアール・パーマーであり、彼はコナーのような悲劇とは無縁であった。彼の名が知れ渡っているのは、ニューオーリンズからハリウッドに向かい、名うてのセッション・ドラマーになったからだけではない。彼は他のドラマーと異なり、言っていることとやっていることにわずかな違いもない、声の大きな自己PR装置だった。

パーマーはリトル・リチャードの初期のヒットの多くで演奏したが、もっと重要なのはファッツ・ドミノのヒット曲でも演奏したということである。ここでは〈アイム・ウォーキン〉での見事なストラットと〈ザ・ファットマン〉におけるでっぷりとしたバックビートの二つをあげておこう。[*5]

チャーリー・ワッツは自他共に認めるファッツ・ドミノとリトル・リチャードのファンだったが、1960年代初頭、パーマーの痕跡がより多く聞こえたのは、リンゴ・スターによるザ・ビートルズとのはち切れんばかりの演奏である。アール・パーマーはリンゴのやることなすこと全てに影響している。とりわけライヴでのオープンにしたハイハットやバスドラムの乱れ打ちには、ザ・ビートルズが鎬《しのぎ》を削っていたハンブルグのスタークラブで、アンフェタミンによる幻惑を経由し、ニューオーリンズ・サウンドが立ち上ってくるのが随所に聞こえた。リトル・リチャードのカバー（〈トゥッティ・フルッティ〉〈のっぽのサリー〉〈ウー！マイ・ソウル〉）だけでなく、〈ツイスト・アンド・シャウト〉、〈シーズ・ア・ウーマン〉のバックビートと一聴するだけでジャジーなシャッフル、〈シー・ラヴズ・ユー〉の爆発するようなバスドラ、または〈抱きしめたい〉の冒頭の数小節における信じられないような前戯（落ち着き始めて、萎えた情事のようになる前の部分）など、ザ・ビートルズのベスト、初期ロックンロールめぐりの随所に聞いてとれる。

一方、チャーリーがザ・ローリング・ストーンズのギグのために魔法のパワーを見つけたのはシカゴのサウスサイド、特にマディ・ウォーターズ、ボ・ディドリー、ハウリン・ウルフ、そしてチャック・ベリーなど、チェス・レーベルのレコードにおいてであった。

シカゴの最高のドラマーたちは、低く遅いテンポとスィングを正確に混ぜ合わす術を知っていた。彼らはハウスパーティーでさえも転げまわったり熱量を上げたりできたのだ。彼らは催眠的なシャッフルとビッグ・ビートのマスターたちだ。ラテン・グルーヴにも決して疎くなかった。そして最も深みのあるブルース、マディとウルフのディープ・デルタの「揺れ」においては、時間を曲げることができた。マイケル・ジョーダンがジャンプ・ショットする時に空中を漂いながら重力に逆ら

＊4　このこと〔ドラマーが話す独特の言葉〕に関して言えば、リトル・リチャードの「ウワッ、バラ、ルモーバ、ラッバンブン！」はコナーの騒々しいリズムを解釈して言語化したものだ。

＊5　アール・パーマーのディスコグラフィーにはサム・クック、エディ・コクラン、ザ・モンキーズ、ハーブ・アルパート、ザ・ビーチ・ボーイズ、ティナ・ターナー、フランク・シナトラ等々が含まれる。

うのと同じ方法でビートの上を彷徨ったのだ。

ボ・ディドリーのメイン・ドラマーはクリフトン・ジェームズで、伝説的なマラカス奏者ジェローム・グリーンと一緒にボ・ディドリー・ビートを立ち上げた。この二人は共同で一人の巨大なドラマーとも言うべきものを作り上げたのだ。[*6]

ボの音楽は野生的だった。ジャンプ・ブルースやスィングとは無関係で、ストレートなブルースを純粋に「ビート」だけのものに変えてしまっている。ボは未来的かつ原始的であった。アフリカから直に叩き出し、スペイン風に味をつけたリズムに対して、深いリバーブとトレモロでできた未来のサウンドを重ね合わせようと躍起になっていた。[*7] それは全くもってジャングル・ミュージックで、全ての歌はセックス爆弾だった。

しかし全てのチェス・レーベルのヒーローのうち、ほぼ永久的にザ・ローリング・ストーンズの音楽に感じられるのはチャック・ベリー印である。言うまでもなく彼らはチャックを崇拝していた。[*8] 彼こそキースのギター・スタイルの出発点だが、それと同様に、彼のバンドには恐ろしく素晴らしいドラマーが何人か出入りしていた。

チャックの最初のドラマー、エビィ・ハーディはあまりうまくなかったが（反っ歯剥き出しの笑顔は聴衆を怖がらせた）、後にチャーリー・ワッツを狼狽させた（エビィ風にやってみようとした者は誰でもそうだった）奥深いゆるさと流れとを合わせ持ったジャズ野郎だった。チャック・ベリーと作ったレコードでの彼のドラミングはコピーするにはあまりにグルーヴィーすぎて掴みどころがない。ストーンズがカバーした〈カム・オン〉や〈バイ・バイ・ジョニー〉では、バイユー（沼のような入り江）とセントルイスの明るい光が出会い、ドラムスが通常の重力の法則から解放された異次元の宇宙に転がり込んだかのようだった。

ストーンズが〈バイ・バイ・ジョニー〉を演奏した時には、まるで怒り狂ったロックンロール曲で、犯罪的なバックビートでもって盗んだ車を運転しているようであった。ハーディが録音した時にはバックビートと呼べるようなものはなく、執拗に一拍目が強調され、グループ・セックス・パ

＊6　マラカス、あるいはマラカス奏者の重要性を侮ってはいけない。そもそも、マラカス演奏に専心したプレイヤーを見つけることがどれほど難しいかご存じだろうか？　つまり、ドラムキットの犬となるべく己のエゴを全て捨て去り、マラカスを演奏することに喜びを見出せるような男または女のことだ。それは置いておいても、マラカスを正確に演奏することがどれほど難しいかお分かりだろうか？　マラカス・プレイヤーはギターに対してドラムスと完全に同期して演奏するか、あるいはドラムスに対してギターと完全に同期して演奏しなければならないのだ。他のいくつかの事象同様、ボ・ディドリー・ビートの秘密はまさにこれで、要するに「軋轢」なのである。さらにボ・ディドリーと一緒に40分間、休憩なしで、心臓麻痺を起こさずに演奏してみるといい。真面目なマラカス・プレイヤーというのは実に相当な域に達しているのだ。

＊7　ジャズ・アバター、ジェリー・ロール・モートンは基礎的なラテン・アフロ・キューバン・リズムと呼んでいる。彼は「自分の曲にスパニッシュ風味を加えられないというなら、私がジャズと呼んでいるものに対して、真っ当なシーズニングを手に入れていないということだ」と述べている。

＊8　ストーンズがそうしたように、チャック・ベリーもまたマディ・ウォーターズを崇拝していたことは特筆すべきである。チャックはマディを「私がキャリアを始めるにあたって、最も偉大なインスピレーションだった」と言った。力強い血統である。

ーティーで酔っ払った主婦のようにスィングしていた。〈カム・オン〉は特に形式から離れ、病的、屈折、奇妙であり、この45回転のシングルを33回転で再生すると〈キャプテン・ビーフハートの〉《トラウト・マスク・レプリカ》のアウトテイクのように聞こえる。

エビィが〈アイム・トーキング・アバウト・ユー〉で演奏したファンキーで、爆弾が落ちるかのようなグルーヴを聞いてみるといい。モーターヘッドの前身とも言うべきチャック初のヒット曲、ハードコアな狂気のヒルビリー〈メイベリーン〉でバックビートを叩いていたのと同じやつだとは想像しがたい。ストーンズが〈トーキン・バウト・ユー〉を演奏した時には、ややドロドロしたソウルに単純化してしまうのがやっとのことであった。〈ユー・キャント・キャッチ・ミー〉はほぼ手中に収め、〈ダウン・ザ・ロード・ピース〉には純粋でハードなスィングに果敢に挑み、自分たちのものにしたが。しかしハーディ・グルーヴはあまりに浮世離れしていて、基本的には不可能であった。

エビィは歴史の霧の中に忘れ去られた一人で、他のチェス・レーベルの仲間たちが享受したような評判とは無縁だった。チャックは厳格な禁酒者で、やがてエビィがバンドスタンドで酔っ払ったことが原因でクビにしたが、レコーディング・セッションには時々連れ戻していた。彼の演奏には奇妙で、何物にも変え難い突進を伴うチャックの音楽に燃料を注ぎ足すような柔らかく、予測不能なものがあった。チャック版の〈ダウンバウンド・トレイン〉(酒、罪滅ぼし、そして今にも脱線しそうな悪魔についての歌だ)での明らかに邪悪で、高速の機関車のようなシャッフルを聞くと、必ず古めかしい震えが走る。それは文字通り恐るべきものだが、そのように演奏することに責任が伴わないわけではない。彼の奏法は、結局のところ誰にとってもうまくいくわけではなかったのだ。

★

誰もが納得するチェス・スタジオ・ドラマーの王様といえばフレッド・ビロウで、チャックのベスト作品に加えて、マディ、ウルフ、その他大勢の演奏に貢献している。チャーリー・ワッツとザ・ローリング・ストーンズに対するフレッド・ビロウの影響は絶大だ。ストーンズは2017年、地下のカビ臭いバーに始まり、ハードロック、アシッドロック、カントリー、ディスコ、そしてパンクロックをスタジアムやアリーナで演奏した五十年余りを経て、ようやくブルースの演奏に立ち戻った。**チャーリーは「自分の人生はフレッド・ビロウに負っている」といみじくも述べた。**

ジャズを基本としたブルースのストンプ、気楽なダブル・シャッフル、殺人的なバックビート、予兆（anticipation）、貫通（penetration）、そして力強い推進力などは全てビロウがもたらしたものだ。ビロウはマスターだった。彼なら2×4インチの木材だろうが、バーで酒を買うのを待っている人々だろうが、どこにでも（誰にでも）釘を打てるし、アール・パーマーのように、昔ながらのシャッフル・ビートと新しいロックンロールの計測とを、スィング感を失うことなしにくっつけることもできた。

フレッド・ビロウはシカゴ生まれで、とても才能のあった高校の友人たち二、三人と演奏することからキャリアを始めた。ビ・バップのガンスリンガー、後にアート・ブレイキーやセロニアス・モンクのバンドでテナー・サックスを吹いたジョニー・グリフィン、デイヴ・ブルーベックと奇数拍子の《タイム・アウト》を演奏したベース奏者、ユージン・ライトなどが例に挙げられる。

1945年、ビロウは終戦も間近になって陸軍に招集され、戻ってきた時にはロイ・C・ナップ・スクール・オブ・パーカッションに通った。ここの学生には由々しきドラムス界の重鎮で、チャーリーのヒーローたち、ジーン・クルーパ、ルイ・ベルソン、デイヴ・タフ、ベビー・ドッズ、そして後にセッション・ドラマーのエースとなったハル・ブレインらが含まれていた。1948年、ビロウは再入隊し、アーミー・バンドに入った。そしてシカゴに戻る前、パリのジャズ・シーンを徘徊した。1951年、米国に帰国した際、ビ・バップはすでに時代遅れで、ブルースやR&Bでバックビートを叩く他のジャズ・ドラマーの代わりを務めたりした。

この時期はシカゴ・ブルースの黄金時代だった。サウスサイドのバンドは異様なほど競争が激しく、誰もが他のバンドの首を狙っていた。ビロウはルイスとデイヴのマイヤーズ兄弟のバンド、伝説のジ・エイシズ（ジュニア・ウェルズがハーモニカだった）にすぐさま加入した。ウェルズがマディ・ウォーターズのバンドに入った代わりに、リトル・ウォルターがジ・エイシズを継承した。

〈マイ・ベイブ〉、〈ブーン、ブーン、ウェン・ザ・ライツ・ゴー・アウト〉、〈ジャスト・ユア・フール〉など、ウォルターのヒット曲のほとんどでビロウは演奏し、マディのスタジオ・バンドで演奏していたウォルターはビロウもそこに招き入れた。1954年、影響力の強かった〈アイ・ジャスト・ウォント・トゥ・メイク・ラヴ・トゥ・ユー（恋をしようよ）〉（後にストーンズの怒涛のナンバーとなった）で、二人は地盤を築いた。

やがてビロウはマディ・ウォーターズ（〈マニッシュ・ボーイ〉、〈フーチー・クーチー・マン〉、〈アイム・レディ〉）、ウルフ（〈ワン・ダン・ドゥードル〉、〈スプーンフル〉、〈バック・ドア・マン〉）、言うまでもなくバディ・ガイ・アンド・ジュニア・ウェルズ、オーティス・スパン、ココ・テイラーなど、とてつもない数のセッションに参加し、シカゴ・スタイルの設計主と呼んで差し支えないほどのアーティストになった。「とてつもない数」の中には「よく忘れられる」J・B・ルノアーも含まれている。ビロウはルノアーのレコードにアフリカ的感覚をもたらした。特に〈ザ・ホエール・ハズ・スワロウド・ミー〉のパフォーマンスは間違いなく「死ぬまでに見るべきパフォーマンス」の一つに数えられる。

しかしながらフレッド・ビロウが彼の足跡を残したパフォーマンスの多くはチャック・ベリーとのものである。ビロウは〈ジョニー・B・グッド〉、〈ロール・オーバー・ベートーヴェン〉、〈トゥー・マッチ・モンキー・ビジネス〉、〈スウィート・リトル・ロックン・ローラー〉、〈バック・イン・

ザ・USA〉、〈スウィート・リトル・シックスティーン〉、〈メンフィス・テネシー〉、〈レット・イット・ロック〉、〈リトル・クイニー〉など多くの曲でプレイし、ストーンズに十分な「銃弾＝レパトリー」を与えた。特に〈レット・イット・ロック〉と〈リトル・クイニー〉の2曲は後のストーンズのショーにおいて単にいつも演奏する曲となった以上に、目的のはっきりした意思表示のようになった。「ロックンロール原理主義」という態度を表す小さな（だが重要な）マニフェストとして。

★

残念ながら、何年にもわたって、スィングはロックンロールから除外されていた。チャック・ベリーがビロウをドラマー・チェアに座らせて〈ロール・オーバー・ベートーヴェン〉を演奏した際、それは疑いなくハード・カントリー・シャッフルだった。〈ジョニー・B・グッド〉のドラムスは、ギターがロックの未来となる「ストレイト・エイト（八分音符の連続）」を演奏しているのに対して、ジャズやビッグ・バンドのシンコペーションのごとくスィングしていた。それは全く洗練されたアプローチだった。仮に全員がオン・ビートで演奏していたら一本調子になってしまうところだ。それでは「ロールしないロック」なのだ。我々の世界は一体どうなっていただろう？[*9]

このことは犯罪の現場から死体を全部持っていってしまったかのようにシンコペーションを取っ

払って演奏するクソのような白人バンドや、歌を演奏しても下手くそすぎてジャズらしくならない何百万ものウェディング・バンドのせいだ。ザ・ビートルズですらそうだった。彼らの〈ロール・オーバー・ベートーヴェン〉は目が眩むようで素晴らしいが、ほとんどスィングすることはない。イカサマにあったのはチャック・ベリーだけではない。ザ・ドアーズはハウリン・ウルフの激しく、悲痛で、破壊的にセクシャルな〈バック・ドア・マン〉から完全にパワーを取り去ってしまった。彼らが行ったことは彼らをシカゴに送って、心臓移植手術を受けさせて然るべきだ。彼らのボ・ディドリーはさらにひどい。

1960年代になると事態は悪くなるばかりだった。こんなクソを演奏するのは簡単で、誰にでもできることだと思われるようになったのである。

ブルースの本質はピザのようなものだ。つまり大して材料はないのに、どれほどの人がこれを台無しにしてしまうかビックリしてしまう。チャールズ・ミンガス、オーネット・コールマン、イギー・ポップ、そしてキャプテン・ビーフハートらがそうしたように、その「ピザ」を自分の意のままに捻じ曲げてしまうこともできるだろう。しかしながら、まずは生地、チーズ、そしてトマトが必要だという事実を変えることはできないのだ。ホワイト・パイ、アサリのパイ、そして「pizza

＊9　そう、ザ・ラモーンズは「ロックしてロールすることを」理解していた。それが彼らの美しいところだった。誰も彼もが立派なキュービストになれるというわけではないのだ。

rosso senza formaggio（薄生地のチーズ・ピザ）」などピザにも色々あるのは承知しているが、だからと言ってパイナップルをのせ、殺してしまうほどバカな真似をするようにはできていない。そしてどれほどテクノロジーが進歩しようとも、オーブンが必要で、理想を言えば薪や石炭など地球から採取できるものを燃料にするべきなのだ。

ジム・モリスンが「マスターするには狭く、難しいバックビート」について歌った時、自分のバンドのドラマーを引き合いに出して言い訳するべきだった。彼らのスーパースターとしての地位、カウンターカルチャーに対する善意、ＬＳＤによる破壊がどうあれ、ザ・ドアーズというバンドは、最も奥底の部分で、最悪としか言いようのない「ロックの偽善」を代表している。彼らはブルースを演奏できないブルースバンドだったからだ。

それはまるで、ブライアン、キース、チャーリー、そしてミックによって学ばれた単純だが難しいレッスンが、たった一つの新しい病原菌＝ロックスター・エゴによって消し去られたとも言うべき伝染病であった。

ザ・ドアーズが〈バック・ドア・マン〉を薄っぺらにしていた一方、クリームは〈スプーンフル〉にこれでもかと鞭を打ち、鍛え上げていた。〈スプーンフル〉はハウリン・ウルフの最も暗く、瞑想的な作品で、殺人、ドラッグ、愛、そしてお金に捧げられた、ワンコードのモーダルなトーンポエムである。この曲はエリック・クラプトン、ジャック・ブルース、ジンジャー・ベイカーの手により、彼らのエゴを運んで高く舞い上がる分別のない車と化した。当時は20分間に及ぶ無調の騒音以外の何物でもなかったが、もしそれがジョン・コルトレーンやセシル・テイラーなら決して悪いことではない。しかしクリームはコルトレーンでもなければ、テイラーでもなかった。彼ら一人一人の耽溺はあまりに深く、一緒に演奏していない部分もあるくらいだった。ベーシストのジャック・ブルースはお互いのことをよく聞いていなかったことがあったと述べているし、ギタリストのエリック・クラプトンに至ってはある晩彼が演奏するのをやめたのに、他のメンバーがそれに気がつかなかったと冗談めかして言っている。[*10] 彼らは〈スプーンフル〉で見事に「ロール」を踏んだ。だが「ロック」の部分は口約束としか言えないようなものだった。そのことに関しては「もっと簡単に別のコードを見つけて、ここから抜け出せなかったのか？」という音楽的な疑問が残る。

彼らが残したダメージはまだ感じられる。

1962年、ジンジャー・ベイカーがクリームの強烈なドラマーとなる四年前にアレクシス・コーナーズ・ブルース・インコーポレイテッドに加入した際、想像を超えるような才能をもってはいるが、一方では伝統的なジャズ・ドラマーだったということは皮肉ではないか？　ジンジャーはジャズを演奏するという期待をブルースに格下げしたチャーリー・ワッツの代わりだったのだ。

＊10　「悲劇＋時間＝喜劇」ということに対するもう一つの証明である。

1962年、アレクシス・コーナーは小さいながらも実り豊かな英国ブルース・シーンのキングだった。それはミュージシャンが集う中心で、イアン・スチュアート、ブライアン・ジョーンズ、ジャック・ブルース、チャーリー・ワッツの他に、ジョン・メイオール、ジミー・ペイジ、エリック・クラプトン、ロッド・スチュアートのようなファンもいた。言うまでもなく他のザ・ローリング・ストーンズのメンバーたちもこれに含まれており、この時点ではすでに最初のラインナップを完成させ、これからボールルームの伊達男になろうとしていた。[*11]

キースは奇しくも「ローリングストーン」という雑誌に「俺たちにはいいドラマーがいなかった。本当にそう感じていた」と語った。「R&Bはいわば開花したばっかりで、クラブでも演奏するようになった。そこにはバンドが二ついて、チャーリーは別の方のバンドにいたんだ。俺たちのセットをやって、チャーリーがぶったまげてね。彼は『すごいじゃないか。だけどお前らにはクソいいドラマーが必要だな』って言うんだ。『だけど俺たちじゃお前を雇えないよ』って言ったら、あいつは『よし、分かった』って。それで自分がいたバンドに『こいつらとやることになったから』っておさらばしたんだ。それで決まりさ。チャーリーが入ってくれて、やっと本物らしくなった。ギグの数も増えていった」

チャーリー・ワッツとジンジャー・ベイカーのキャリアがバッティングしたのはほんの一瞬の出来事だった。その後ジンジャーはドラムのスーパー・ヒーローとして賞賛され、チャーリーの方はザ・ローリング・ストーンズで「ロール」するという、どちらかというとファンファーレの少ないビジネスの方に向かった。

我々の文化には偉大なミニマリズムが存在してきた。まず浮かぶのはココ・シャネルだが、モンク、マイルス・デイヴィス、ザ・ラモーンズ、キース・リチャーズ、そしてチェス・レコーズの偉大なドラマーたちも全て同様だ。彼らは皆、**しばしば最小限こそが最大の効果を産むということを証明してきたのだ。**

＊11　幼なじみだったミックとキースがダートフォード駅で偶然再会し、ミックが抱えていたチャック・ベリーとマディ・ウォーターズのレコードに二人で入れ込み、間もなくイアン・スチュアート（人気が出るとすぐに「ザ・ローリング・ストーンズっぽくない」という理由でバンドからいびり出されたが、必要な時にはピアノを弾いてもらったり、バンを運転してもらったりするために残したおいたブギウギ・ピアノ・プレイヤー）、デレク・テイラー（やがてめちゃくちゃかっこいいザ・プリティ・シングスのメンバーとなった）、ブライアン・ジョーンズ（このオペレーションの精神的支柱）、そしてチャーリー・ワッツではないドラマーとバンドを結成したという話は何度となく語られた。そして1963年、最初のラインナップでのデビューを果たした。

ストーンズ。後列右はマラカスを振るイアン・スチュアート（1963年ごろ）（Photofest）

チャック・ベリーがロックンロールだ
(Photofest)

最大限のヒップシェイク。エルヴィス、D・J・フォンタナ（ドラムス）、ビル・ブラック（アップライト・ベース）
(Photofest)

3章

ジャズ・ドラマーからロックンロール・ドラマーになるには？

Not Fade Away

生まれながらに趣味のいいドラマー、趣味がよくなっていくドラマー、そして趣味のよさを渇望するドラマー。色々いるが、チャーリーにはこの三つが全て当てはまる。

ストーンズに入った頃のチャーリーは、まだ頑なジャズ野郎だった。キースは回想録『ライフ』で次のように述べている。「チャーリーがリズム・アンド・ブルースの側にやってきたのは、それがジャズとつながっているからだ。だけどその当時はまだロックンロールを会得していなかった。もう少し強く叩いてほしかったんだ。彼のプレイはまだジャズ寄りのように思えたから。チャーリーはいいドラマーだったけど、ストーンズとプレイするためにジミー・リードとアール・フィリップスを学んだんだ」

ブライアン・ジョーンズとキース・リチャーズが取り憑かれたように愛していたジミー・リードは緩いシャッフルのマスターで、彼のドラマー、アール・フィリップスのわざとらしくないパルスは実のところ扇動的だ。ジミー・リードの歌は一見シンプルだ。しかし〈オネスト・アイ・ドゥ〉、

〈ビッグ・ボス・マン〉、〈ブライト・ライツ・ビッグ・シティ〉、〈ベイビー・ホワット・ユー・ウォント・ミー・トゥ・ドゥ〉等、リードに予測不能なスイング（それは口について離れないが、決して不特定なドライヴというようなものではない）を与えるアール・フィリップスの強大なバックビートは、正確にやろうという意図がなければ捉えられるものではない。[*1]

他の偉大なシカゴ・ブルースマン同様、ジミー・リードはミシシッピー生まれで、生まれながらにデルタの沼のような音の雰囲気を兼ね備えていたが、マディやウルフと異なるのは、ラフで田舎臭い音を多く使う代わりに、しなやかなジャズを自分の音に加味していたことだ。チャーリーがジミー・リードにぞっこんになったのも無理はない。たくさんいる偉そうな輩が単に嗅ぎ取っていただけのことをチャーリーは目の当たりにし、「ダウンビート」誌に次のように述べている。「キースとブライアンは、しょっちゅうジミー・リードを演奏することで私に教えてくれた。リードと彼のドラマー、アール・フィリップスは、ポール・モティアンやビル・エヴァンスと同じくらい繊細なんだ」。後にチャーリーはアール・フィリップスを偉大なジャズ・ドラマーの一人に加えている。バカげた言いようだが、チャーリーはそのへんの通ぶったジャズ・ファンではなかった。ここにもう一つ「なぜチャーリー・ワッツは重要か」という理由がある。彼は本物のマジックは手の中にではなく、心の中にこそあるのだと理解していた。[*2]

ジミー・リードの歌のテンポにはイライラさせられる。バスドラの一拍目とスネアの2拍目の間にもう一息つけるくらいだが、それはそれで収まるところに収まってスィングし、よろけたり転んだりすることはない。ドラマーを発狂させるのはまさにこれで、大抵の奏者はそれを避けて通ろうとする。つまり「**ゆっくり演奏する方が速くやるより余程難しい**」のだ。それは演奏しない音符のことではない。演奏するべき拍と拍との間にある空間のためだ。ミュージシャンの多くはこの空間をどうしていいか分からないので、そこにクソを垂れるくらいなのだ。若いミュージシャンは「時

＊1　アール・フィリップスのシャッフルは目眩がするようだ。ジミー・リードだけでなく、キング・オブ・ザ・プリミティヴ・モダニスツ、ジョン・リー・フッカーなどでも時たまそうだが、最も注目に値するのは〈イーヴル〉、〈スモーク・スタック・ライトニング〉、一拍目に強いアクセントのある不屈の〈フォーティ・フォー〉など、ハウリン・ウルフの覚醒的メディテーションのいくつかだ。

＊2　シカゴに切り込み、チャーリー・ワッツのオゾンに浸透していったドラマーは他にも多くいるが、そのうちの二、三人について述べないわけにはいかない。ナップ・スクールの卒業生の一人、オディ・ペインはマスター・ブルースマンで、〈ユー・ネバー・キャン・テル〉、〈プロミスド・ランド〉、〈やさしいネイディン〉など、チャック・ベリーの後期の作品で多くプレイしたチェス・スタジオのレギュラーだった。だが彼が名を残したのは、エルモア・ジェームズ（ブライアン・ジョーンズが取り憑かれていたブルースマンの一人。ブライアンは彼に敬意を表し、〝エルモア・ルイス〟と自分のことを呼んでキャリアを始めた）との仕事に遡る。オディは〈ダスト・マイ・ブルーム〉、言うまでもなく〈ザ・スカイ・イズ・クライング〉、〈イット・ハーツ・ミー・トゥー〉、〈シェイク・ユア・マネー・メイカー〉等々、ブルース全史を通じ、最もアイコニックな曲のいくつかでプレイしている。彼は後にシカゴの町の反対側にあったコブラ・レーベル、ウエスト・サイド・ブルースの天才たち、オーティス・ラッシュとマジック・サムらと最も多く演奏した。ストーンズは21世紀のブルース・カバー集《ブルー＆ロンサム》で彼らの曲を演奏している。フランシス・クレイはマディ・ウォーターズと演奏する前、チャーリー・パーカーと演奏していたジャズ野郎で（チャーリーが大好きなのも無理はない）、〈アイ・ガット・マイ・モージョー・ウォーキン〉の跳ねるようなプレイが最もよく知られている。タムタムを燃え上がらせるようなフランク・カークランドは、クリフトン・ジェームズと並ぶ、ボ・ディドリーのオリジナル・ドラマーの一人で、彼のグレーテスト・ヒッツの多くで演奏し、ツアーにも同行した。あまり有名ではないが私のお気に入りの一人、トルコ帽を被ったJ・B・ハットーとターザンのようにスィングしている。

としてその部分は放っておくべきだ」ということをなかなか理解しない。シナトラはそのことを分かっていたし、ストーンズも分かっていた。だからこそ女の子を手中にしたのだ。

ストーンズはこの不可能とも言えるような音楽へのアプローチにとても自信があったので、ジミー・リードのナンバーでよく初期のショーを始めていた。もちろん、後になってもっと多くの聴衆のために演奏し、ゲートを蹴破ってステージに出てくるようになると変わっていったが。[*3] しかし今は、叫び声を上げる多くのティーンエイジャーの前に出てきて、こんなゆったりしたグルーヴを演奏するほどの自信とこのドラマーへの類まれな信頼があったことに対して彼らに敬意を表するとしよう。彼らは迎合しなかった。むしろ聴衆を惹きつけたのだ。予兆（anticipation＝焦らし）をもって。だがまだキメて（貫通して）はいない（not penetration）。

★

彼らのブルース持続勃起症の中で、ブライアン・ジョーンズは安物のロックンロールよりもブルースやR&Bを演奏することに関しては、とりわけ独断と偏見に満ちていた。ザ・ローリング・ストーンズのデビューシングルはチャック・ベリーのカバーだったが、それほど大したものではなかった。

1963年、ロックンロールのキラ星はザ・ビートルズであった。「ザ・ビートルズの上昇」、つまりリンゴが〈シー・ラヴズ・ユー〉の冒頭、「ブーム、ディダ、バプ、バプ」とタムタムを叩き、喜び勇んで宣言した宇宙の誕生である。素晴らしいドラミングだ。

それから一年もたたないうちにザ・ビートルズが全てとなり、全てはザ・ビートルズと共に発生するようになった。ストーンズの方はどうだったかというと、彼らは立って歩いてはいたが、まだ原始人だったのだ。当時の批評家は「〝素晴らしい猛襲〟をやらかしている素晴らしい五人の猿人」と述べている。

シングル〈カム・オン〉は、彼らをよりコマーシャルなフィールドで売り出そうとしたマネージャー兼プロデューサーのアンドリュー・ローグ・オールダムのアイディアだったが、なぜか甘ったるいマージービート風に仕上がってしまい、エビィ・ハーディのはしゃぎ回るようなジャズとリズムの爆発は丸められ、平板なものにされていた。

ミック・ジャガーはこのレコードを「クソ」と呼び、敵意をむき出しにして、ライヴで演奏する

＊3　しかしながら、ストーンズはそれほどジミー・リードから離れていったわけではない。1969年のオルタモントのフリー・コンサートでは、リードの〈ザ・サン・イズ・シャイニング〉をセットに戻し（もっと暗い〈悪魔を憐れむ歌〉と〈ストレイ・キャット・ブルース〉の間に入れた）、後に発表したブルース・アルバム《ブルー&ロンサム》（2016年）ではヒリヒリするような〈リトル・レイン〉をカバーした。もう「うちへは帰れない」と言っているやつらはまだいるのだ。

ことを拒否した。しかしながら、10万枚を売って、UKチャートで21位にまで上昇し、ボ・ディドリーとのUKツアーを実現させた。

ストーンズがボ・ディドリーや、言わんやツアーの後半から参入したリトル・リチャードのオープニング・アクトを務めたことなど今となっては想像できない。それは（複数のアーティストが順に演奏する）パッケージショーだったが、ストーンズは10分間だけ演奏して、次の10分間で機材をめちゃめちゃにされて、大騒動を巻き起こした。[*4] その頃の典型的なセットリストは、〈マネー〉、〈ポイズン・アイヴィー〉、〈フォーチュン・テラー〉、〈ルート66〉、そしてチャック・ベリーのナンバー、まだ彼らのシングルにはなっていなかった〈ロール・オーバー・ベートーヴェン〉か〈メンフィス・テネシー〉だった。彼らは「世界最高のガレージバンド」になる途上だった。

さらに重要なことは、キース、チャーリー、ミックはボ・ディドリーを毎晩観察し、学びに学んだということだ。

ボ・ディドリーは原始アフリカ的スワンプロックとフューチャー・ブルースの開祖であり、ピンプのように闊歩するクソ野郎だ。彼の歌は超モダンなリズムギター、南国風のブギーと共に、汗とセックスの匂いを醸し出す。それはまるで古代の多産の神、宇宙人、そして征服王ジョンの根っこから力を得たような求愛の鳴き声のように響く。彼は昔ながらのショウビズの天才でもあった。

彼のバンドにいたもう一人のギタリスト、ザ・デューチェスは驚くべき美貌と才能を持った彫像のような女性だった。それに加え、彼女のぴっちりとしたラメのスーツ、キャデラックの尾ひれを模したカスタムメイドのグレッチのどれもメインアクトを台無しにしてしまうようなことはなかった。

ボは単にステージの構成のみならず、女性ギタリストを雇っていたことで、かなり先を行っていた。ザ・デューチェス（ノーマ＝ジーン・ウォフォード）といざこざになる以前はレディ・ボ（ペギー・ジョーンズ）がその地位にあった。レディ・ボはボと一対一で煽るように踊っていただけではなく、高いレベルのギター演奏でもって、「古風な織物芸術」を繰り広げていた。

１９５０年代末や１９６０年代初頭に女性が男性とステージ上でロックするというのは空前の出来事だった。ザ・シュレルスやザ・ロネッツのようなガールグループは全盛期だったが、エレキギターで武装している者は誰もいなかった。これこそミックとキースが直接取り入れようとしたアフリカ的エロティシズムの緊張感だったのだ。ドラッグが全面に出てくるまでは全くそうだった。

あのビート、まさにあのビートだ。

＊4　英国のコメディアンでシンガーのジュリー・グラント、すぐに忘れられたザ・フリントストーンズ、ポップ・シンガーだったが、やがてプロデューサーになったミッキー・モスト、そしてもちろんリトル・リチャード、ボ・ディドリー、ザ・ローリング・ストーンズをフィーチャーしたショーにおけるもう一組のビッグ・アクトはジ・エヴァリー・ブラザースだった。

★

ストーンズはツアーから戻ってくると、2枚目のシングルを発表した。友人ジョン・レノンとポール・マッカートニーから直接手渡された小品〈彼氏になりたい〉である。〈カム・オン〉よりは随分マシだったが、ブライアン・ジョーンズがスライドギターでわざとダーティーにしたにもかかわらず、男になりたい少年にはまだ物足りなかった。

しかしながら、3枚目のシングルは魅力的だった。バディ・ホリーのカバー〈ノット・フェイド・アウェイ〉で、UKチャートの第3位まで上昇し、USチャートでも48位に食い込んだ。チャーリーが叩く最高に素晴らしいボ・ディドリー・ビートはこんなふうに響く。

セックス!

セックス!

セックス!

セックス! セックス!

彼らはよく学習した。マラカスをうまく取り込み、予兆(anticipation)と擦れ合いながら、ドラ

ムスと響き合う。そしてミックが躊躇なく繰り出す‥

どんなことになるか教えてやろう、

俺と愛し合うのさ。

それは淫らで、猥褻行為の一歩手前だった。そして少し風変わりだったが天才的だった。時に人は自分の思い出を聞いているのであって、実際に鳴っている音楽を聞いているわけではない。人というものは物事を正確に覚えてはおらず、その罠に簡単にはまってしまうものだ。〈ノット・フェイド・アウェイ〉のオリジナル・ヴァージョンはロッカーによるものだったように覚えているが、彼らの記憶はストーンズに騙されてしまった。彼らがティーンエイジャーのドキドキ感を原始人のロマンスのための野蛮なサウンドトラックに変更してしまったからだ。そしてこのことが、その後続いていくカバー・ヴァージョンのスタンダードを形成することになったのだ[*5]

＊5　ついでに言うと、カナダのプログレ・ファンタジー・バンド、ラッシュがデビュー・シングルに選んだのは〈ノット・フェイド・アウェイ〉だった。ラッシュは、ドラマー、ニール・ピアートが加わり、チャートに登場する助けとなる以前、1973年には間違いなく全く別物のバンドだった。後にトレードマークとなる複雑なアレンジや磨き抜かれたテクニックにはまだ及んでおらず、ファースト・シングルは遊園地か砂糖をまぶした朝食のコーンフレークのコマーシャルのような音がする。彼らがブルースを捨て去り、SFとプログレに向かったのはさほど不思議なことではない。そっちの方が簡単だからだ。

バディ・ホリーによるオリジナルの〈ノット・フェイド・アウェイ〉はリラックスした恋愛で、大暴れするようなロッカー然とはしていない。性的発達とは無縁のお花とキャンディのようなものである。バディ・ホリーのドラマー、ジェリー・アリスンはこのビジネスでは最高の一人で、必要とあらばハンドクラップでも激しいバックビートでもなんでも提供する謙虚さを絵に描いたような男だった。〈ペギー・スー〉は彼の最も素晴らしい演奏の一つだ。「右、左、右、右、左、右、左、左」と自由に流れる小太鼓の連打はどこかの部族を象徴するようで、またグルーヴィーでもあり、基本中の基本テクニックである。しかし、実際ロック・ドラミングではほとんど見ることがない。アリスンはジョー・モレロとジーン・クルーパの滑らかさと流れをもち合わせ、ドラムスのフレーズから作られたような歌でもやりすぎることがない。

チャーリーはジェリー・アリスンの大ファンだった。「**あいつはドラムスを演奏しているんじゃない。歌を演奏しているんだ。**あの音楽の脈絡の中でより大切なことはそれなんだよ。ソングライターに向かって演奏する、世界中のどんなテクニックをもつことよりはるかに大切なことだ」とチャーリーは述べている。[*6]

アリスンは鼓動のようなドラミングでも名手だった。〈ノット・フェイド・アウェイ〉のレコーディングに際しても、彼のボ・ディドリー・ビートはバディ・ホリーの軽いタッチには重すぎて、甘ったるいジョー・ダニエルズみたいなバックボーカルを台無しにし、ホリーの「ハグとキス」の感じを損なってしまっている。それで部分的にダンボールの箱を叩いてプレイしている。

それでもリズム的には申し分ない。アリスンのメロディーに対するセンス、歌に対する信条は、歌の中に入り込むことでドラムセットの地位を高めた二人のドラマー、マックス・ローチとレヴォン・ヘルムの域に達するものだ。ローチはビ・バップの開祖であり、片やヘルムといえば、ザ・バンドというルーツロックのアバターで、最高に優れた歌うドラマーとして、メロディーを叩きながら、最もニュアンスに富んだボーカル・フレージングの一音一音をサポートできた。「**メロディーを演奏しているなら、数えなくてもいい**」。全く自然なことのようだが、そんなことができるドラマーは100人に一人もない。

そしてこの「キャデラックよりもでかい愛」を自慢するヒット・レコードという追い風に乗って（ミックの口から発せられたこの言葉は、バディ・ホリーに比べるとかなり下品に響いたが）、彼らはゆっくりとアメリカ征服を進めていった。

★

＊6　ビッグ・バンドの文化遺産、バディ・リッチはしばしば「世界最高のドラマー」と称えられているが、彼の見立ては異なっている。彼は「ドラマーというものは後ろに座って、ドラムを演奏し、どんな曲だろうが気にしないことだ。ただそこに行って泣きゃあいいんだ」と公言していた。

サイテーのツアーだった。11回のギグはカオスに満ち、アメリカでのテレビデビューではディーン・マーティンの馬鹿さ加減に付き合う羽目になった。だがこの旅では少なくとも夢が叶った。シカゴのチェス・レコーズで録音することになり、マディ・ウォーターズに会ったのだ。伝説によれば、ストーンズが入ってきた時、マディは梯子に登って天井を塗っていたらしい。そしてストーンズが彼の音楽に対して追及していることを自分も追求しているのだと、大仰な態度もとらず述べたということだ。マディは太ったエゴとは無関係だった。彼はストーンズが車からアンプを出すのを手伝ってやった。

ツアーが終わると、(ニューヨーク・シティのハーレムにある) アポロ・シアターに遊びに行き、一週間、毎日5回のショーをやっていたジェームズ・ブラウンを見た。

「毎日5回のショーをするジェームズ・ブラウンとの一週間」ということを深く考えてみよう。

チャーリーはミックやキースとアポロで過ごしたが、自分の楽派にも忠実で、予約を取ってマンハッタンのジャズ・クラブをハシゴし、マイルス・デイヴィスとトニー・ウィリアムスを見た。他にチャーリーが見たのはジーン・クルーパ、アール・ハインズ、ソニー・ロリンズがいたマックス・ローチの素晴らしいハードバップ・グループ、ダニエル・リッチモンドがドラムスだった (熱を帯びたサウンドはまるで虫の居所の悪いレイ・チャールズのようだ) チャールズ・ミンガス等だった。

ミンガスはブルースとゴスペルのルーツから離れることのなかったマジシャンだった。チャーリー自身が気づいていたどうかにかかわらず、**ミンガスとリッチモンド**は（チャーリーは何度も彼らを見ていた）あらゆる巨人の中で、**おそらくチャーリーの演奏に最も潜在的な影響を与えた。**ミンガス・バンドはかなりロックンロール寄りだったからだ。1960年代末から1970年代初頭ストーンズが爆発し始めた頃、〈ミッドナイト・ランブラー〉冒頭でのうねるようなストップ・タイム・シャッフルや、《メイン・ストリートのならず者》でのこれ以上は無理なくらいの緩い瞬間において聞き取ることができるのは、自由に操作可能なミンガス独自のブルースの響きに遠からず近からず、どこかしら共振するものだ。

その間、ジェームズ・ブラウンはミックにこのビジネスの知恵を多く授け、ミックは彼最高のダンスでお返しした。その年の後半、ストーンズがアメリカに戻ってくるまでには、ミックはジェームズ・ブラウンの小刻みな動きを会得し、ストーンズとジェームズはどちらが先にテレビの収録をするかで争っていた。これは全てストーンズ側の進化だ。いわばジャズやR&Bの神々から直接学んだレッスンと姿勢であり、東洋のどんな絹よりも価値のある知識だった。

翌年、ストーンズがアメリカのテレビショー、「シンディグ」に出演した際には、まるでブルース・テロリストのように、マディ・ウォーターズかハウリン・ウルフを出演させることを要求した。ウルフが出演することになり、彼らはまるで20代のブルース学者が通うハイレル・アカデミー（裕福なユダヤ人の子供が通う学校）の子供のように、文字通り静かに足を組んで座っていた。

★

1964年、ディーン・マーティンが司会を務めた「ハリウッド・パレス」で、ストーンズが最初のアメリカテレビ出演を行った際、彼らは熱量を上げた〈アイ・ジャスト・ウォント・トゥ・メイク・ラヴ・トゥ・ユー（恋をしようよ）〉を演奏した。[*7]

ストーンズが（ビートルズのように）「君と手を繋ぎたい」のではないことは明らかだった。ペッティングにも興味なかった。食事の用意をしたり掃除をしたりなんかしてほしくなかった。他の誰とファックしていようがお構いなしだった。

本物じゃなくってもいい。
お前を愛したいんだ。

それはまさに「オン・メッセージ（こちら側の意向に沿うことが期待されるステートメント）」とでも呼べるようなものだった。はっきりと誰かの意図を伝える力強さがあった。

マディがフレッド・ビロウのドラムスと共にこの曲をレコーディングした際には、まだ「前戯」の段階だった。ベッドの横に降りてくるジェット機のように響くリトル・ウォルターのワイルドにディストーションのかけられたハーモニカでさえ、ゆったりとしていた。ストーンズがテンポを上げ、スパニッシュ風の色合いを加えた時でさえも、まだ疑いなく「予兆（anticipation）」だった。「ナーバスなもの」ではあったが、それでも「予兆（anticipation）」だった。ただしどちらかといえば、今にも爆発しそうで、ティーンエイジャーなら全員が理解できそうなものだった。

それはボ・ディドリー風、マディ風で、スウィングとストンピングを伴う、ロックでありロールだ

＊7　チェス・スタジオで録音されたベスト・ソングスの多くは偉大なるウィリー・ディクスンのペンによるものだということは述べておくべきだろう。彼は、ガーシュイン、コール・ポーター、アーウィン・ベルリンらと並んで、自身の作品のみによるアメリカン・ソングブックを上梓可能なほどパワフルなソングライターである。ディクスンはシカゴで演奏され、そして後に安ピカなロック・ミュージシャンにより、良質なもの、そうでないもの、様々なレベルでカバーされたブルース・ソング・レパートリーを大量に手がけた。彼が書いた500曲のうちいくつかよく知られているものには〈フーチー・クーチー・マン〉、〈ワン・ダン・ドゥードル〉、〈ブリング・イット・オン・ホーム〉、〈イーヴル〉、〈アイ・エイント・スーパースティシャス〉、〈リトル・レッド・ルースター〉、〈スプーンフル〉、〈ユー・シュック・ミー〉、〈アイ・キャント・クイット・ユー・ベイビー〉、そして〈ホール・ロッタ・ラブ（胸いっぱいの愛を）〉が含まれる。この曲はレッド・ツェッペリンとの「共作」ということになっているが、それは彼らがディクスンの〈ユー・ニード・ラブ〉を改作した際、ソングライター・クレジットをごまかし、その不手際から突然訴えられたための処置である。ディクスンはベースのパワー・ハウスで、最良のプレイヤーに数えられた一人であったということも述べておきたい。彼はチャック、ボ、マディ、ウルフのほぼ全てのレコードで演奏し、彼らの推進力となり、クラシック・シカゴ・ブルース・サウンドを陰で支えた他のマスター同様、あるいは彼らの中で最も賞賛されるべき人物なのだ。もうすでに分かっていただろうが。

った。彼らがチャーリーにやってほしかったズンと響く重い音、ピシャッという軽い音、全てが聞こえた。彼のスウィングする拍は常に（わざと）不安定だった。

ディーンは面白くなかった。まるで聞く耳をもたないかのようだった。ストーンズが演奏した後、皮肉な目つきで天井を見つめ、酔っ払ったように「こんなのどこがいいんだ」と侮辱した。

ディーンはやがて消えてしまうような恐竜で、ロック・ミュージックということになると、彼の友人シナトラ同様、クールすぎた。彼は長髪について酔っ払ったジョークを飛ばし、飲み物に涎を垂らして、完全に酩酊した。「ストーンした時にはロールしたぞ」と下品なバカ笑いをした。大笑いだ。

ディーン・マーティンは大バカ者だった。彼をお人好しの酔っ払いだと思った人もいたかもしれないが、真面目な話、どこの誰が自分のゲストをあそこまで侮辱するというのか。若いミュージシャンたちを自分のショーに連れてきてコケにするとは、どんなクソ野郎だろう。これこそがエンターティンメントのエスタブリッシュメントだった。恐ろしい話だ。彼はギターの形をした窪みを頭蓋骨に作って残りの生涯を過ごすべきだったが、キースが寛容だったおかげで、ギリギリで逃れることができた。

ボブ・ディランはその夏にリリースされた《アナザー・サイド・オブ・ボブ・ディラン》のライナーノーツに「ディーンはザ・ローリング・ストーンズに謝るべきだ」と書いた。1964年、12

インチLPレコードのジャケットは怒りを表現するために、とても便利な手段であった。全く不思議な時代だった。全てが爆発しようとしていた。

二、三か月後、ストーンズがアメリカに戻ってきた際には、「エド・サリヴァン・ショー」に初出演した。エドもまた恐れをなした。

ストーンズが出演した八か月前、ザ・ビートルズがエド・サリヴァン・ショーに最初に登場した際、（カウンターカルチャーに対して）最も破壊的だったのは、彼らがすでに大人たちの承認を得ていたことだった。つまり「60年代」はまだ本格化していなかったのだ。ザ・ビートルズはカウンターカルチャー側のものではなく、エスタブリッシュメントの一部、つまり「大人が認めたもの」だった。彼らは革命ではなく、いわば大量の商品受容だったのである。

彼らはすでにテレビに何度も出演して、モップトップを振り乱したり、王室主催のパフォーマンスで英国の女王も認める軽い冗談を飛ばしたりしていた（それは簡単なギグではなかったが）。彼らは頭がよく、正真正銘のナンバー・ワン・ヒットが出るまではアメリカに来なかった。全ては計画通りにプログラムされ、全くパンク的ではなかった。可愛く人好きがし、それが理解できない者は、古臭く分からず屋のアンチだった。だが彼らは危険分子ではなかった。エルヴィス・ザ・ペルビス（腰振りエルヴィス）は軍隊を出たり入ったりして、今やますます馬鹿げた映画を作ることに時間を費やしていたし、リトル・リチャードは神を見つけた。最初のロックンロール危機は回避され、アフリカ系の威嚇がアメリカを飲み込んでしまうことはなかったのだ。

年配の者たちは、髪の毛が襟元より長いという理由でザ・ビートルズを「嗜めるように咳払い」した。しかしながら、これらはそれほど規格外のものではなく、大流行しようと忘れ去られようと、屠殺場の豚と同じくらいの寿命が妥当なところだと思われていた。

実際、ザ・ビートルズはかなり身綺麗だった。彼らの前髪も完璧だった。１９６４年2月、「エド・サリヴァン・ショー」で初めてアメリカのテレビに出演し、黄色い叫び声をあげ、やっと思春期を迎えた部屋いっぱいの若い女性たちの前に登場した時（７００万人の視聴者がいたと言われている）、少なくともパブリシティの上では、彼女らのセクシュアリティーの奥深い部分が出くわしたのは「君の手を取りたい」（I Want to Hold Your Hand）だった。

そしていつも私を死ぬほどガックリさせるのがこれだ。「エド・サリヴァン・ショー」とアメリカへの初上陸で演奏した曲には〈ティル・ゼア・ワズ・ユー〉が含まれていたということだ。ブロードウェイ・ミュージカル『ミュージックマン』からの一曲だ。それは〈76トロンボーンズ〉のように、とうもろこしパンの素になる干からびたクソと同じものでしかなかった。

それはロックじゃなかった。

それはロールじゃなかった。

それは軽い小歌だった。どうしてこのショーに紛れ込んできたのか、そして誰に迎合しているのか不思議に思っているなら、それは紛れもなく大人たちだ。そうクソ大人のやつらだった。それは安全印で、誰の目にも明らかだった。

ザ・ビートルズは大衆向けだった。つまり誰もが彼らのことを安心して見ることができ、ヒップに感じることができた。いわば中流が認めたものだったのだ。だからこそ突然目覚めたような若者が次の日にギターを買いに行ったのだ。両親が認めたのだから。その両親こそこの「練り粉」の中にいたのである。

ブラック・サバスからザ・ラモーンズまで、無数のバンドが活動を始めたのはザ・ビートルズが原因だった。そのことに対する愛情が神聖なものだったからこそ、このショーを見た誰もがギターを買いに行き、その日のうちにバンドを結成したのだ。

女の子はギターの流行に夢中になり、男の子は女の子が夢中になっているものに夢中になった。このことがギターを弾く才能が足りない者たちをドラムスの方へ向かうように思わせたのだ。それはドラマーが直面しなければならなかった真実だ。我々は音楽産業のカイロプラクターのように扱われたのである。

個人的にいうならば、ロックンロールは家族と楽しむようなものではなかった。そんなことになるはずがないじゃないか。ロックンロールはティーンエイジャーを両親と戦わせるためのものの　はずだったのだから。ロックンロールは放蕩者、悪ガキ、トラブルメーカーのためのものだった。それが当たり前だったのだ。

ストーンズが「エド・サリヴァン・ショー」に出演した時、ミックはベッドから起き出して、すぐそこにあったものを着て出てきたように見えた。[*8] そして誰を、あるいは何を汚らしいベッドシーツの中に丸め込んできたのかは神サマだけが知っているようだった。それはウエストミンスター・ドッグ・ショーでリボンを集めるため、今にも早足で駆けていきそうな小綺麗なザ・ビートルズとはまるっきりかけ離れたものだった。チャーリーは当然、粋なドレッサーで、自らの立ち位置を守っていた。彼は本物のスタイリストだった。だが演奏している時はあまり笑わなかった。優秀なジャズ野郎はそんなことはしないものだ。

ザ・ビートルズがチャック・ベリーを演奏した時、それは可愛らしく、家族で楽しむようなものだった。ストーンズがチャックをやった時は、罪を犯しているかのようだった。ザ・ビートルズにはライヴ・パフォーマンスで欠けているものがもう一つあった。彼らには熱を帯びたチンチンのようにマイクを扱っている可愛い少年がいなかったのである。

チャック・ベリーの〈アラウンド・アンド・アラウンド〉（オールナイト・パーティーに踏み込んでくる警察についての歌）の陽気なヴァージョンや、滑らかで、テンポを落とした〈タイム・イズ・オン・マイ・サイド〉（あるところでは〝プッシーを喜ばせるやつ〟として知られている）を通じ、ストーンズのセックスがテレビの画面から匂ってきた。彼らはブラックな響きがし、そのことに気がつかないわけにはいかなかった。スタジオは大混乱だった。黄色い叫び声をあげる女の子たちはエドを発狂寸前にまで追い詰めた。スタジオの中の座席は一つ残らず乾いていなかったが、それでもどうにかこうにか「大人たち」の怒りを鎮めた。

気の短い視聴者や高いモラルを誇る保護者からの電報や怒りの電話が殺到した。両手をあげてザ・ビートルズを（やがてはエルヴィスも）承認したエド・サリヴァンは「ザ・ローリング・ストーンズはもう二度と我々のショーに出演させない。ちゃんとできないなら、ビジネスはおしまいにする。ロックンロール・グループはもうブッキングしないし、ティーンエイジャーも閉め出しだ。このショーをここまでするのに十七年もかかったというのに、数週間でダメにしてしまうことなんかできない」と宣言した。

しかしながら、明らかにストーンズはビジネスにはおあつらえ向きで、エドはさらに6回もブッキングした。その頂点は1969年で、彼らの出演の最後を〈ギミー・シェルター〉、〈ラヴ・イン・ヴェイン（むなしい愛）〉、そして〈ホンキー・トンク・ウィメン〉で飾った。この時点でザ・ビートルズは二、三年間ロードから遠ざかっており、ライヴを諦めていたのだ。このことはなぜストーンズはザ・ビートルズより常に優れているかを物語っている。彼らは（人前で）「演奏していた」のだ。

＊8　明らかにミックは「ダウンビート」誌の定期購読を怠っていた。

マディ・ウォーターズが〈アイ・キャント・ビー・サティスファイド〉を歌うのをザ・ローリング・ストーンズは聞いていた。いや、もしかしたら彼らは、チャック・ベリーがカントリー、ブルース・ストンプ、そしてロッカーの混ぜ合わせ〈サーティー・デイズ〉で歌う"I don't get no satisfaction from the judge"（判事から満足は得られない）という歌詞からヒントを得たのかもしれない。それがどうあれ、とにかく彼らは両方とも知っていた。

しかし、神がキース・リチャーズの夢に現れ、〈(アイ・キャント・ゲット・ノー）サティスファクション〉のリフを手渡した時に、初めて全て納得行くものになった（モーツァルトにシンフォニーとセレナーデを、そしてジェームズ・ブラウンにファンクを手渡したのと同じ神だ。双方とも神による偉大な所業だと認めている）。

★

幸運なことに神とティーンエイジャーはどこにでもいるのだ。キースは頭がよかった。目を覚まして、また眠りに落ちる前にフィリップスのポータブル・テープレコーダーに向かってそのリフを歌っておいた。そのポータブル・レコーダーは当時の画期的なテクノロジーだった。アコースティック・ギターの音にディストーションをかけるために酷使され、とても重要なレシピとなるおもちやだったのだ。そのことについては後述する。その晩、キースが半起きで吹き込んだ曲こそがザ・ローリング・ストーンズを作り上げたのである。

もし**〈サティスファクション〉が「予兆（anticipation）」の教科書**のような手本でなかったなら、単なる「フラストレーション（イライラ）」に終わっていたところだ。しかしこの時点でストーンズは「やり方」を心得ていた。つまり「サティスファクション（満足）」とは、落ち着かせて席に座らせることではない。**「満足できない」とは、そこへ引っ張り込んで、もっとほしがらせることなのだ。**

これはストーンズ第一段階の頂点だった。イギリス、アメリカ、イタリア、ドイツ、世界中でナンバー・ワンとなった。同様にチャーリー・ワッツにとっても次のレベルへの到達だった。この曲におけるチャーリーはフロア（バスドラ）ではドライヴするが、それほどスィングしない。上品なロックンロール・ドラマー（ジャズ・ドラマーではない）とはどうあるべきかという全ての要因に対して挑んだ結果がこれなのである。この曲のスタジオ・ヴァージョンは、すでに現状をこん棒で打ちつけるような感じだったが、制限のないライヴでは、現代社会に対する真正面からの攻撃で、情け容赦のない、激しく、そして完全に挑発的な最初のパンクロック・ソングだった。[*9]

1965年のアイルランド・ツアーのフィルム、『チャーリー・イズ・マイ・ダーリン』は、ソウル、ブルース、そして今や〈サティスファクション〉というアウトローの儀式書でもって、聴衆をエクスタシーへと導くバンドの生々しく、素晴らしいドキュメンタリーだ。そして（18世紀のスコットランド・バラッド〔語りもの〕から取られた）タイトルが示すように、チャーリーを全面に、そして中心へ据える確固たる動きだった。この時でさえ彼らは理解していたのだ。〈サティスファクション〉以前、チャーリーは堅実に成長していた。《アウト・オブ・アワ・ヘッズ》では、ドン・コヴェイの〈マーシー・マーシー〉のソウル・ストラット（もったいつけたような歩き方）、マーヴィン・ゲイの〈ヒッチ・ハイク〉におけるモータウン・スタイルをモノにしていたし、[*10]《ディセンバーズ・チルドレン（アンド・エヴリバディズ）》では、ラリー・ウィリアムズの〈シー・セッド・イエー〉の異様なまでに動的なヴァージョンの空気感、そして〈ルート66〉のライヴ・ヴァージョンでの信じられないほどグルーヴィーな感じを盛り上げていた。[*11]

しかし〈サティスファクション〉こそ、最高位にあるリフの傍若無人だった。あの五つの音符（数え方によっては三つ）は世界を変えた。ベートーヴェンは四つでやったが、その時はその時、今は今である。〈サティスファクション〉は転換点であり、過渡期だった。明らかに彼らを作り上げたソウルや純粋なブルースではなかったが、双方に共通するものだった。だから、オーティス・レディングが取り上げたのも頷ける。しかし、ミックの口で、そしてストーンズの手の中にあったからこそ、そのビッグ・バン（大爆発）は発生し、その真ん中にはチャーリー・ワッツがいたのだ。フィ

＊9　どのような切り口にするかはお好み次第だが、〈サティスファクション〉が「パンクの」最初である。1963年のザ・トラッシュマンに

よる〈サーフィン・バード〉で「破水」が起こっていたという人もいるだろう。アホみたいとしか言いようのない風変わりな熱狂が突風のように噴き出し、子供が書いたような歌詞に見られる破壊性、そしてリバーブとエコーの天下御免の多用、後にザ・クランプスとザ・ラモーンズによって愛されたことなどがその理由に当たるが、パンクロッカーにカバーされたからといってパンクロッカーだというわけではない。例えばエディ・コクラン、リンク・レイ、ザ・トロッグス、あるいはその他多くの未来を予見するようなプリミティヴたちがそうである。ボブ・ディランが１９６５年、ニューポート・フォーク・フェスティヴァルにおいて、ボリュームを上げ、もう二度とマギーズ・ファームでは働かないと歌いながら、古臭いフォーク純粋主義者に対して、最もアグレッシブ、好戦的、そしてアンチ・エスタブリッシュメントな攻撃をぶちかましていた頃、彼は明らかにパンクだった。だが扇情的な〈サブタレニアン・ホームシック・ブルース〉、怨みぶしのような〈悲しき四番街〉など告発ではあっても、パンクロックとはなり得ない。１９６４年と65年には、この芸術のより純粋な形式が浸透し始めた。〈ユー・リアリー・ガット・ミー〉を擁したザ・キンクスはあからさまに邪悪だった。しかし結局のところ依然、単純に女の子についての歌で、革命でもなんでもなかった。同じ頃、ザ・フーは彼らの最初のポップ大爆発、〈マイ・ジェネレーション〉を生み出していた。間違いなく「最初のパンク」の資格はあるが、ほぼ一年後になるまでは日の目を見なかった。彼らの焦げ付くようなエネルギーが千艘もの船を発進させたＭＣ５は漸く始まったばかりで、（明らかにより暗いノイズを追及した）ヴェルヴェット・アンダーグラウンドもまた同様だった。この時期における最初のパンクロック・バンドのより優良な候補者は、シアトル出身のザ・ソニックス（このバンドのドラマー、ボブ・ベネットは〝スペース・プラス・ビート〟で演奏する）、そして取り分けてザ・モンクスだ。彼らの前衛的ヘイト・ロック、頭頂部を丸く剃り、中世の僧のような服を着て、現存する最も魅力のないバンドとなるべく決心は、１９６６年、彼らの音響的マニフェスト《ブルー・モンク・タイム》の発表に伴い、独自の楽派を起こすこととなった。またペルーのサーフ・フリーク、ロス・サイコスも有望だった。彼らが１９６５年に発表した《デモリシオン》は、マニアの間ではパンクロックの元祖としてよく引用される（何を隠そう駅爆破についてのものなのだから）。あるいはビートルマニアの曙に登場した何百というガレージバンドは、やがて最先端の元祖パンクスにインスピレーションを与えることとなったハイ・エナジーのノヴェルティ・ソングを録音した。それらが《ナゲッツ》や《バック・フロム・ザ・グレーヴ》といったコンピレーション・レコードに現れ始めた頃には、彼らも「元祖パンク・バンド」の候補だった。しかしながらこのことは、次のような音楽的質問を投げかける。「もしも木がガレージに倒れてきたら、一体どんな音がするだろうか？」〈サティスファクション〉こそ、あらゆる意味において公的な意識上に初めて姿を表したパンクロックだった。そこであなたは次のように考えるはずだ。「もし〈サティスファクション〉の先鞭がなかったら、ＭＣ５は〈キック・アウト・ザ・ジャムズ〉に辿り着いていただろうか」と。その答えがなんだろうと、私はパンクロックに対してジャスティス・ポッター・アプローチをとっているのである。つまり「見れば（聞けば）分かる」ということだ。

ル・スペクターは〈サティスファクション〉を歌ではなく「貢献」と呼んだ。

彼らはすぐに〈ひとりぼっちの世界〉を発表した。〈サティスファクション〉とはちょっと毛色が違うが、素晴らしいドラムのフックを伴い、彼らを正しい方向へ導いた。依然としてつまらないものもあったが（彼らの暗い面に〈アズ・ティアーズ・ゴー・バイ〉や〈レディ・ジェーン〉のようなクズが混ざったのはザ・ビートルズのせいだ）、とびきり素晴らしい作品は荒々しく、ハードにスィングし、とりわけ精神病へのリアクションを描いた〈19回目の神経衰弱〉と〈マザー・イン・ザ・シャドー〉ではチャーリーのジャズ・ゲームを存分に示してくれた。

ブライアンが機能しなくなる前の二、三枚のレコード、とりわけ《ビトゥイーン・ザ・バトンズ》には素晴らしいドラミングがあった。〈マイ・オブセッション〉と〈コンプリケイティッド〉は、古風なストンピング・ビートが好まれ、ガレージロッカーの間で人気が高く、色っぽい〈ミス・アマンダ・ジョーンズ〉では、とても攻撃的なギターにチャーリーが絡み、これから起こることの前触れのようだった。この辺りの全てのアルバムでチャーリーがよりコントロールを握っているようだ。

今やチコ・ハミルトンからマディ・ウォーターズとチャック・ベリーへ、そして伝統的な意味でのスィングでは満足することのないモダンなリズム・ミュージックの新しい形式へと、青い電光石火が走っていた。**ザ・ローリング・ストーンズはチャーリーがビートを叩くことで、過去と現在のギャップを焼灼していたのだった。**

＊10　マーヴィン自身、二、三年間は、不定期に演奏するモータウンのハウス・ドラマーで、この〈ヒッチ・ハイク〉でもドラムスを叩いているが、ベニー・ベンジャミンについて述べないのはおよそ犯罪的だと言ってよい。彼こそモータウン初期のヒット曲でドラムスを担当した主要人物で、ザ・ファンク・ブラザーズとして知られるクルー・メンバーの一端を担っていた。ベンジャミンもジャズからR&Bに転身した一人で、アルコール中毒に苦しみ、１９６９年、43歳という年齢で、あまりにも若くして死んだ。ベンジャミンが不調になった際には、ユリエル・ジョーンズとリチャード・〝ピストル〟・アレンが引き継いだが、ベンジャミンのグルーヴはたいへん素晴らしかったので、彼の影響は後継のドラムキットからもはっきりと感じられた。ソウルとR&B、そしてザ・ローリング・ストーンズに対するこの三人の影響は実際のところ想像を超えている。

＊11　ここで述べているのはアメリカ盤のリリースである。当時はUKとUSのリリースが異なっていたことにご注意願いたい。

ジミー・リード。「予兆（anticipation）」の王様
(Vee Jay Records publicity photo)

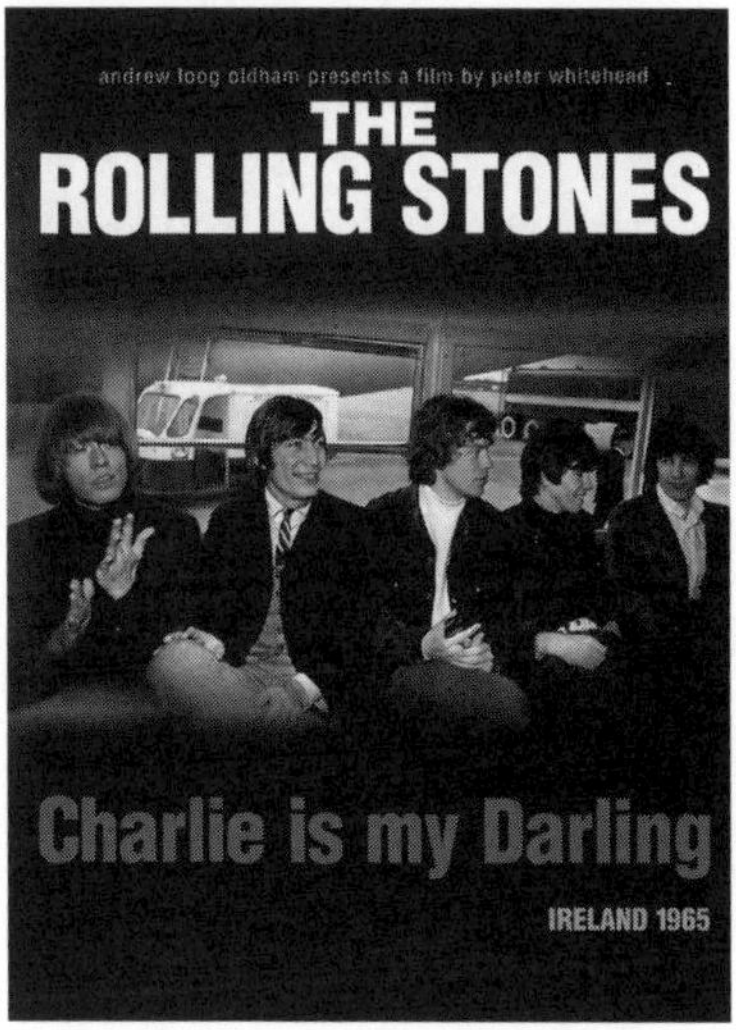

『チャーリー・イズ・マイ・ダーリン』（1965年）のポスター

チャーリーとシャーリー・ワッツ。ブライアン・ジョーンズの葬儀にて。
参列した他のメンバーはビル・ワイマンだけ（1969年）（©PA/amanaimages）

4章

ストーンズにジャズを見つける！

Charlie's Good Tonight

箒《ほうき》を想像してみてほしい。昔ながらの普通の箒だ。全く約束通りに機能し、誰もが期待する役割を全て果たすものだ。

そこで次に想像してほしい。キッチンやガレージをちゃんと掃除した二、三年後、その箒の取手のところが壊れてしまった。新しい取手を買ってきて、ネジで留め、何事もなかったように使い続ける。そこで質問。その箒は元の箒と同じものだろうか？[*1]

まだ質問は終わっていない。それからさらに二、三年経って、今度は箒の頭がダメになってしまった。毛先が柔らかくなり、役に立たなくなってしまったのだ。それで新しい頭を手に入れて、あの時買ってきた取手をくっつけ、掃除を続ける。さあ、これはこの冒険を始めた時と同じ箒だろうか？　全く同じように機能するし、この家における箒のある風景では今までと全く同じ空間を満たしており、箒という本質には何の遜色もない。

さらに想像してほしいのは、最初からあった箒の取手と頭の部分をガレージにしまい込んで、他のガラクタと一緒に二、三年、放ったらかしにしていたが、何を思ったかそれらをくっつけて、直すことにしたということだ。

これで箒は二つになった。そこで質問。直した箒は元々の箒だろうか？　もしそうなら、新しい方の箒は何物なのか？　双方とも「オリジナル」の箒を直接受け継ぎ、箒としてのアイデンティティーを正当に証明するために十分な「因って来たるべき所以」がある。

あるいは、その箒は「もう存在しない」ということは可能だろうか？　なぜなら、少なくともこの世界において、同じものが二つ存在することはあり得ないからだ。

ここでこの箒がブラック・サバスだと想像してみよう。

ブラック・サバスは1968年の結成以来、様々なツアーやレコーディングのため「25人以上のメンバー」を雇ってきたということをご存知だろうか？

最初に去ったのはオジー・オズボーンで、サヴォイ・ブラウンやフリートウッド・マックにちょっとの間いたデイヴ・ウォーカーが代役で入ってきた。これは長続きしなかった。オジーはほんの短い間復帰したが、ロニー・ジェイムズ・ディオに入れ替わる。その後ロニーは何度か出入りし、オジーのバーミンガム訛りがなくなってサウンドが全く変わってしまったにもかかわらず、やがてサバス・ファンのお気に入りとなる。その後ベース・プレイヤーで主に作詞を担当していたギザー・バトラーが離脱し、また戻ってくる。そしてまた出て行って、今度は「オフ・ステージでキーボードを弾いていた」ジェフ・ニコルズがしばらくベースを弾いた。[*2] それからディープ・パープルのシンガー、イアン・ギランがアルバム一枚と一回分のツアーに参加し、ドラマーのビル・ワードが抜けて、元ムーヴ、エレクトリック・ライト・オーケストラの結成メンバーだったベヴ・ベヴァンが加入した。ハードコアなサバス・ファンからはクソのようなラインナップだと罵られるが、普通なら誰でもそう思う。ワード復帰前、ブルックリンのアピース兄弟の一方、ヴィニー・アピースがドラムスの席に座り、元々オジーが手を貸していた仕事にロン・キールやデヴィッド・〝ドーナツ〟・ドナートが参加。それからディープ・パープルで歌っていたグレン・ヒューズが加入。その前にデヴィッド・スピッツがベースとボーカルを担当。ヒューズが抜ける前にもニュージャージー出身の

＊1　「箒のパラドックス」は著名なキャストによる英国のホームコメディ「オンリー・フールズ・アンド・ホーセズ」のテーマで、〈テセウスの船〉として知られるアイデンティティー形而上学における思考実験に基づいている。ヘラクレイトスとプラトン等々のやり取りで人気があり、後にプルターク（プルタルコス）によって書き記された。話の骨子は有名な船が波止場に保存されていたが、古い厚板や部品が劣化していき、一つずつ交換された挙句、1世紀経った頃には部品全てが交換されていたというもの。当時でさえ聴衆を二分したと言われる。

＊2　「ステージ上にないキーボード」は残念ながらよくある現象で、サウンドを膨らませるためにシンセ・プレイヤーは必要だが、キーボードがバンドにいるのを見られると、マッチョなロック・イメージに傷がつくと信じているようなヘヴィー・メタル・バンドにとりわけ多く見られる。彼らは幕やスクリーンの後ろ、あるいはステージの下にシンセを隠しているのだ。「ステージ上にないキーボード」を四十年も使ったブラック・サバス以外に、キッス、エアロスミス、アイアン・メイデンなどもこれに多くを負っている。地に足がついていそうなブルース・スプリングスティーンも同罪で、２００５年の「ソロ」パフォーマンスではヴァン・ヘイレンの隠れキーボード奏者を使った。

レイ・ギレンが入っていたなどなど、何年かの間に半ダースぐらいのドラマーが出たり入ったりした。その中には名手コージー・パウエル（元ジェフ・ベック・グループ、レインボー、ある時にはエマーソン・レイク・アンド・パーマーのカール・パーマーの代わりを務めており、都合よくＥＬＰの〝Ｐ〟だった）やエリック・シンガーも含まれていた。シンガーはその後、人気者のアメリカン・カブキ・バンド、キッスに加入しただけでなく、オリジナル・ドラマー、ピーター・クリスのネコのメーキャップを引き継ぎ、クリスのアイデンティティーを（継続して）装った。つまりシンガーは「キッスのドラムスを叩く巨大化したネコ」となったのだ。[*3]

この流れでの最悪の事態は、キーボードにジェフ・ニコルズ（変化をもたせるためかスクリーンの後ろではなかった）、ボーカルにトニー・マーティン、何の楽器だったかボブ・ディズリー、一瞬だがドラムスに元ザ・クラッシュのテリー・チャイムズ（この時点でコージー・パウエルはもう二、三度出入りしていた）のラインナップで、オリジナル・サバス・ラインアップへの「因って来たるべき所以」となっていたのは唯一トニー・アイオミだけだった。もしこのラインナップについてあの「箒」のことを思うなら、彼らが作ったアホくさいビデオを見て、自分で判断するといい。しかしこのグループをブラック・サバスだと間違えるサバス・ファンなど誰もいない。彼らのレーベルや弁護士が何を主張しようと。

ジョン・ボーナムの死後、レッド・ツェッペリンは活動を停止した。この何年かの間に、ジョン・ボーナムの息子、ジェイソンと二、三回ショーをやった。ジェイソンはツェッペリン・エクスペリエンス（トリビュート・バンド）の健全な「なりきり」を完璧に務め、本物とは違うが、かなり近いものだった。しかしながら、少なくともこの一座のメンバーの一人は、ジェイソンを交えても、レッド・ツェッペリンとしては継続できないという常識をもち合わせていた。レッド・ツェッペリンはクソ箒ではないからだ。

★

★

＊3　このことは「どのようなものも存在すべきではない」場所から、さらなる実存主義的質問を投げかけている。彼（エリック・シンガー）は「自分は全然違うネコだという事実に全く譲歩することなく」、挿げ替えられた（＝元々いた）ネコ・メーキャップ（ピーター・クリス）の男のふりをしているのだろうか？　あるいは「あたかもネコは一匹しかいないように」彼こそが本物の「ネコ男」なのだろうか？　それとも「彼はドラムスを演奏するもう一人のネコなのだろうか？　だとすればドラムスを演奏できるネコは誰でも交換可能なのだろうか？」そして、そうではないとすれば、それのどこが問題なのだろうか？　問題だとすれば、誰にとってそうなのだろうか？　一つだけ確かなことは、キッスのファンにどれほどの知的比率を与えるか、あるいはそうでないかということのみならず、大抵の人々が常識に頼っているアイデンティティーという基礎概念についてただグダグダと戯言を述べているだけのことである。

パブロ・ピカソが言ったことを少しばかり意訳するなら、ドラマーは神のように扱われるか、足拭きマットのように扱われるかのどちらかで、キース・ムーンは死後、ほんの短い間ではあったが、前者から後者に格下げされ、元ザ・フェイセズのケニー・ジョーンズが代役を務めていた。

ムーンの代わりにケニー・ジョーンズをあてがうというのは、家を塗るために（抽象画で有名な）ジャクソン・ポロックを連れてくるようなものだ。おそらくピート・タウンゼントはまともにタイムキーピングのできるドラマーとプレイすることを楽しみしていたのかもしれないし、あるいは完全に頭がおかしくなっていたわけでもなかったのだろう。だが、他の凡百のバンドならこんな穴埋めでもうまくいったかもしれないが、このバンドには無理な話だった。[*4] ジョーンズが加入した途端、それまで彼らがどのような革命を導いてきたかにかかわらず、このバンドは完全に終わってしまった。しかし、彼らのレコードがどれほどひどいものだろうと、ザ・フーの命を蘇らせようとするジョーンズを見てどれほどガックリしようと、そっぽを向こうとするクラシック・ロック・ファンの萎えた期待を押し上げ、そいつが翌日仕事に行って「ザ・フーを見たことがある」と胸を張って言うことができるよう、彼らは己の任務を遂行した。それはこの伝説の終着点、「フェアウェル・ツアー」をアナウンスするまで続いた。

この「フェアウェル・ツアー」は、後にその実情とは全く違ったものになってしまったが、ビジネスとしてはうまくいった。

実際、彼らは「フェアウェル・ツアー」を発明し、その約束を反故にした初めての連中だと私は信じている。とにかく、彼らはニューヨーク・メッツの本拠地、ニューヨークのシェア・スタジアムを（短期間だが英国リバプール出身のザ・ビートルズのホームグラウンドだったこともある）二晩続けて満員にした。その当時でさえこれは興行界の大当たりだった。ザ・フーは自らオープニングを務めてくれるよう招待したザ・クラッシュにパフォーマンスの上で出し抜かれ、彼らの方が上回っていたと厳しく批評された。ザ・フーはザ・クラッシュにそうやってトーチを手渡すことが正しいことだと思っていた。1980年にザ・フーが渡すべくトーチがあったとしての話だが。

だが、やがて彼らは適正なドラマー、ザック・スターキーを見つけた。ザックはリンゴの息子で、彼には「因って来たるべき所以」があった。彼が生まれながらの才能と目に見えるものはなんでも打ってやるというムーンのような熱狂を有していたことは言うに及ばず、ムーンの一音一音を捉えずとも、彼の抽象的表現主義が「音楽的」に何を意味するか理解していた。そして彼らは奇妙だが確信的なショーを行った。それは「テンポなんかクソ食らえ」で、ドラムスとギターが思うがまま

＊4　ジョン・エントウィッスルはキース・ムーンについて「ドラム・マガジン」誌で次のように語っている。「キースは特に拍子をキープしているわけじゃなかった。調子が悪い時には演奏もスローになったし、元気な時には速くなりすぎたりした。あいつは全然ハイハットを叩かないんでイライラしたよ。ただシンバルをめちゃくちゃ叩くだけでね。時にはドラムキットを階下に落っことしたような音がした。タムタムも全部同じにチューニングしていたんだ。フロアタムを二つ使っていた時も大体同じ音にしていて、片方を叩き損ねても、もう一方を叩くって感じだった」

に互いを追いかけ合う、ザ・フー本来のフォーミュラに根付いたものだった。

適切なドラマーというものはなかなか見つからないものだ。このバンドにとってケニー・ジョーンズが提示した能力は意味あるものではなかった。スターキーを見つけたことは百万回に一回の出来事だった。彼は、キース・ムーンがかつて座っていた椅子に座り、ドラムスを全面に押し出し、ギタリストと競い合うことのできるほどのエゴの持ち主だったが、同時に自分の仕事とは何か、つまり他のメンバーにいい場面を与えるということを理解するだけの分別があった。

★

音楽理論のクラスでは教えてくれないことが、もう一つここにある。

デューク・エリントンは、80歳になる彼のサックスマン、ジョニー・ホッジスについて、彼が何十年も演奏した後でも、なぜ相変わらず素晴らしいが毎晩できるのか、どうすれば、あの流れるような音を出せるのか尋ねられた。ホッジスはわずかな失敗もせず、毎晩演奏するための熱意と息をどうやって呼び起こしていたんだろう？

デュークの答えは「あいつは今でも『それ』をやるとよく〝寝られる〟と思っているからさ」だった。

こんなことを持ち出すのはセックスが重要なモチベーションだからだ。もし君がホットなバンドで演奏しているなら、君はかなりの確率で「それ」を手にしているはずだ。

ある時点で、異性愛者の男性ロック・ミュージシャンは全員が「バンドに入ろう」という考えに取り憑かれる。なぜなら、必ずどこかに何らかの〝OK〟サインが見つかるからだ。大抵の夜、ベース・プレイヤーでさえもが、そのチャンスの半分くらいにはありつける。顔が醜いためにパテやペイントで顔を覆わなければならないバンド、キッスのベーシストは、（NBAプレイヤーの）ウィルト・チャンバーラインと悪魔を足した数よりも、セックス制覇を成し遂げたと公言した。

このことは、チャーリー・ワッツが、ストーンズがアメリカでブレイクし始めた頃、1964年10月14日、ツアーの合間をぬって、彫刻科の学生だったシャーリー・アン・シェパードと結婚したことと無関係ではない。彼は当時23歳で、彼女に会ったのはストーンズよりも前だが、今日まで貞節を守っている。

彼はロックスターが陥りやすい罠をどうやって回避しているのか尋ねられて、シンプルにこう答えた。**「私はロックスターじゃないんだよ」**

★

このことはチャーリーのキャラクターを多く物語っているかのようだ。

バンドにいたことがある人なら誰でも、大抵一人くらい、そのグループの一部ではないようなメンバーがいるということをご存知だろう。彼が演奏に加わるのは、ステーションワゴンやPAシステムを持っていたり、叔父さんがバーを経営していたり、ザ・フェイセズでドラムスを担当していたり、そいつを加入させるのがその時はいいアイディアのように思えたりしたからだ。

こういうバンドは長続きしない。才能のあるミュージシャン、つまりトラブルは最小限にとどめて、セットをやり終えてしまうようなやつらはそこら中にいる。何の味も素っ気もないアホの集まり、自分が歌うメリスマでハイになっているタレントショーのシンガー、コール・ポーターの歌でもシンバルを叩かざるを得ないドラマー、自分の楽器には弦が4本しか張っていないことに混乱しているベース・プレイヤーなど様々だ。

優れたバンドとは「ギャング」である。彼らは結束している。これはメンバーが互いに愛し合わなければならないとか、互いを好きでなければならないとか、そういうこととは別の話だ。ある程度の時間を一緒に過ごすバンドと付き合ったことのある人なら誰でも、そこには何かしらの文句、不平不満、あるいは取るに足らない戯言があるのを知っている。しかしその弱い繋がりを一度克服し、一見捉えどころのない人々が、互いに共通する核の周りでゾクゾクすることができるのだということを宣言すれば、その総体は部分ごとの寄せ集めの何倍にもなり得る。決してムダにはできないことなのである。

「チャーリーは冷静に真ん中あたりに自分を置いていた」とビル・ワイマンは回想録『ストーン・アローン』で観察している。「彼は誰とでも仲良くできたし、一人一人と行き来して、それから自然に全員とコミュニケーションをとることもできた。チャーリーのあくせくしない性格が彼の強みなんだ……どうしてみんな彼のことを慕うようになったかといえば、文句のつけようのない、温和で、ポップスターらしくない、友達らしい人付き合いというものを彼が心得ているからだ。ステージ上での彼は、我々からかけ離れていると思う人もいるだろう。それは音楽こそ彼にとっての宗教で、唯一興味があるものだからさ。彼がいてくれてラッキーだ。だってドラムスは我々のサウンドの基盤なんだからね」

キースは「ローリングストーン」誌に次のように述べている。「みんなミックとキースがザ・ローリング・ストーンズだと思っているだろ。チャーリーが彼のやることをやってくれないと本物じゃないんだ。**チャーリーこそストーンズなんだ**」

1969年、ストーンズが本当の意味で「世界最高のロックンロール・バンド」になった年にリリースされたアメリカ・ツアーのライヴ録音、《ゲット・ヤー・ヤ・ヤズ・アウト》のカバーにチャーリー・ワッツをフィーチャーするというアイディアは、少なからず笑いを誘うような非フロントマンへの皮肉とは程遠いものだった（ミックだと皮肉にならない）。むしろバンド内でチャーリーがどれほど尊敬されていたかを示すものだ。この写真のためにミックは、お気に入りの赤・白、青のトップハットをチャーリーに貸してさえいるのだ。ミックによる敬意が十分でないというなら、曲間での有名な賛辞「**今夜のチャーリーは最高だろ**」がトドメをさす。あのレコードで唯一怒鳴られそうなのは、ボタンが飛んで、今にもズリ落ちそうなミックのズボンの方だ。

★

その年、ミックのズボンは大問題だったが、順位としては二番目か三番目くらいだった。それよりこのツアーでは、最終日のオルタモント・スピードウェイで、メレディス・ハンターが死ぬのを目の当たりにすることとなった。映画『ギミー・シェルター』にも捉えられているように、無秩序なフリー・コンサートのセキュリティーに雇われたヘルズ・エンジェルスの手によるもので、ヒッピー・ドリームの終焉と呼ばれた。

ストーンズは1966年のアメリカ・ツアー以来、依然ビートルマニアの熱気に煽られてはいたが、かなりの道のりを歩んできた。その時点での彼らは、まだ飲酒年齢にも達しておらず、黄色い叫び声を上げるだけの聴衆に向かって演奏する、ブリティッシュ・インヴェージョン・ビート・バンドの薄汚い悪ガキだった。

１９６６年と69年の間には様々なことが起こったが、それはＬＳＤというルビコン川を渡ったことと少なからず関係していた。ストーンズは、彼らの聴衆がそうだったように、モノクロからカラーへと転身した。純潔なティーニー・ボッパー〔音楽やファッションに夢中になる10代の女子のこと〕はサマー・オブ・ラブのヴェテランに道を譲った。アシッド常習者、燃え尽き症候群、奇人、徴兵回避者、パートタイムの革命家、そして言うまでもなくファッションモデル、知識人、映画監督、芸術家、さらに多くのドラッグ・カルチャー貴族がそこに含まれていた。

彼らはかなりテンポの速い文化に住んでいた。ミニスカートが生まれ、人が月を目指すような文化だ。本来なら楽天的な時代だったはずだが、ぼーっと作られたようなその日のニュース・ダイジェストですら、いつもの倍の殺人と暗殺（これはストーンズが繰り返し取り上げるテーマとなる）、シカゴ民主党大会で武装した警官から棍棒でぶちのめされる反戦運動家、パリ暴動、ヴェトナムの絨毯爆撃、そしてリチャード・ニクソンのＶサインなしに終わることはなかった。それぞれの意義は失われてしまったが、クラシック・ロック専門のラジオ局やベビーブーマーのレコード・コレクションに、依然として１９６８年の覚醒を聞けることが理解できるだろう。ポール・マッカートニーはザ・ビートルズの《ホワイト・アルバム》で〈ヘルター・スケルター〉を歌った。彼のキャリアの中で最もやかましくトゲトゲした瞬間で、不用意にもハリウッド・ヒルズにおける一連の殺人事件を引き起こすきっかけとなった。ザ・ローリング・ストーンズは〈悪魔を憐れむ歌〉を発表し、ミックはここでケネディ家の暗殺ミステリーに回答を見出した。そして言うまでもなく〈ストリート・ファイティング・マン〉は、円満な解決を探るべく世界に囚われた「自称」反逆者のフラストレーションを発散するものだった。

ザ・ローリング・ストーンズが「世界最高のロックンロール・バンド」になる前、彼らは自分たちがかつていた場所に戻る必要があった。マラカス、分厚いトレモロ・ギター、ゴスペル風のシャウト、荒々しいハーモニカなど、こうしたものが元々の彼らだった。言い換えればボ・ディドリーとリトル・リチャード、チャック・ベリーとマディ・ウォーターズだ。その時代は別の次元に進むべき時だった。これは「どうやってやろうか」などという単純な宣言ではすまなかった。「無血革命」の時だったのだ。その他のことといえば、ギター・プレイヤーを犠牲にすることとなった。

★

最初の革命の炎はストーンズ初の失敗、《サタニック・マジェスティーズ》と共にやってきた。

ご存知の通り、小うるさいパンクロッカーに反動し、ギターロックをディスコ・フロアのダンスに提供したのを唯一の例外として、ザ・ローリング・ストーンズがトレンドを追いかけようとした試みは全て惨めな失敗に終わっている。ザ・ビートルズの影響に煽られて、リコーダーやメロトロンを使ったバロック風のポップ・ヒッツを製造しようとしたり、自分たちの《サージェント・ペパーズ》を作ろうとしたり、時流に乗ろうとしてミックがヒップホップのプロデューサーを雇い、過去二、三十年間をパッケージしようとしたり、自分たちがザ・ローリング・ストーンズだということを見失うと、必然的に「忘れるのが一番だ」という結果となる。忘れることはできなくても、許されるべき最悪の出来事となってしまう。[*5]

素面で聞いてみると《サタニック》は評判ほど悪くはない。ＬＳＤ地獄における、あまり元気のないお遊びといったところで、次の到達点への道のりだった。彼らの最初の傑作《ベガーズ・バンケット》である。

しかし《ベガーズ・バンケット》の前に、新しいＬＰに取り掛かるために録音され、１９６８年にシングルとしてリリースされた〈ジャンピン・ジャック・フラッシュ〉があった。〈サティスファクション〉がパンクに相当するものなら、〈ジャンピン・ジャック・フラッシュ〉はハードロックに相当するものだった。

＊5　１９７１年、ジョン・レノンは「ローリングストーン」誌で次のように語っている。「俺たちがやったことと、その二ヶ月後にストーンズがあいつらのクソアルバムでやったことのリストを作ってみろよ。ミックは俺たちがやったことと全く同じことをするんだ。俺たちの真似をするんだよ。君のようなアンダーグラウンドの人に指摘してもらいたいってもんだ。《サタニック・マジェスティーズ》は《サージェント・ペパー》だろ。〈この世界に愛を〉はクソ最低で、ありゃ〈愛こそはすべて〉だよ。俺はストーンズが革命的だけどビートルズはそうじゃなかったという含みには頭にきたよ」

キースは回想録で「〈フラッシュ〉を演奏するといつも、俺の後ろでバンド全体が離陸していくのが聞こえるんだ」と述べている。「特別仕様のターボ・オーバードライヴさ。俺たちがそのリフに乗っかると、俺たちをプレイしてくれるんだ。〝点火していいか?〟〝ああ、行くぜ〟ってな感じさ」

ミックは後に「アシッドを過去のものにしようとしたんだ」とコメントしたが、実際のところ、壁を突き破り、向こう側に達し、変化し、そして事態を好転させていくかのようだった。

チャーリーは往々にしてドラッグから離れていたが、それが重要だったのは、この不良少年のグループ内で素面でいることが、全能の神や道徳的権威に影響したからではない(チャーリーはビ・バップ・フリークで、周知の事実としてジャズ・シガレット=マリファナのこともよく知っており、そこそこ嗜むくらいのことはやっていたということを忘れてはならない)。それよりも、彼を中心とする周囲がますますヘヴィー・ドラッグ・シーンにハマっていった反面、彼が真ん中をキープし、安っぽい飾りや盛り上がりなしに、**この歌に完璧なドライヴを与えた**からである。

〈ジャンピン・ジャック・フラッシュ〉における彼の役割は、彼がこれまでやってきた中で最もミニマルな仕事だ。他のことは何も考えず、シンガーとギター・プレイヤーに重い仕事は任せて(キースもフロア・タムを叩いて少しばかり手を貸し、大人向けの量ほどのピシャッという軽い音や、ズンと響く重い音を出したりした)、コーラスのところでもハイハットからライド・シンバルに叩き替えたりしない。この安っぽいが効果的な動きはあらゆるロック・ソングでの定石となった。そしてクラッシュ・シンバルを叩いて、場違いなアクセントを入れるようなことに満足することもなかった。

〈ジャンピン・ジャック・フラッシュ〉はストーンズが新しいプロデューサー、ジミー・ミラーと組んだ最初のレコードだった。彼の直近の仕事には高い評価を得た二枚のトラフィックのレコードが含まれており、彼のリズムのセンスと和気あいあいとした性格は、新しい方向性が必要ではあるが、そこまで過剰に必要なわけでもないといったバンドにはパーフェクトだった。ミラーは空気感を作る名人で、グルーヴィーであり、望みのサウンドと歌を得るために、グループとエンジニアの間を取り持つ術を知っていた。彼は「流れ」を作ったのだ。

ストーンズのオーラル・ヒストリーで、チャーリーはミラーについて次のように述べている。「あいつはそんなにいいドラマーじゃなかったが、それとは別の話で、レコードで叩くのは素晴らしかった。ジミーは私を一度立ち止まらせて、スタジオでドラムスを演奏するやり方について考えさせてくれた。私がスタジオで断然いい仕事をするようになったのは彼のおかげだ。私たちが作った最良のレコードのいくつかは、彼と一緒に作ったものだ。私にとって全体の6分の1はジミーがやったことだ。ミックは〝そんなのは戯言だ。君が一人で全部やったじゃないか〟って言うかもしれないが、私はそう思わないよ。ジミーは私にスタジオでどうやって自分を躾けるかを教えてくれたんだ」

全くチャーリーの言う通りだ。他の凡百のドラマーなら自分の居場所を無理やり見つけようとして〈ジャンピン・ジャック・フラッシュ〉を台無しにしていただろう。チャーリーは、彼の背後にいたミラーと共に、この道のど真ん中を真っ直ぐに走った。そこには寸分の狂いもなかった。そしてボ・ディドリーから学んだ（そしてジミー・ミラーからも）マラカスを振ったミックにもクレジットが与えられるべきだ。マラカスが入ってくるところは、まるで火にガソリンを注ぐようでさえある。そして期待以上の「ゾーク」が必要になってマラカスを再び取り出したのが〈ブラウン・シュガー〉のサックス・ソロの直後だ。ここでは安全圏にフェーダーを戻す一歩手前の過度に大きな音でマラカスが鳴らされる。さらに〈ギミー・シェルター〉の二回目のコーラスの後、ハーモニカが入り、ギターソロ（言うまでもなく、レイプと殺人に対する嘆き）を予兆する（anticipating）ところだ。〈ストリート・ファイティング・マン〉では、ミックの最後の命令「伏せろ！（Get down!）」と同時に、銀行のドアで砕ける火炎瓶のようにマラカスが炸裂する。革命は突然始まった。それは単純さ（の復権）ということにおける反乱だった。特にこの時期、ロックンロールはより大きく、よりやかましく、より馬鹿げた、より白っぽいものになってきていた。そしてマラカスというアイディアも、それを知らない者にとっては、はるか昔に使われていた技法に等しかった。

★

この時代は腕力と幅広いテクニックでバンドにパワーを与えた素晴らしいドラマーを輩出した。同時にまがいもので、見せかけだけのプレイヤーも多くいたし、（ジョン・）ボーナム・ウォナビーズ、（ジンジャー・）ベイカー・ウォナビーズ、タイムキーピングしかできないのに、地方のストーナーで結成されたようなバンドで叩くようになったプレイヤー、あるいはハードロックが未熟な若者のフェティッシュとなった時代のシンデレラを夢見ているような者もいた。

1970年、ブラック・サバスとレッド・ツェッペリンがそれぞれファーストアルバムを出すまでに、ヘヴィー・スタイルは一般的なものとなった。だが皮肉だったのは、この時代の最もヘヴィーなドラマーたち、サバスのビル・ワードもツェッペリンのジョン・ボーナムも、**彼らの血管に脈々としていたのはジャズだった**ということだ。ビル・ワードのドラミングは、（ジーン・）クルーパ・イズムとルイ・ベルソンのようなフィルの塊で、〈魔法使い〉や〈エレクトリック・フューネラル〉のような曲では、ビッグ・バンドの虚色を暗さへ転換したものだった。ジョン・ボーナムもまた自分のスタイルにクルーパとマックス・ローチを取り込んでいるが、その影響が出てくるのは大体ドラムソロの時だった。彼は、シャッフル、ルバート（自由なテンポで）、ミスディレクション、開放、そしてアタックの名手だった。またボーナムは、微妙なバックビートを操るクライド・スタッブルフィールドとジャボ・スタークスなど、ジェームズ・ブラウンの偉大なドラマーたち、そしてニューオーリンズ出身のミーターズのジガブー・モデリステ（彼のグルーヴ内でビートを動かす能力は、やがてボーナムがそうしたように、目眩がするようだった）などの変異体でもあった。

しかし、ボーナムは明らかに独自のアーティストで、チャーリー・ワッツやキース・ムーン同様、ロックンロール・ドラムに対する個人的な展望を、それまでとは全く異なったものとして捉えていた数少ないアーティストの一人だった。ボーナムの最も素晴らしい偉業は、彼の圧倒的なバスドラムのテクニックにある。つまり、有名なダブルストロークと三連符の使い方、あるいは手の届かないような手数に対して、信じられないような空間的センスを操作することだ。

レッド・ツェッペリンが最も素晴らしかったことの一つは、チャーリー・ワッツ同様、ボーナムが決して急がなかったということだ。彼らが最も激しくロックしている瞬間においてさえそうだった。彼には最高の趣味と訓練があって、最も強力に爆発している時でも、極めて音楽的だった。彼の演奏はリズム的に複雑だったが、それはトップダウンされたものではなく、下から積み上げられた（ボトムアップ）ものだ。それはクリームを聞いて、どこもかしこも叩き回ってブルースの演奏法を学べると思っていたような多くの若いドラマーが忘れてしまったレッスンだった。

クルーパのもう一人の弟子、キース・ムーンは「予兆（anticipation）」というものに手を出してはみたが、やり通すことができなかった（〈恋のマジック・アイ〉はちょっと愛嬌のあるお遊びだったと「仮定」する）。しかし、最終的にムーンは自己抑制とは全くかけ離れていた。コール・ポーターの歌の〝Kick out of you〟という歌詞のところで、クラッシュ・シンバルを叩くだけでは物足りず、ドラムセットを破壊してしまうようなやつだった。

ストーンズがヤクまみれのカントリーロック、深い啓示的なブルースといったナイフのエッジのような、より本質的なものへと接近して行ったのに対して、ザ・フーは全速力で駆け抜けるアートスクールの最右翼となり、壮大なロック・オペラを生み出していた。そしてムーンのドラムセットは、全方向にドラムスをめぐらせた、叩くクズのようになっていった。もちろん彼の演奏は目を見張るもので、それは野放図、無茶苦茶、酔っ払い、カリスマ、気前のよさ、正直、そして抑制が効かないという彼の個性の延長線上にあった。しかし未来のドラマーに対するムーンの悪影響がここに植え付けられた。落ち着いて歌を演奏することなどロクに学ばなかったようなやつらだ。リンゴ・スターみたいになろうとドラムスを買った全てのガキどもが、二、三年ほどの間に、無数のタムタム、ゴング、赤ちゃん用のガラガラまでドラムセットに加え始め、スィングの能力ではなく、極端という新しい芸術的側面によって成功の度合いを計るようになったのだ。

そして1970年代になると、まるで新しいウィルスのように、新種のドラマーが出てくるようになった。一連のメロタムをトリプル・フラマディドルで一斉射撃できるくせに、簡単なシャッフルも叩けず、バンドの邪魔をせずに、自信たっぷりのパンクロック・ビートも叩けないようなティーンエイジャーだ。「それほどの装備って、一体全体なんのため？」という疑問を抱かざるを得ない。

ストーンズの新しいレコード《ベガーズ・バンケット》（1968年）は、想像力を欠いた音楽ライターたち、ブルースといえば昔のことだとしか考えられないような輩が頻繁に書いていた「ブルース・ルーツに回帰しよう」という類のアルバムではなかった。実際《ベガーズ・バンケット》はストーンズの来るべき未来への飛翔とも言えるものだった。そしてブルースというよりはカントリーだったし、他の何にも増して**「可能性」についてのレコード**だった。彼らの古い成功に立ち戻ったようなサウンドはなく、むしろそこからの脱却だった。

★

それはブライアン・ジョーンズの終わりでもあった。もしブライアンのいないストーンズなどストーンズではないと思っていたならば、それは大間違いだった。確かに、彼らはブライアンなしでザ・ローリング・ストーンズになり得なかったが、ブライアンはある時期から厄介者になっていった。アシッド、ライフスタイル、評判の悪いサイケデリック・ポップスターとブルースマンの二重構造はあまりにひん曲がり、修復不可能だった。そして彼は出て行かざるを得なくなった。それ以前から仕事にも顔を出さなくなっていたのだ。彼はチラホラとそこかしこで演奏し、〈ノー・エクスペクテーションズ〉の愛すべきスライドギターが最後の思慮に富んだ貢献となった。ドラッグとポップスターダムで燃え尽きることなどお決まりの陳腐なコースだが、ブライアンがそうなってしまったことは特筆に値する。

モノのある部分は、大して変化せず、別のパーツと交換可能だが、その一方、時としてその「箒《ほうき》」が以前よりも良くなることがある。ストーンズは新しいギタリストを雇った。ジョン・メイオールズ・ブルースブレーカーズのヴェテラン、ミック・テイラーという天才児だった。ブルースブレーカーズでは、フリートウッド・マックに加入するために脱退したピーター・グリーンの後任で、ピーター自身も約束の地、クリームへと旅立っていったエリック・クラプトンの後任だった。英国ブルース・シーンは、ある時点で、まるで巨大な卸問屋のようになっていた。

この時期ほどザ・ローリング・ストーンズのメンバーとなってエキサイティングだった時代はない。テイラーは次にジミー・ミラーがプロデュースしたストーンズのレコード、《レット・イット・ブリード》（1969年）で二、三曲演奏し、ザ・ローリング・ストーンズの黄金時代が幕を切って開けた。

この新しいバンドはより暗く、よりセクシーで、よりパワフルなザ・ローリング・ストーンズだった。テイラーは激しいサウンドを繰り出す有能なリードギター・プレイヤーで、キースのシンコペーションを多用するリズムと強烈なグルーヴを生み出すミニマリズムをはっきりと浮かび上がらせた。「古風な織物芸術（Ancient Art of Weaving）」、ブライアンと共に作ったギターの絡みは姿を消した。彼らはより伝統的なリズムとリードギターという関係に傾いていき、全員がチャレンジに参加するようになった。そうすることでサウンドを押し広げ、全てがよりハードになった。歌は息吹のための新しい場所を見つけ、即興はエッジを損なうことなしに、より拡大されたものになっていった。

そしてチャーリーはキース・リチャーズとビル・ワイマンの間を巧みに動き回り、ミックの一語一句がこのグルーヴの総重量を伴って発せられることを確かめながら、彼にスポットライトを当てた。

彼らはドラッグを使用するだけでは飽き足らず、そのことについて歌い始めるようになった。暴力、セックス、悪魔もまたライトモティーフ（示導動機）だった。そしてジャガーのような優れたシンガーがこうした内容を表現するためこれまで以上に必要だったのは、同じような気質のギター・プレイヤー、そして歌を完全に自分のもののように歌うシンガーをどう伴奏するかということを理解している**有能なドラマーの勘とジャズの感受性**だった。

チャーリーは、必要であれば激しくドラムスを叩くこともあったし、歌にドラムスが必要ないとなれば引き下がった。彼はとにかく控えめな男で、常に歌の後方に自分を置いた。だが彼は激しくスウィングし、ミックがノックアウトのブロウを必要とする時には、ヘヴィーウェイト級のようにパンチした。[*6]

★

《ベガーズ・バンケット》の〈ストリート・ファイティング・マン〉は、ストーンズ自身のヘヴィー・スタイルの幕開けとなった曲だ。それはどっと流れるようなギターと激しいドラムスを使ったものだが、この曲の大部分は実際アコースティック・ギターで演奏され、チャーリーのパートは当初**おもちゃのドラムセットで演奏された。**それは1930年代のロンドン・ジャズ・キットと呼ばれる珍しい機械で、チャーリーがアンティークショップで見つけてきたものだ。ドラムヘッドをワイヤーで固定した折りたたみ式のスーツケースで、ジャズ・ドラマーがギグに行くために汽車に乗ったり、あるいはパーティーに持って行ったりするようなものだった。かつてチャーリーはそれをツアーに持参し、ホテルで開いてキースとジャムったり、ある時にはこの世のものは何でもひん曲げてしまうキースの魔法のフィリップス・テープレコーダーに録音したりしていた。革命の基礎を築くため、彼らがレコーディング・スタジオに持ち込んだのはこれだった。

カセット・レコーディングの上に新しいドラムスとギターがオーバーダブされ、その結果サウン

＊6　本書の後半、チャーリーがミックに一発食らわしたことについて述べる。もう何度も語られてきたことだが、誰もが本当のオチを忘れている。ご期待あれ。

ドが野蛮になった。後にキースがチャーリーの最も重要なドラムパートと呼ぶことになったものだ。それはフィル・スペクターの夢精のような、無数のアコースティック・ギターとパーカッションからなるオーケストラだった。さらにオーバーダブされたバスドラ、シンバル（そしてもちろんマラカスも）、少し印象派風のピアノ、数トラックからなるボーカル、そして意図的に置かれたフィードバック、タンブーラ、シタール、シェナイと呼ばれるインドのオーボエ（おしまいのところでドローンのように鳴るダブルリードの管楽器）などのサイケデリックなエギゾチカを少しばかり加えたものだ。このトラックで唯一の電気楽器はキースが弾くベースで、そういうことがこれからも頻繁に起こるようになった。ある時点で歌であることすらやめてしまい、ある歌に基づいて生成された音の狂宴のようなものになった。

《レット・イット・ブリード》の〈ギミー・シェルター〉はより暴力的で、不気味に予言的なものとなった。彼らは自分たちが生み出したハードロックを狂気のようなゴスペルとソウルによって黒く塗った。それは偶然ではなくレイ・チャールズ・バンドで歌い方を鍛えたメリー・クレイトンによる髪の毛が逆立つような、他を圧倒する嘆きのおかげだ。過剰にモジュレーターがかけられたミックのブルースハープは、リトル・ウォルターが残したものを受け継ぎ、ジミー・ミラーによる不快なギロのリフは、この混乱全体にセクシーな味を与えた。ターンアラウンドにおけるチャーリーのスネア、バスドラ、そしてシンバルのコンビネーションは、彼がそれまで演奏してきたもの同様、至って脅迫的だ。

マラカス、トレモロの効いたギター、ゴスペル的な歌唱、暴力的なハーモニカ、こうしたものはいつでもそこにあったものだが、今や新しい時代を迎えたザ・ローリング・ストーンズの手中にあり、少しばかり遠い過去に生まれたものというよりは、未来から送られてきたもののようだった。こうしたことには前例がない。かつてストーンズは黒人音楽をちゃんと演奏するというビートニクとアート系の学生の集まりにすぎなかったが、今やザ・ローリング・ストーンズの音楽を演奏するカオスの代理人となった。もはや白と黒の間にも、ゴスペルとハードロックの間にも、ボ・ディドリーと黙示録との間にも何ら違いはなくなった。

もう一点重要なのは、ある時点でストーンズはカントリー・ファッションくずれのようになっていったということだ。そしてこの十年後には、彼らのパンクロックとディスコのレコードに真剣な響きをもたらすこととなった。ブルース、カントリー、ゴスペル、ハードロック、ポップ、その他何であろうと、**結局のところ全部同じクソ**なのだ。この時代の誰にも先駆けて、チャーリー・ワッツとザ・ローリング・ストーンズはそのことを理解していた。ボブ・ディランとザ・バンド、もしかしたらヴァン・モリスンも同じような場所にいたが、彼らは復讐とかエロティックな執着といったことには、ほとんど無関係だった。だからこそストーンズは重要だったのだ。彼らのカントリーは血まみれだった。

〈レット・イット・ブリード〉（同名アルバムのタイトル曲）は彼らにとって第二の素晴らしいカントリー・ナンバーだが、バー・バンドが必ずと言っていいほど台無しにしてしまう曲だ。それは演奏するのが難しいからではなく、他の多くのストーンズの優れた楽曲同様、この曲には独特のテンポがあるからだ。テンポが上がりすぎて、けばけばしたロック・ソングのように響くところもあるし、またゆっくりしすぎて、忍び寄ってくる死のようなところもある。さらに、自暴自棄かつみすぼらしい歌で、クライマックスを築くために、できればそれ以上でも以下でもない適量の軋轢を必要とする。

かつて退屈していたり、金が必要だったり、あるいは女の子が来ているからといった理由で、またある時には生気を吹き込もうとして自らを奮い立たせ、やっていたギグで（その頃はキーボードを演奏していた）、この曲をプレイしたことを覚えている。[*7] バンドの連中はバカで、どうしようもなく、もっと真っ当なロックンロールに直接関係のあるT・レックス、ストゥージス、ハンク・ウィリアムスでも聞いていればいいのに、成り行きでブルースやスィングを録音した経験のあるやつらだった。さらに道を踏み外したオルタナティヴバンドに躍起になってもいた。そんなやつらが「さあロックしようぜ」と固く心に誓っていた。彼らはストーンズをあたかも簡単に演奏できることのように買い被り、〈レット・イット・ブリード〉になると、「薄汚い地下室」でナイフを突きつけられたことなんかなかったばかりか（それならそれでもいいだろう。誰がそんな目に遭ったことがあるって言うんだ)、曲が進んで、そこにロマンスを見出すこともなかった。しかし、そのことこそが問題だったのだ。

最後に、そのテンポを保った後で、ギター・プレイヤーが線の細いボトルネック・テクを見せびらかすための思慮のない吐口としてこの曲を使うことよりも、この曲に対するもっと注意深いアプローチを煽ろうとして、私は思わず口を滑らせてしまった。「これはみすぼらしくあるべきなんだ。みすぼらしくない。**ドラッグまみれのカントリー・ソングなんだから。**まったく」。それに対してドラマーは「俺たちはこの歌を台無しにしてしまった。私は「チャーリー・マザーファッキン・ワッツですら、これをちゃんと演奏すること以外、他に道はないんだよ」と返答した。

これは我々の演奏がザ・ローリング・ストーンズのように響かなかったということではない。正しいバー・バンドとはどうあるべきかということだ。

★

＊7　ニューヨーク市在住のドラマーに何が起こるかと言えば、これ（キーボードを演奏すること）なのである。ここは誰かの家の床は誰かの家の天井というドラマーにとって最も不親切な場所であり、誰もガレージや地下室などもっていない。結局みんなアパートでも演奏できる楽器、キーボードとかギターに行き着くことになるのだ。

ストーンズ初のカントリー・ソング〈ホンキー・トンク・ウィメン〉も売春婦目当ての客には全く理解不能な曲だ。《レット・イット・ブリード》のセッション中に（ジミー・ミラーが叩くちょっとズレた象徴的なカウベルと共に）録音され、1969年夏、シングルとしてリリースされた。これはキースのオープンGチューニング、そして新しいリズムギター・アプローチのデビュー曲だ。曲を正確に演奏するということは、言うまでもなく、全てイントロにかかっている。カウベルのニュアンス、冒頭のドラム・スプレー、そのオフ・ビート加減。それはまさにチャーリーの得意技で、子供が演奏しているような不均衡なフィルである。子供というものは、残念ながら、必要な時には絶対そこにいてくれないものだ。

そしてストーンズも以前と同じようにはプレイしなかった。それはキースが所有しているリフで、どのライヴ・ヴァージョンでも、チンチンがロックするような、カントリーがかった催眠術師スヴェンガーリのごとく開放弦のストロークで始まり、キースも楽しみながら時間をかけて演奏している。それは音楽であると同時に気構えとでも言えるものだ。そしてあまりにシンプルなリフなので、かろうじてリフとみなされるものでさえある（コード一つで、タネも仕掛けもない）。キースは彼がそれまで弾いたGコードと異なり、完全にこれだと分かるものを作り上げた。ダーティーで威厳に満ち、ダンスフロアへの誘い、テレキャスターで描かれた酒と酔っぱらったセックスのトーンポエムである。

キースのオープンGチューニングは、ミシシッピー野郎の多くがデルタで始めたのと同じものだが、キースがこの古典的テクニックをどう扱ったか、彼らに見る術はなかった。彼は6弦のエレキギターの一番低い弦を取り外し、大陸を切り開くことさえ可能な5弦のリフ・マシーンに変えたのだ。「〝必要なものだけ残す〟ってことだ」とキースは回想録で説明している。「5弦にすると、ごちゃごちゃしたものが片付いて、ギターのフレーズと感触を与えてくれる。5弦だと薄くできる。そうやって形を作るんだ。〈スタート・ミー・アップ〉、〈キャント・ユー・ヒア・ミー・ノッキング〉、〈ホンキー・トンク・ウィメン〉のどれでも、コードとコードの間はそのまま放っておくんだよ」《ベガーズ・バンケット》と《レット・イット・ブリード》を通じて学んだことは、ライヴで全開となった。それは〈ストレイ・キャット・ブルース〉のしなやかで、抑制を欠いた徘徊、そしてチャック・ベリーのオリジナルを初めて凌駕した、焼けつくような〈リトル・クイニー〉において魅力的に証明されている。もはやキースはチャック・ベリーのリフを弾いているのではない。焼き尽くしているのだ。《ゲット・ヤー・ヤ・ヤズ・アウト》はツアーのおみやげではない。これに乗っかるか、あるいは轢かれるか、ストーンズからの招待状なのだ。[*8]

チャーリーはこの中にジャズを見つけた。キースとチャーリーのワン・ツー体制は必殺のコンビネーションとなった。これこそロックであり、彼らはその上に教会を建てたのだ。

ミックは延々と即興し、唾棄することを学んだ。そしてかつて祝福を受けたどのような音楽的天真爛漫さも今や消え失せた。ビル・ワイマンの低音部は完璧だった。ガタガタと音を立てて走ったり、歩いたり、機動的だったり、恐れも知らず、しばしば複雑だったが、決して前面に出てくることはなく、いつも上の方にいた。そしてミック・テイラーは目も眩むようなテクニックでこの混戦を突き抜け、みんなの目に光を照らした。単純な歌でさえ宣言となった。The Rolling StonesはTHE ROLLING STONESとなった。もはや彼らはポップスターではなく、ロックスターとなったのだ。

チャーリーはいつものように一番いいところにいたが、目撃者ではなく、参加者だった。彼は秘めたる知識をもった熟練者だった。タイムキーパーからシャーマンへと成長した。彼の幽霊音符はかつてないほど煮えたぎり、ターンアラウンドを転がった。しかし、バックビートから外れたり、キックドラムを踏み外したりすることは決してなかった。彼はどうやってロードハウス・ダンスさせるか、昔からの秘密を知っていたのだ。このレコードのカバーには彼の写真があしらわれているが、それには真っ当な理由があった。**彼こそストーンズのスーパーパワーの源だった。**結局のところ、どこの誰も歌の言葉に向かって踊っているのではなかったし、ギターソロに向かって踊っているのでもなかった。

＊8　他の多くのいわゆる「ライヴ盤」と同様、《ゲット・ヤー・ヤ・ヤズ・アウト》は、半ダース以上のリードボーカル、〈リトル・クイニー〉を含む二、三曲ではギターがオーバーダブされ、かなり磨きをかけられたものだが、だからと言って価値がないというわけではない。ある時点で、自分が何を聞いているのか分からないということを受け入れなければいけないというだけのことである。

5章 ロックンロールの世界で最もスイングするドラマー

Rip This Joint

ロックンロールが始まったばかりの頃、堅物どもが教会の鐘を鳴らして警告していたのは、子供たちの性器に火をつけ、この国の道義心を脅かすようなジャングルビートに恐れをなしていたからだ。

しかし、彼らも自分たちがどれだけ正しいものかは分かってはいなかった。〈ブラウン・シュガー〉の到来をどう見たのか？　これはリフ、ビート、ポップ・ソングを死刑になるほどのレベルにまでに押し上げたボビー・キーズの咽び泣くようなサックス・ソロを伴った、奴隷女、マリファナ、クンニリングス、レイプ、そして神のみぞ知る何かについての歌だ。アメリカの過去の寓話は当然のようにチャートのトップに到達した。

それは彼らが生きていた時代だったのかもしれないし、ドラッグのせいだったのかもしれないが、ある時点で、彼らは根本的にありとあらゆる上品さを失った。「世界最高のロックンロール・バンド」に登りつめていた時でさえそうだった。

《ベガーズ・バンケット》と《レット・イット・ブリード》はセックス、ドラッグ、そして暴力の混ぜ合わせだったが、彼らでさえ〈ブラウン・シュガー〉を予見し始めることはできなかった。これは《スティッキー・フィンガーズ》（1971年）からのファースト・シングルで、（もしストーンズの世界観についてまだ判然としていないなら）そのB面は〈ビッチ〉と呼ばれるドラッグと酒と愛の暗い側面についての歌だ。それは劣った文明をぐらつかせてしまったような、ちょっとしたワン・ツー・パンチだった。

彼らがこのノックアウト・コンビネーションに至る前、レコード会社への契約履行のために提供した最後のシングルは、〈コックサッカー・ブルース〉（上品な内輪では〈スクールボーイ・ブルース〉と呼ばれる）として知られるおいしい菓子だったが、それは偶然ではなかった。ミックはここでトップクラスのブルースマンとしての誠意を示したばかりでなく、このチームのために最後までやり抜く絶対的な覚悟を見せつけたのだった。

このシングルはオフィシャルにリリースされたことはなかったが、プロモ盤が制作され、すぐさまブートレッグ化された。シリアスなストーンズ・ファンで、この歌詞を覚えていない者など私は知らない。『コックサッカー・ブルース』は《メイン・ストリートのならず者》のカバーの写真の大部分を担当した写真家ロバート・フランクによって監督された、1972年のアメリカ・ツアーのドキュメンタリー・フィルムのタイトルにもなった。これはローディーのふざけた行為、バンドメンバーのドラッグ摂取、グルーピーのどんちゃん騒ぎなどの描写のためにすぐさま悪評を買い、バンドメンバーからも非難され、一般公開されなかった。良質なブートレッグはインターネットさえあれば見ることができるが、大体は想像に任せておいた方がいいようだ。

だが音楽のパートは激烈だ（1972年、ザ・ローリング・ストーンズは、その後、誰も達することのできなかったような高みで演奏していたことを覚えておこう）。しかし、ストーンズのプライベート機内で、ミックとキースもチアリーダー隊の一部となり、グルーピーを廻すシーンは期待するほどではない（チャーリー・ワッツはあろうことか、嫌気がさして立ち去った。この瞬間の女性の悦びはどう見ても曖昧だ）。最終的な結果は奇妙なシネマ・ヴェリテ（監督のコントロールなしに実際に活動している普通の人を描いた映画）で、おそらく作られるべきではなかったが、今となっては永久に消えない記録の一部となっている。陰鬱な覗き見のようで、しばしば退屈、密輸品ならどんなものでもそうだという理由でエキサイティングだが、作品それ自体ではなく、不法侵入という安物のスリルにのみ価値があるということが分かってがっくりするようなものだ。キースがバックステージで眠りに落ちたり、グルーピーがヤクをもらったり、ミック・テイラーが裸の女とマリファナを吸ったりするシーンもあるにはあるが。このシーンで最もショッキングなのは、巻紙がなかったので、通常のタバコを作る要領でジョイントを作らねばならないところだ。悪行で有名なグループにしてはあまりプロフェッショナルとは言えない。

ハイライトはこのツアーの多くでオープニング・アクトを務めたスティーヴィー・ワンダーだ。アンコールのメドレー、〈アップタイト（エヴリシング・イズ・オールライト）〉と〈サティスファクション〉で（この二曲は同じストンピング・ビート）、ストーンズとのジャム・セッションだが、それほど旨みのあるものではない。失敗した実験、あるいは正しい判断が欠落したものだが、ストーンズが何かの点で有罪だった最初でもなければ、最後でもない。ただ少しばかり極端すぎたのだ。

★

もしチャーリー・ワッツがいなかったら、ストーンズは彼を発明しなければならなかった。キースの新しいスタイルは決定的な核を獲得した。〈ホンキー・トンク・ウィメン〉のイントロ、お気楽なオープンGコードは餌を与えられるべき獣へと成長した。これは、ヒッピー風の爪弾きの対極にある鋭いカッティングだ。キースのシンコペーションは生々しいセクシャリティーであり、素朴なものは何もない。彼はビートから外れて、少し先に演奏する。それはまるで戦国武将がペースを決めて、ザ・ローリング・ストーンズの一団にチェーンやナイフを持って後へ続くように準備しろと命じているようだ。このアタックはもっと遅いテンポで演奏できないこともない。実際のところ、彼らがもっとレイドバックしている時は、少ししたたかで、セクシャルだが威嚇的である。後でスロットルを全開にしなくてはならないように。

ストーンズのスィングは彼ら独自のもので、**チャーリーは蝶のように舞い、キング・ビーのように刺すモハメド・アリみたいだ。**

彼の右手はキビキビと動き、シンバルはブルースとジャズの偉大なヒーローのようなパターンを描く。左手は微妙に、ほとんど気がつかないほどビートからずれる。彼らがストライドを演奏すると、その効果は常軌を逸した行動を促しているだけでなく、そのためのライセンスを与えられているようだ。

「俺たちが演奏している時、何かが起こったんだ」とビル・ワイマンは彼の回想録で説明している。「これはコピーなんかできないよ。どんなバンドでもドラマーを追うんだが、俺たちはチャーリーを追わないんだ。**チャーリーはキースを追いかける。**だからドラムスがほんの少しだけキースより遅れるんだ。本当にわずかなカケラほど。俺はちょっと速く演奏する癖がある。それが揺れを起こさせるんだ。今にもバラバラになってしまいそうで、危ういんだ[*1]」

そこにこそ美があるのだ。**「タイトだがルーズ」というストーンズ・スタイルの基礎**にこそ。それはひどくセクシャルで、素晴らしくエロティックだ。それは流動的で、粘り気があり、罪に浸って

＊1　バンドがドラマーに合わせてプレイしていれば、それは「ロックンロール」で、ドラマーがバンドに合わせてプレイしているなら、それは「ジャズ」だと言ったのはオーネット・コールマンだと思う。

いる。扇情的で淫欲的。チャック・ベリーとボ・ディドリー、ジェームズ・ブラウンとリトル・リチャードの教えはキースの脳内で生成され、このように排出されるのだ。キースはリズムに身を任せ、即興する。下半身からグルーヴし、それに合わせて即興を作っていく。まさにこれこそジャズの定義に他ならない。

キースがジャズをやっているなどと言うと鼻息を荒くする者もいるが、チャーリーはそうではなかった。そしてこれが「なぜチャーリー・ワッツは重要か」という理由の一つだ。チャーリーはジャズ野郎ではあってもスノッブではない。彼は自らの新しい境地を開拓しようとしていたが、それはかつてどのドラマーも踏み入れたことのない境地だった。

チャーリーは彼自身どこをとっても、**ロックンロールの世界で最もスィングするドラマー**だった。普通のテクニックをもったドラマーと違って、チャーリーの右手は生まれながらにして左手より力強い。彼はこの愛すべき不均衡と予測不能なことこそが彼のスタイルの素だということを理解し、自らの欠点を最良の特徴の一つへと変えた。こんなことを発明できる者はいない。彼は自然にそうやって演奏するのだ。

変則的なロールとラフ（メイン・ストロークの前に入る速い三連のストローク）から成っているチャーリーの奇妙なイントロとフィルは、マルク・シャガールにとっての青同様、彼のスタイルにとっても独特だ。彼は最も予期しないような方法でハイハットを使い始めた。スネアとハイハットで非直感的に（つまりよく考えた上で）追いかけ合いを始めたり、フィルの途中やほんの短い拍と拍との間でハイハットを開閉したりして、単純な歌においてさえもジャズを見つけた。ステージ上では〈ジャンピン・ジャック・フラッシュ〉の最も根本的なドラムパートから（今や爆発的なアクセント、マシンガンのようなスネア・ロール、裏返しのハイハットを伴った線状細工のようだ）、素朴なコードチェンジが色の爆発へと花開いた〈レット・イット・ブリード〉と〈デッド・フラワーズ〉などのカントリー・ナンバーまで、最も予期しないような場所にそれが現れるようになった。〈オール・ダウン・ザ・ライン〉のイントロは、すでにバレエのようなドラムのお遊びだったが、年を追うごとに表現主義の傑作へと昇華した。

有名なスティックの持ち上げ（ハイハットを叩かずにスネアで2拍目と4拍目を叩くこと。このシンプルなテクニックによってスネアがもっと前面に出る）はもう少し後になってからのことだが、これによってチャーリー・ワッツ・スタイルはより強固なものとなった。これはドラマーがチャーリーのことについて語る際に必ず誰かが取り上げることだが、それは彼のことを描写するには、最も手の込んでないことの数少ない一つだからだ。チャーリーは誰かに指摘されるまで、自分がそんなことをやっていると気づいていなかったといつも言っているが、それが自分のスタイルを決定付けたにもかかわらず、自分を面倒くさがり屋だと思っていた。

彼は、クラッシュ・シンバルの代わりに、ライド・シンバルをアクセントとして使う芸当をすでにマスターしていた。それによって、普通は強烈な「カブーン」というジョン・ボーナムが好んで使用するような大きなタイプのロック・シンバルを避けて、ソースに少し胡椒を入れるくらいのハイライトを構成している。[*2]後にチャーリーは、ジャズ・プレイヤーとしてサウンドに色付けするように、ライドのためにクラッシュ・シンバルを使い始める。ストーンズがライヴで演奏している騒音の中でさえも、それは正しい拍とビックリするほどの変化を加えた。なぜなら歌はただヴァース、コーラス、ミドル・エイト、イントロ、ソロ、その他で出来上がっているわけではないからだ。それでは単純すぎるし、型にはまりすぎている。チャーリーは外堀を色付けするのにルールなどないということをよく知るジャズ野郎だった。必要とあらば、そこに色を混ぜたのである。

ブライアンがバンドにいた時、**チャーリーはドラムスを演奏していたが、今となっては、ますますバンドそのものを演奏しているようだった。**

★

《メイン・ストリートのならず者》については多くのことが書かれてきたが、その制作はストーンズ神話の最高峰に位置する。改めて言うまでもなく、皆が素っ裸でやってきたなどということを真に受けることはできないが、要点はこういうことである。税金逃れのためにフランスにやってきたストーンズは、レコーディングが可能な場所を探していた。しかし手頃なスタジオが見つからなかったため、キースの家にしけ込むことにした。そこは「ネルコット」と呼ばれる、コートダジュールにある元ゲシュタポの将軍府か何かだった邸宅で、地下の排水門にはまだ鉤十字のマークがついているようなところだった。歴史上最高のロックンロール・レコードが作られたのはまさにこの場所で、ザ・ローリング・ストーンズ・モービル・スタジオ・ユニットを使って録音された。後にそれはザ・フー、フリートウッド・マック、そしてボブ・マーリーらによっても使用されることになり、やがてそれ自体が伝説となった。レッド・ツェッペリンはいわば地下室を所有していたわけではなかったが、「ヘドリー・グランジ」と呼ばれる作業場を持っており、そこでストーンズのユニットを使って大成功した。

《ならず者》の大半は夜録音されたが、それはキース・リチャーズのドラッグ癖に起因するスケジュールだった。[*3]バンドは暗くなってから、キラ星のようなガールフレンドたちとドラッグディーラーと共に地下室に降りて行き、取り巻きは階上で夜な夜な過ごした。麻薬と関わっていなかった者

＊2　これ〔ジョン・ボーナムのシンバルの叩き方〕がレッド・ツェッペリンを聞きながらストーンしていると、電話のベルなんか鳴っていないのに鳴っているように思えるもう一つの理由だ。

＊3　もちろんこのストーリー〔《ならず者》の録音〕のあまりロマンティックではない部分は、どちらかと言えばそれほど神話化されていない密室、ロスアンジェルスのサンセット・サウンド・スタジオで、ストーンズのベースメント・テープスにどれほどのオーバーダブ、軽減、修正、研磨が施され、完成へと導かれたのかということである。

は、それぞれ好き勝手にやっているようだった。

チャーリーとビルは同じ通りでそれぞれ安全に暮らしていたが、キースがレコーディングする準備が整ったからと言って、必ずしもその近くにいるとは限らなかった。

ジミー・ミラーは気力が萎え始めていたが（この連中を落命することなくキースとつき合わせるというのもちょっとした奇跡ではある）、エンジニアのグリン・ジョーンズと共にどうにか物事を進行させ、キース最悪の習性を自ら採用し始め、〈シャイン・ア・ライト（ライトを照らせ）〉、〈ハッピー〉などでドラムスを叩いた（おそらくチャーリーがいなかったからか、他の皆と同様、キースが寝ていたか、起きていたか、あるいはその真ん中あたりか、様々な可能性があったと思われる）。そして〈ダイスをころがせ〉の一部でもドラムスを演奏したが、それはまた別の話だ。[*4]

ビル・プラマーというジャズ野郎が二、三曲でスタンドアップ・ベースを弾くために雇われ、うまくやってのけた。この地下室はまるでザ・ローリング・ストーンズ的状態のブラックホールで、ストーンズの空気とはこんな感じだった。そしてどんなものもここから逃れることはできなかった。光、ほつれたリフ、何も。そして誰が何をプレイしようと、それはキースのものであり、ザ・ローリング・ストーンズ以外の何物でもなかった。

〈オール・ダウン・ザ・ライン〉はおそらく完璧なストーンズの歌だ。冒頭のギターリフのジャブのようで、ビートから遅れるチャーリーのロープ・ア・ドープ（ボクシングの戦術：相手がパンチを出しながら消耗している間、追い詰められたふりをする）は燃料を加える。まるで淀みのないスパーリングのようで、ソウルフルで、甘く、そしていかがわしい。〈アイ・ジャスト・ウォント・ト

*4　ジミー・ミラーは《ならず者》以前、〈無情の世界〉でチャーリーのためにすでにドラムス席を分け合っていたのは有名な話だ。（ミラーが遅れて演奏する）「グルーヴを見つける」という面でチャーリーが苦労していた際、ミラーは自ら演奏して見本を示した。チャーリーはフレンチホルンと合唱による延々と続く時間の浪費（ビートルズの影響の一例という疑いあり）に退屈していたと見る向きもあるだろう。しかし当然のことながら、その部分は後になって録音されており（近代レコーディング特有の魔法だ）、可能性のある言い訳ではない。ミラーのグルーヴは変則的だ。ヴァースの部分では4拍目のスネアを叩かず、そのことによって緩んだ感覚を与え、また歌の終わりのところで、より大きな解放感を形成する。言うまでもなく、その辺のバー・バンドがまともにできるようなことではないのは保証である。ミラーと一緒にドラムス席を分け合うことについて、チャーリーはあまり乗り気でなかったが、どこから見ても気丈に振る舞っていた。後のライヴ・バージョンでは、2拍目と4拍目のバックビートを必ず叩くようになり、レコードのようにファンキーではなくなってしまった。しかし重要なことは、二万人もの観客に向かって演奏していれば「ほしいものがいつも手に入るとは限らない」のだ。スタジオとステージは全くの別物で、前者では存在していないかもしれないようなスペースを創ること、そして後者では空気を動かすことが求められる。とにかく、この歌のカギはビートではなく、ドラムスが攻撃的かつ旋律的に演奏するトチ狂ったようなターンアラウンド、〝If you try some time, you just might find, you get what you need〟（やってみれば、ほしいものが手に入るかもしれない）の部分だ。ここでは炸裂弾で空気を満たしながら、ヴァース部分の至福溢れるゴスペルとコーラス部分の宗教的な主張とをはっきり対比させている。これがチャーリーのなせる技なのであり、この歌はこの部分にかかっている。〈ダイスをころがせ〉では、ミラーは最後のところになってようやく現れる。それは何をどうするか説明するために午後の時間を使うよりも、座ってやって見せたほうが簡単だということ、そしてハサミとスコッチ・テープの使い方（かつてレコードはそうやって作られていたのだから）を示す例の一つである。さらに重要なことは、〈ダイスをころがせ〉は「全く独自の」テンポによる歌という伝説的な例でもある。伝えられるところによると、キースがその「テンポ」を見つけるために１５０ものテイクを重ね、何年もの間、ライヴで演奏する際にはいつも少しずつテンポを上げていくミックにその「腫れ物」のことを思い出させていた。録音物から判断するならば、往々にしてミックの方が勝っていたようだが。結局のところ、詩の上にレコードを作っても、ライヴとなると散文詩になってしまうということだ。だがオリジナルの決して急がない闊歩に勝るものはない。

ゥ・シー・ヒズ・フェイス〉、〈ストップ・ブレイキング・ダウン〉、〈シェイク・ユア・ヒップス〉等、《ならず者》の埋め草でさえも、大空の星のようで、《ならず者》という天空には必要不可欠なパーツだ。

ブライアン・ジョーンズがいた頃、ストーンズは歌を演奏したが、今や彼らは「音楽」を演奏している。彼らは楽曲を思うがままに引き伸ばし、彼らの起源だったシカゴ・スタイルのブルースを超えて演奏するようになった。

ミックは歌詞を不明瞭に発音する天賦の才があっただけでなく（彼はどんなもので卑猥に響かせた）、リズミカルに、力強く、明瞭に、楽しげに歌うということになると、ボーカルのプロボクサーのようだった。そして、必要とあらば鐘の音のようにはっきりと歌うこともあった。ここ何年かの間にチャーリーは、バックビートがドラムスとボーカルの超新星爆発を引き起こし、時が止まった突風のような瞬間を見つけるのがますますうまくなっていった。

《ならず者》の〈ラヴィング・カップ〉はその頂点だ。アール・パーマー、ボ・ディドリー、ジミー・ミラー、チャールズ・ミンガスのフリー・スピリット・ドラマー、ダニー・リッチモンド等からチャーリーが学んだことは全てR&B、ゴスペル、そして宇宙のカンフーへと昇華した。それは実際のところ〈無情の世界〉のお気楽な拍子（4分の4拍子）に対抗して投げられたカウンターパンチへのお返しだった（だが、この曲であらゆるヒッピー的な楽天主義は切り取られた）。このファ

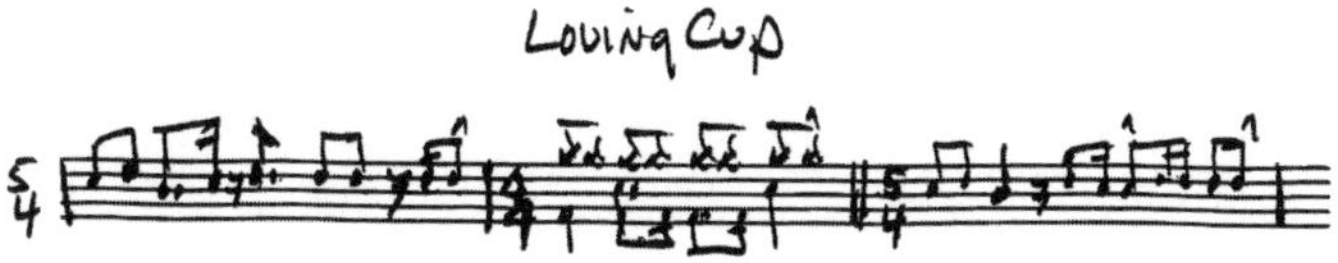

ンキーで、ニューオーリンズ・ソウルのグルーヴと必殺のアウトロも素晴らしいが、ミックがコーラスを歌う際、チャーリーによる途方もなくロックな、そして激しいタトゥーがこのショーのハイライトだ。それはドラムスのモダンダンスだ。グルーヴに戻る前の最初の部分、〝Give me little drink〟のところでミックを浮上させるために、四分音符一拍分加える。そしてこの奇妙な拍（4分の5拍子）のまま、次のライン〝Just one drink…〟をミックが歌う。

小節ごとに拍子を変えるということは気弱で、態度のデカいプログレ・ロッカーがすることのように思える。しかしチャーリーの手にかかると、全くオーガニックだ。激しく蹴りを入れても淀みなく流れていき、それが起こっている時でさえ、どこで着地するのか見極めるのが難しい。何か妙なことが起こっているという感覚が全くないのだ。だが演奏しようとすると、これはまた別の話である。それはかなり熟達した技で、黒帯かそれ以上だ。拍を足して迷うことなしにリックを捕まえようとするとアマチュアは固まってしまう。しかし秘密の裏技がある。メロディーを追って演奏している時は、（拍を）数えなくてもいいのだ。

ドラム・レッスンなど一度も受けたことのないチャーリーは、彼のヒーローたちのように演奏する技術のないジャズ野郎で、スネアドラム越しにプレイできるような左手などもち合わせていない。しかしフィリー・ジョー・ジョーンズとトニー・ウィリアムスのように、緊迫感と遊び心を交代させながら一貫した流れを作り、歌の中に入り込む新しい方法を生み出した。その内側へ登り、誰にでも見えるように吐き出すことによって。小綺麗ではなかったかもしれないが、明らかに美しいものであった。これこそがザ・ローリング・ストーンズの世界だった。

★

この時期、チャーリーは少しばかりだがフリーランス活動を行っており、最初に参加したのはレオン・ラッセルが自らの名前を冠したアルバムで、その中の一曲をビル・ワイマンと演奏した。自分のレコードでストーンズのリズム・セクションに演奏してもらうというのも大当たりだが、チャーリーとビルだけでなくミックも歌で参加している。そして言うまでもなくザ・ビートルズの半分、ジョージとリンゴもこの騒ぎに参加している。レオン・ラッセルにはいつも強烈な友達がいた。

それはともかく、小粋なレコードだということは置いておいても、チャーリーとリンゴが同じ池で遊んでいるという愛すべき異常事態がこの《レオン・ラッセル》にはある。このセッションから生まれた真に目を見張るべきは、〈シャイン・ア・ライト（ライトを照らせ）〉の初期ヴァージョンだ。当初は〈(キャント・シーム・トゥ) ゲット・ア・ライン・オン・ユー〉とタイトルがつけられ、《ならず者》に収録される二、三年前、ミックが歌い（レオンは自らをピアノ奏者に格下げした）、ベースにビル、ドラムスにリンゴという布陣で、驚くべき才能の競演だった。もしもリンゴとチャーリーが同じ曲をどう演奏するかということを観察したくても、この曲ではそれは叶わない。というのはストーンズの〈シャイン・ア・ライト（ライトを照らせ）〉で演奏しているのはジミー・ミラーだからだ。しかし、リンゴがどのようにストーンズと演奏するかということを聞きたければ、これはそれに最も近いもので、彼のややアンバランスなフィルと強固な感性をもってゴスペル・ソウル・グルーヴを見事に保っている。

もっと多くを語るべきはディープ・ブルース曲でのリンゴの演奏だ。〈シュート・アウト・オン・ザ・プランテーション〉と〈ハートサム・ボディ〉は、リンゴ・イズムに溢れている。ヘヴィーなバスドラム、夥しい数のハイハットでのフィルなど、後期のザ・ビートルズで駆使された奏法だが、多かれ少なかれ歌がスィングするチャンスを押し殺している。それに対して〈ロール・アウェイ・ザ・ストーン〉におけるチャーリーの演奏は、まごうことなき真っ直ぐで、歌全体を持ち上げているかのようだ。

ストーンズがザ・ビートルズではなかったのと同様（二、三回試したことはあったが）、ザ・ビートルズはストーンズにはなり得なかったということは覚えておいたほうがいいだろう。もしリンゴとチャーリーが同じゲームをやったらどうなるか考えるなら、ザ・ビートルズが演奏する〈カンサス・シティ〉を聞いてみるといい。彼らの手によると軽く、白っぽい。あるいは〈レボリューション〉は適度に重く（あのギターの音ときたら！）、シャッフル・ビートっぽくドライヴするが、本物のブルース・ナンバーなら殺してしまうようなバスドラで、スイングするというよりは脈打つ感じだ。「ブン・パ・ブン・パパ・ブン！」と確かにかっこいいドラムパートだが、シカゴで演奏されるような類のものではない。

チャーリー・ワッツとビル・ワイマンが参加したもう一つのレコードは1971年にリリースされた《ザ・ロンドン・ハウリン・ウルフ・セッションズ》という小品だ。これは実のところなかなか楽しめるレコードで（もちろんウルフがシカゴやメンフィスで録音したオリジナル・レコードほど深みがあるわけではないが）、ビルとチャーリーがストーンズのヒーローの一人と共に演奏する好チャンスだった。そして我々にとっては、彼らが怒涛のミックとキースから離れ、どう演奏したかが聞ける。[*5]

これはお手軽な金儲けで、エリック・クラプトンとストーンズの二、三人を合わせた、まがい物のスーパーグループだったが（言うまでもなくスティーヴ・ウィンウッドもオーバーダブで参加している）、ハウリン・ウルフとレコードを作るのを断ることなどできやしない。それはあまりに自分勝手というものだ。

これもチャーリーとリンゴの両方が参加した珍品だった。リンゴは〈アイ・エイント・スーパースティシャス〉一曲のみだが、それは不必要にファンクっぽい演奏で、〈カム・トゥゲザー〉や〈涙の乗車券〉なら天才的と言えるようなものでも、泥臭いブルースとなると基本的に邪魔である。もちろんチャーリーが触れたものは全て適切だった。これは言いすぎでも何でもなく、二人のドラマーが示しているのは、リンゴだとストーンズでは5分ともたないことを証明しているということだ。これはチャーリーの方がリンゴより優れていると言って

＊5　キース不在について付け加えるなら、キースが起きて来なかったある晩は（どうしてそうなったかという深読みはあなたご自身で）、やがて《ジャミング・ウィズ・エドワード》として知られる作品へと結実した。これは残りのストーンズのメンバー、チャーリー、ビル、ミック、ピアニストのニッキー・ホプキンス、そしてブライアンがあまり顔を出さなくなっていた頃に手伝っていたスライド・ギターのエース、ライ・クーダーをフィーチャーしたオリンピック・スタジオでのセッションである（ブライアンは結局グループを去った。彼の仕事には概してクレジットが与えられていないが、そのことはまた別の本で論じられるべきだ）。とにかく、ストーンズの正式メンバー三人、想像する限り最高のギター・プレイヤーとピアノ・プレイヤーによるバンドも、キースなしでは全く歯抜けのようである。このレコードは、独自のスタイルが一貫して輝きを放っているチャーリー、そしてもちろんミックの声があるという理由で、ぼんやりとストーンズのようではあるが、スパゲッティばかりでミートボールは全くない。実際のところ、ストーンズが完璧に新品のレコーディング・テープにゴミのような録音を施し、LPレコードとして無謀にも発表した際、ミックからの責任放棄文書には次のように書かれていた。「俺たちがこのレコードにかけたよりももっと時間を使って聞いてほしい」。一風変わっているのは（そうかと言って価値がないわけではない）、ビルはキースが周りにいないと、かなり違った弾き方をするということだ。ここでのビルはストーンズの音を創るための精妙さなしに勝手に動き回り、変化を加えながら我が道を疾走する。だが様々な箇所での余計な踏み出しは、キースがその場にいれば、ポケットから飛び出しナイフを取り出しているところでもある。バンドというのは全くおかしなビジネスで、誰が交換可能か、あるいはそうでないか、そして、あることに対する力強い影響力が、その近隣にある別の事物にも影響を与えているということは言うまでもない。

いるのではない（だって、そんなことどうでもいい話だ）。それより大切なのは、**ドラムスを演奏するというのは脈絡こそが全て**ということなのだ。

★

最後に「貫通（penetration）」を。

1969年のツアーからその後二、三年の旅行で培った攻撃性と集中力は、人類にとっての大きな一歩だった。

1969年、ストーンズは簡単に首席でクラスを卒業した。当初、彼らは楽しまれるものであり、驚かれるものであった。ところが二、三年ほどの間に、彼らは恐れられるものとなった。自らの運命をうまくコントロールし、弁解もせず、攻撃の手を休めることはなかった。だからこそ同様の仕事に就いている誰もが立ち止まって考えてみる必要があったのだ。こいつらは一体何をやっているのか、そして、それを続ける意義は何なのかということを。

この変化の媒介はテキサス生まれのホーンセクション、ボビー・キーズとジム・プライスを加えたことだった。彼らは世界最高のロックンロール・バンドを邪悪で、妥協なしのソウル・レビュー、過激でヤバイ存在に変えた。

このホーンはマッスルショールズからナイフを突きつけられて誘拐され、キースによって個人的にリプログラムされ、兵隊御用達のアンフェタミン（バイカーがやっているような安物ではなく純粋な結晶の上物で、これでもって戦争に勝ったような代物）を投与されたような音がした。この一団はこれから薬局に押し入りそうにも見えた。

チャーリーは相変わらずで、この軍団の中では最も冷静だった。彼は少し風変わりなロックスターで（ドラッグを嗅いでいるよりもカウント・ベイシーを聞いているところに出くわすような）、働いていない時は人目につくところから離れている方を好んだ。バンドがプレイボーイ・マンションでのパーティーに行った際、彼はピンボールで遊んでいたというのは有名な話だ。他のメンバーは女の子を楽しませ、悪漢のようなドラッグ心酔者かファッション・リーダーの幹部連中のようで、ニュースのネタにならざるを得ないことは必至だった。しかし、彼らが失敗することのない連続殺人事件の犯人と遊んでいる限り、自分たちのライフスタイルを見せびらかす余裕はあった。[*6] ステージ上ではキースがどれほど我を失っていようが、ヨレヨレになっていようが、あるいはミックが格好をつけすぎて適切にマイクを操れなくても、誰も気に留めなかった。実際のところ、そうしたことは、混沌と抑制との境界線を行ったり来たりしながら、こいつらは神秘的で危ないやつらだという

＊6　ジャズ、ブルース、ロック、その他何であろうが、デューク・エリントンは次のような要約を公言した。「それはまるで殺人行為のようなものだ。責任は全て引き受けるという意志をもって演奏するのだ」

感じを高めたにすぎなかった。しかし、このドラマーはこうした享楽を楽しまなかったし、試しそうにもなかった。もしもチャーリーがビートをミスったり、一拍目を外したりしようものなら、そこにいる誰もがそれに気がついた。もしドラムスが止まったりすれば、ジェリコの壁が崩れ落ちてくるような災害となるところだった。

一見するとチャーリーのスタイルはあまり複雑でないようだが、なぞることは不可能だ。彼は偏見に満ちた学識者で、自由だった。彼のユニークでこの世に二つとないシンコペーション感覚と、新しく発見された未来主義者の狂気は、ザ・ローリング・ストーンズを豪胆さ、勇気、そして反逆の最上レベルにまで押し上げた。そして彼の揺るぎない歌へのこだわりは、後にも先にもこれまでにはなかったソウルをもって歌い、言葉を吐くシンガーのための、したたかとも言える発射台を形成した。

1969年の〈ストレイ・キャット・ブルース〉と1971年の〈ストレイ・キャット・ブルース〉は毛布の下で遊んでいる子ネコちゃんと自分の子供を食い殺している獰猛なクーガーほどの違いがあった。ミックはうなり、チャーリーが爪を出す。そしてホーンが喉を鳴らす。

1971年、短期のUKツアーの際、ロンドンのロードハウスでライヴ・レコーディングされた〈リヴ・ウィズ・ミー〉は、これまでに録音された最もピュアなロックンソウルの四分間だ。この曲ではピアノのニッキー・ホプキンスがバンドを引っ張っている。ニッキーはこの曲の秘密であるブギー・ルーツ、曲本来のひらめきのようなものを明かしている。スタジオ・ヴァージョンではそれほど明白ではなかったこの曲の着想が、実はローリング・ピアノに寄り添ったものだったということだ。それが起こるのは、別のポスト〈サティスファクション〉的リフの強打によるギター・フレーズが（これは来るべき全てのハードロックの基礎となる）、他を凌駕していく前の箇所だ。[*7]

ホーンは叫び、鳴き声を上げ、そして泣き喚く。ミックは肉と売春婦、ドブネズミ、そして食料倉庫のドアの後でファックされるフランス風メイドについて歌う。どうやってこれほどまでセクシーで粗暴になれるのだろう。

これは魔法のような時間だった。アート、ドラッグ、そしてアイライナーが連結された鎖だった。もしリチャード・ニクソンが絶好調だったら、こんなゲームは制止していたはずだ。とても現実的で、とても醜い方法によるロックンロールの狂乱、エスタブリッシュメントとあらゆる上品なものに対する攻撃だった。ロックンロールの誓約書は締結された。

《ならず者》を宣伝するために作られた1972年のアメリカ・ツアーのドキュメンタリー『レディース&ジェントルメン：ザ・ローリング・ストーンズ』は、このグループが空前のレベルに達したことを示している。彼らがやったのは、ブルース、ロックンロール、ジャンプ・アンド・ジャイ

＊7　この音源はしばしばブートレッグ化されてきたが、《スティッキー・フィンガーズ》デラックス・エディションで、同じように斬りつけるようなライヴ・テイクとアウトテイクを加えて、公式にリリースされた。

ヴ、そして完膚なきまでのいかがわしさを、ブギウギ、セックス、グラム・ロック、そして暴力のシンフォニーと合成したことだった。そしてこのことは、当たり前の役割を演じることなく、ジャズ、スィング、そしてビッグ・バンドへのこだわりも見せなかったドラマーの存在なしにはあり得なかった。彼らよりヘヴィーに演奏するグループは他にもいたが、誰も彼らほどハードではなかった。誰もこれほどまで魅力ある優位性と自信をもっていなかった。ストーンズの極度に純化された暴力性の前には、ザ・フーとレッド・ツェッペリンさえ露骨にやりすぎの虚飾のようだった。

〈ストリート・ファイティング・マン〉はケバケバしたエレキギターとドラムスに頼ったのではなくスタジオで録音したものを再現できなかった。それでオン・ステージでは、アコースティック・ギターをビッグ・エレクトリック・リフに置き換えて、引き裂くことにした。ベースは純粋に音楽的というより、何か気象学的と言っていいほど暴れ回った。かつてドラムスによる冷静なキャンペーンがあった箇所は、コーラスを破壊するようなハイハットの荒々しい疾風、跳ね上がるビートを激しく叩く発火装置のように爆発するクラッシュ・シンバル、歌の最後の部分をまさに暴動の領域にまでもっていくような、火花のようなロールと軍隊調のスネアドラム・ドリル（学生運動のロックンロール版と言っていいほどだ）に取って代わった。キースが冒頭のリフを演奏した瞬間に警察がホースや催涙弾を持って現れなかったのは、実行部隊の手落ちとしか思えなかったほどだ。

ストーンズはロックンロールの歴史を自らの手で作っていた。彼らははるばるここまでやってき

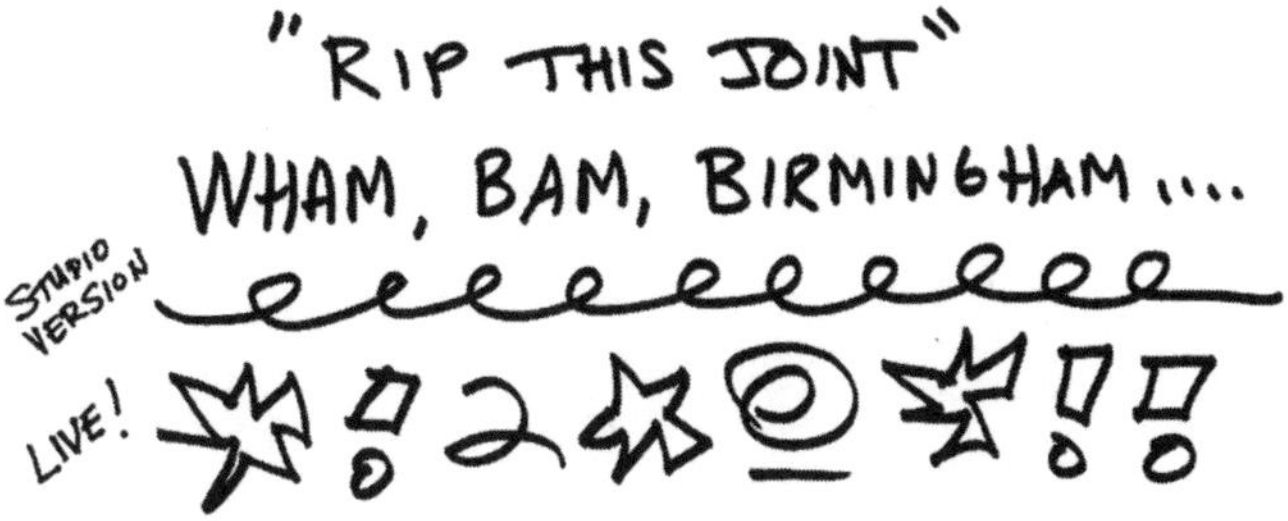

て、戦略攻撃法を一度解体し、次の瞬間に再構築しているかのようだった。〈リップ・ジス・ジョイント〉は《メイン・ストリートのならず者》で最もテンポの速い曲だ。チャーリーはブレイクの間、激しくスィングし、跳ね回って楽しんでいるかのようだったが、一線を超えてしまうことはなかった。ところが今やライヴとなると、ほんの数か月ほどで、アフリカ民族主義と地球外の信号装置で教育されたモダンダンサーの野蛮な表現主義のようだった。それは新しい言語で、今までに聞いたこともないハードなジャンプ・アンド・ジャイヴの始まりだった。

チャーリーはこの新しい現実を作り上げるため、時間と空間を変化させていた。このツアーでの〈ミッドナイト・ランブラー〉は短くて9分、長ければ13分ほどにもなっていた。それは、おそらくキースがショウの前にどれだけドラッグを摂取するか、そしてミックがどれほど観客と戯れるかによっていた。ここまで荒削りな優美さ、先祖返りした原始的なデルタ・フードゥー、シティ・

ブルース、これ以上は無理だというほど洒落たシャッフルを伴って爆発するような歌は未だかつてなかった。また、これほどまでありとあらゆる不釣り合いな空気感を合成したようなものも存在しなかった。「ブギーしようぜ。俺はボストンのストラングラー（絞殺魔）だ。お前を刺し殺してやる。しゃぶれ！　もっとブギーするんだ！」

〈ミッドナイト・ランブラー〉は淫らだが、くつろいだシャッフルの中をいとも簡単に漂っている。ストーンズは彼らが誕生した瞬間からシャッフルは完璧だったが、ここではテンポを上げ、次第に強烈さを増しながら（つまり「予兆（anticipation）」だ！）、限界ギリギリまでそれを推し進めている。脂にまみれ、あらゆる制限を取り払ったフォー・オン・ザ・フロアがブルースとロックの狭間を行ったり来たりしている。そこへ向けてロケットが発射される前のように。キースのギターはレギュラーチューニングだが、弦の張りを増すため7フレット目にカポを装着している。そのギターと相俟って演奏される驚くべきドラミングが、目も眩むような殺人的狂宴に皆を連れ出すのだ。

〈ヘルター・スケルター〉はそれなりにチャーミングだが、スィングしない。反面〈**ミッドナイト・ランブラー**〉**は全ての面においてジャズである。**ここにはカリスマ性がある。知的な魅力がある。そして深みがある。セクシーで、即興演奏の危うさがある。それはチャールズ・ミンガスと激しくロールするドラマー、ダニー・リッチモンドのテンポの変化にも匹敵するものだ。ダニーもチャーリーも祈祷会のための音楽とエキゾチックな喧嘩の歌を切り裂くことができた。双方とも全く同じ奔放さをもって。

〈ミッドナイト・ランブラー〉は歌というよりは「殺人現場」とでも言ったほうがいいくらいだった。チャーリーは薬莢を撒き散らしているかのようだ。ミックはハーモニカで窒息しそうだった。オーラルセックスを思い起こさせた。シカゴとミシシッピー・デルタの音色が湯気のように立ち上がってくる。だがメッセージは不穏だった。全てレイプと殺人についてだった。

歌が終わると女たちが叫んでいた。ハイになっているのか、怖がっているのか区別がつかなかった。多分両方だったのだろう。かつて可愛らしい広告キャンペーンがあった「自分の娘をザ・ローリング・ストーンと結婚させますか？」この頃はこう聞いたほうがマシだった。「なんであいつらは刑務所にいないんだ？」

グスタフ・マーラーはかつて「交響曲は世界を取り囲む」と公言した。もし彼がこの威嚇と恍惚に満ちたフードゥー組曲を目の当たりにしていたら、立ち止まり、それを見て、そして耳を傾けていたことだろう。そしてこいつらが罪を償うための最終楽章を書いていたことだろう。彼にそうするチャンスはなかったが、誰かがいつかそうすることのように思う。

《ザ・ロンドン・ハウリン・ウルフ・セッションズ》の販促用ポスター

マディ・ウォーターズ。青い海の底の如く休まない男
(Photofest)

6章

「達人の技」と「単純さ」は相反しない
――マディ・ウォーターズとマイルス・テイヴィス

The "V" Word

私に「君は騙されているよ」と教えてくれたのはマディ・ウォーターズだった。
マンハッタン、14丁目のパラディアムにジェフ・ベックを見に行った一週間後のことだ。それはいわば「遠足」で、ここで私が問い詰めたいのは、高校とマリファナという(確定不能な)戦場の霧、そしてジェフ・ベック(エリック・クラプトン、ジミー・ペイジと並ぶザ・ヤードバーズ出身のギタリストで、三位一体の一人)はある種の神であるという誰かから授かった知識だ。ザ・ヤードバーズには彼ら独自の長所があった。にもかかわらず、それぞれのメンバーはより大きなギグへ、そしてもっと良質なものへと邁進していった。その考えを受け入れるなら(特にペイジの場合はそうだった)、このバンドはギタリスト養成所のようなものだった。

ベックは約束を果たした。ステージは全てギター・ヒーローとして最高の地位にあることを証明するために構築されていた。ありとあらゆる色で部屋を塗りたくるような音を出したり、多種多様な強度で音の熱い流れを絞り出したり、怪我をした動物とオルガスムに至った女の声を交互に出したりしながら、ストラトキャスターを完璧に制御する芸を見せてくれた。これらは全て原始的と考えられている楽器から生み出されたものだ。だってエレキギターと呼ばれているものは板切れに磁石をくっつけただけのものなのだ。

しかしベックは原始主義というものを全く理解していなかった。さらにロックはギターで、ロールはドラムスだということも理解していなかった。この点で彼の仲間、ジミー・ペイジと異なっていた。

〈スペース・ブギー〉という曲があった。私の大好きな二つのテーマが組み合わさるはずだったが、そのどちらも実現しなかった。ブギーは踊れるもので、宇宙は行きたい場所だったのに。その代わりに我々はツインバスの連打に打ちのめされた。そして分かったことは、このドラマーの循環器はほぼ間違いなく優れているが、それ以上は大して何もないということ、シンセサイザーのようなものを通したギターは目眩しのための音の洪水で、本当の歌でもなんでもないということだった。

ベックは〈ゴーイング・ダウン〉（フレディ・キングで有名になった曲で、ベックのシグネチャー・ソング。ストーンズの素晴らしいアウトテイク〈アイム・ゴーイング・ダウン〉とは別の曲）で自分のセットを終えた。彼の手にかかると確かにロックンロールのように聞こえはするが、ちゃんと見ると失敗作だった。「予兆（anticipation）」もなければ「貫通（penetration）」もない、ただの「射精（ejaculation）」だった。*1

を通じてブルースを見つけた。彼らはマディ・ウォーターズが大好きだった。ならば私もそうある

ト・サイドのビーコン・シアターに行った。多くの人々と同様、私もザ・ローリング・ストーンズ

ジェフ・ベックのショーから二、三か月経って、マディ・ウォーターズを見にアッパー・ウェス

このことがマディ・ウォーターズを思い起こさせたのだ。

★

＊1　このこと〔ベックの演奏には予兆（anticipation）もなければ貫通（penetration）もない射精（ejaculation）だったこと〕でチャーリー・ワッツがドラムセットの後ろで完璧に嫌気がさしているのを見たのは、これまでたった二回だけだったということを思い出した。一度目は1969年のハイドパーク、ブライアン・ジョーンズが死んで二、三日後、ミック・テイラーを交えての最初のショーだ。ギターは全くチューニングが合っておらず、泥のような、半煮えのテンポで演奏される〈サティスファクション〉は骨抜きになっていた。この歌にどうにかして生命を注入しようとベストを尽くしながら、イライラして「カモン！」と叫ぶチャーリーがフィルムに収められているが、彼は明らかに楽しそうではない。もう一つは2012年のツアーでジェフ・ベックがゲスト出演し、〈ゴーイング・ダウン〉を演奏した時だ。ベックのギターから最初に出てきたのはザ・ローリング・ストーンズのステージとは全く場違いの引き攣ったような音で、最後にはミックも自分勝手にやり始め、ほとんどストーンズとは何の関係もない有様で、ギター・ヒーロー、ジェフ・ベックが、考えられないほど長ったらしい5分間を乗っ取ったというだけのことだった。チャーリーは完全に頭にきて、その場で過ぎていく一秒一秒ごとを忌み嫌っているかのように、ヤケクソでシンバルを引っ叩いていた。キースも全くお手上げで、グルーヴを捉えるのを完全に諦めてしまい、いつタレントショーが終わるのか、もう待っていられないようだった。にもかかわらず、チャーリーはジェフ・ベックについて褒め言葉を口にし、大人の対応をした。

べきだ。「移行理論」以外の何物でもない。

とにかく私はビーコン・シアターにいて、ジェフ・ベックの時と同様、多少マリファナを吸ってはいたが、それをシェアしたのは身成のきちんとした中年のカップルで、ホット・ツナのTシャツを着て郊外からやってきた燃え尽き症候群ではなかった。[*2] ここで注意しておきたいのはマディもベックも似たような楽器、磁石とワイヤーをくっつけた板切れを弾いていたということだ。エレキギターの部品はほとんど変わっていない。

マディはテレキャスターから、私がそれまで聞いたこともないような音を出した。長〜く寂しい嗚咽、時間と空間がそれぞれの頂上で衝突する音、うだるようなミシシッピーから聞こえてくる悲しく、物乞いするような叫びだ。「あいつらはオレを〝マディ・ウォーターズ〟と呼ぶ」と彼は歌う。「オレは深い海のように落ち着かない」。彼の手は巨大で、指はボトルネックとして使っている銅のパイプにかろうじて通るくらいだ。マディは完璧な先祖返り、欲望、フラストレーション、そして征服を物語る曲がった音たった一つでホールを一杯にした。それは妥協なき生殖の儀式であり（つまり「予兆（anticipation）」と「貫通（penetration）」だ）、この時こそが私の公現祭だった。かつてコリント人と呼ばれる人に手紙を書いたキリストの使徒パウロのように、「子供の時は子供のように話し、考え、理由づけをした。大人になった今、子供の頃のことは他所に押しやった」のだ。

私は目撃した。何がチャック・ベリーを感動させ、この男を崇拝するようになったかを見聞きした。私はザ・ローリング・ストーンズが感じたもの、ブルースを演奏することへと彼らを突き動かしたもの、そしてなぜ彼らは無数の音を弾く代わりに、正しい音だけを演奏したのかということと同じものを感じた。マイルス・デイヴィスも同じものを感じたのだ。

マディ・ウォーターズとマイルス・デイヴィスが達人（virtuosos）だということに異論を挟む余地はないが、頭の悪いテクニック・バカなら、Vワード（virtuosity＝達人の技）とは、この二人のどちらももっていないテクの応酬のことを指し示すものだと主張するはずだ。マディは限定的なテクしかもっていない無学の未開人で、マイルスは、彼が受けた音楽教育と天賦の才をもってしても、目も眩むようなスピードで演奏することはなかった。また彼の音域も（フランク・シナトラやビリー・ホリディのように）限定されていた。これらの誰も成層圏を突き抜けていくような高い音を出さなかったが、正しい音を演奏するコツを恐ろしいほど知っていた。必要な時にはいつでも。そのような戯言を論破し、純粋な人間の感情を描くことに関して、彼らは極度に発達していたのだ。

才能のある人とは他の誰も到達しないような目標に達する人のことで、天才とは他の誰にも見え

＊2　私はこの〔ビーコン・シアターでのマディ・ウォーターズのコンサートでマリファナを分け合っていた〕時、全く普通のことをやっているようなふりをしていたが、この文化にここまで近づいたことを密かに喜んでいた。後日、私はミックが同じような話をするのを聞いてスリルを覚えた。ストーンズ初のニューヨーク旅行でアポロ劇場を訪れるまで、彼はご婦人たちがマリファナを吸うのを見たことがなかったのだそうだ。

ないような的を射抜くことのできる人だと聞いたことがある。『ピーナッツ（スヌーピーとチャーリー・ブラウン）』に出てくる登場人物中、私が好きなのはシュローダーだ。彼はベートーヴェンかぶれで、おもちゃのピアノでとことん複雑なソナタを完璧に弾きこなす。ある日、友達のルーシーが彼に尋ねた。

「その黒い鍵盤に色がつけてあるというだけで、どうやってその音符全部を演奏するの？」

「練習」

「virtuoso（達人）」の定義のどこにも音符をたくさん弾かなくてはならないとは書いていない。ジェフ・ベックは疑いようもなく名ギタリストだが、歌というものの前では、「virtuoso（達人）」の美点をまるでもっていない。ギターを使ってゲームセンターのような音が出せるからといってそうする必要などないのである。

おそらくあなたはザ・ラモーンズが「virtuoso（達人）」だなどとは思っていないだろう。だが、あのスタイルで納得いくまで演奏してみるといい。合衆国特殊部隊とわたりあうような勤労意欲と技能をもったスポーツ学生なら話は別だが、大体がそのうち降参する。自分はミュージシャンだという輩の多くが（大抵はヘヴィー・メタル、プログレ、ユーモアのないジャズ野郎、あるいはフュージョン・マニア）、パンクロックなんか音楽じゃない（?!?!）とか、あんなもの誰にでも演奏できると偉そうに言っているのを聞いたことがあるが、何年も訓練を重ねて、信じられないようなテクをもったギタリストやドラマーがいざこれをやってみると、結果はお笑いなのである。

破れたジーンズ、革ジャン、コンバース・ハイトップに身を包んだ幾多のパンクロック・バンドが、（この音楽様式の真の使徒である）ザ・ラモーンズ・スタイルのパンクロックを演奏するのを何度も見た。良いものもいくつかあったが、十分良かったと言えるものは万に一つくらいだった。しかもこの芸当には、全く同じように振動する四人が必要なのである。幸運を祈る。

音楽はオリンピックではない。だが時にはどのくらい難しいかということが重要となる。ザ・ラモーンズの音楽はシンプルなものかもしれないが、彼らは彼らが作り上げた芸術形式の高僧である。彼らが自身の音楽宣言（単純に前に進む力、シンコペーションなし）を行った後になって結成されたロック・バンド中、彼らに影響を受けなかったものはこの星にはいないのだ。

ミニマリストは「virtuoso（達人）」になり得ないのだろうか？　じゃあヘミングウェイはどうだ。セロニアス・モンクはどうだ。ただのまっすぐな線や完全な円を書くことに生涯を費やす日本の書家はどうだ？

郊外に住む男性の「virtuosity（達人の技）」に関する考えは、技巧と音楽的価値との混ぜ合わせだ。それは複雑なレシピへの崇拝であって、純粋な材料に対するものではない。それは目立ちたがり屋を賞賛し、真のフォーク・ミュージシャン（地域に根ざしたアートの巨匠のことであり、人知れない世界のどこかにあるような高校や大学で育った自己陶酔型のギターおたくのことではない）を無意味なものにしてしまう有害なシステムだ。私が論じているのはマディ・ウォーターズ、ボブ・マーリー、ジョーセフ・スペンサー、そしてアリ・ファルカ・トゥーレなどのことである。「virtuosity（達人の技）」と単純さが相反するものである必要などないのだ。

もしあなたがジョン・レノンだったとして、自分のファースト・ソロ・アルバムのために誰でも好きなドラマーを呼べるにもかかわらず、どうしてリンゴを連れてくるのだろうか？　ジョンはリンゴなら自分の歌から最大幅の感情を導き出してくれると信頼していたからだ。〈マザー〉から〈ゴッド〉まで、このレコードにおけるワイドスクリーン・サイコドラマは「まったく、何と言っていいのやら」（という言い表しようのない感情の表出）だ。リンゴは全く自然に、無理強いすることなしに、100パーセント有機的な響きを作った。彼はロックとガレージ・ナンバーのパートを完璧に演奏したのだ。控えめな匂いと特徴をジョン・レノンのベスト・レコードとなったものにもたらすことによって。ではリンゴがハウリン・ウルフとはいいレコードが作れなかったとして、それがどうだと言うのか？　チャーリー・ワッツはピート・タウンゼントのソロ・プロジェクトで見事に演奏したが、だからと言って彼がザ・フーのドラマーにほんのわずかでも適していたわけではない。ジョン・レノンとザ・ビートルズにとって、リンゴは交換不能なのだ。

昨今は誰が何をやっていようがうまく見える。ホッケー選手、チェス選手、高跳びの選手、配管工、その他なんでも。年月と共に技術も教育も計算できないほど改善された。どのような領域においても導入される装備、トレーニング、障害の最小限化なども同様だ。音楽学校は、ザ・ビートルズやストーンズが駆け出しだった頃には想像もできなかったようなレベルで演奏する子供を排出している。この頃ではエレキギターに触れるのも簡単なことだ。ボタンを押しさえすれば、あなたの電話からチコ・ハミルトンでもマディ・ウォーターズでも湧き出てくる。誰もドラムスを演奏するためにバンジョーを分解したりしない。

ラッシュというバンドについてのオンライン・ディスカッション「ラッシュ掲示板」はクソ野郎のコメントで溢れかえっている。「頼むから誰かチャーリー・ワッツってなんなのか説明してくんない？　一週間ほどドラム・レッスンしてできないことなんか何もやってねえじゃん」とか「世界で一番幸運なドラマーは誰でしょう」という質問に対して、「ホンモノのミュージシャンと演奏する運に恵まれた才能のない男、リンゴ・スター」というのが「事実上の」答えなのである。

自分より才能ある人より高い地位に自分がいるように見栄を張るような、何も分かっていないやつらがいる一方、まるで分別のないアホも必ずいて、そうなるともうどうしようもない。エアロスミスのドラマー、ジョーイ・クレーマーのようなクソバカのことだ。彼はエアロスミスがどれほどストーンズより優れているかということを自慢したいのだ。「ドラムスに関して言えば、あいつらは俺になんら影響を与えていない」

これは皮肉なことだ。なぜならクレーマーはザ・ローリング・ストーンズ、レッド・ツェッペリン、そしてザ・ニューヨーク・ドールズの一番良いところを足して割ってできたようなバンドでドラムスを叩いているのだから。ただしクレーマーがチャーリー・ワッツをその道のトップに据えたような技巧もイマジネーションもスィングする能力も何一つもち合わせていないことを除いては。

クレーマーにはボーナムのリズム的革新、パワー、テクニック、そして不敵さもない。そしてドールズのドラマー、ジェリー・ノーランの自然な粋には足元にすら及ばない。ノーランは他の二人ほど有名ではないが、彼のドラミングには手製のピストル、革ジャン、そして幅広のズボンと同じくらい音楽的な価値がある。だからこそエアロスミスは普通に良いバンドなのであって、優れたバンドにはなれなかった。そして彼らのレコードと一緒にドラムスを演奏すると、実のところ下手クソになってしまう。クレーマーと一緒に演奏するのは、ロブしかあげられないようなやつとテニスをやっているようなものである。

リンゴは彼のことを賞賛する人々からさえも酷評される。「世界最高のドラマーを決めるなら」と、元ニルヴァーナのドラマー、デイヴ・グロールはリンゴへのトリビュートで次のように述べた。「それって技術的に優れているドラマーのこと？　それとも自らの感じ方をもって歌の中に座っている者のこと？」このコメントは、もちろんリンゴが技術的に劣っているということ、こいつが頭の悪い知識人か何かだということ、そしてこいつがトレーニングもせず、本能だけで演奏しているということを仄めかしているのだ。これは単に失礼なだけでなく、バカみたいな話で、掴みかかってやろうかと思うくらいだ。グロールは自分が大したドラマーだという評判を守りたいのか、リンゴはそれほどじゃなかったが、それでもビートルズ（の一員）だったという冗談を言っているだけなのか、どっちだろう？

本物の「virtuoso（達人）」は侮蔑の見本市だ。彼らは自分たちだけだと、それほど印象には残らない。見せびらかし屋は自分自身の才能に支えられている。彼らは自分でデカくなっているだけなのだ。真の「virtuoso（達人）」にそんなものは必要ない。ジョン・コルトレーンやジミ・ヘンドリックスを見るといい。彼らはこの宇宙との燃えるような情事の只中にいた。彼らの音楽は、この世界がもっと広いところのように感じさせてくれた。

「鍵盤上の古ネコ」、臆面もない達人の技のめかし屋、リベラーチェは鍵盤の上に指を走らせる最も真面目な音楽家ではないかもしれない。しかし彼は聴衆に向けて喜びをもたらすという神から与えられた才能をフルに使った。ダイヤモンドと毛皮を身に纏い、浮世の謙虚さを提示した。本当に優れた素晴らしい才能だ。もし彼が不可能とも言えるようなブギをズタズタに切り刻んだり、「退屈な部分を取り除いたクラシック・ミュージック」と茶化しながらショパンの焼き直しを誇張したり、〈子犬のワルツ〉を最速で演奏したりしなかったとしても。リベラーチェの演奏会に行って、光を放つような彼の魅力をいくらかでも堪能することなしに家路に着いたものなど誰もいなかった。

「virtuosity（達人の技）」には守備一貫し、まるで非の打ち所のない卓越性が必要だとどこかで読んだ。それは難しいパッセージをいとも簡単に演奏することだけでなく、**最もシンプルなものに人間性と心をもたらす能力**だ。素晴らしいことだと思った。

★

ヴィック・ファースは今やボストン・シンフォニーのティンパニの達人としてより、ドラムスティック・メーカーとして名が知れ渡っている。だが「ティンパニの達人」とは一体どういう意味だろう？　コンサート・ホールでケトルドラムの長い練習を聞いたことがあるだろうか？　平均的な（2分30秒ほどの）フィル・スペクターの曲におけるティンパニのパートは、ボストン・シンフォニーの全シーズンにおける出番よりも多い。だがベートーヴェンの交響曲第七番、あるいは九番でティンパニのパートを演奏することになったのなら、万象繰り合わせてそこに居合わせるべきだ。ティンパニは疾風怒濤、ベートーヴェンにおける勝利、シュトラウスにおける宇宙の連結など、多くの感情を表出できる。そして、それを行うには純粋に人間的な音楽性を必要とするのだ。だがその奏者は常に別の「virtuoso（達人）」のタクトの下にいて、他の誰かが書いたパートを演奏し、それについてもっている意見などほとんど意味がない。ティンパニ奏者になるということは、数百ページにわたるスコア中、二発ほど打つことを意味することにさえなるのだ。その待ち時間は長く、タバコを吸うことも、酒を飲むことも許されない。しかしそれを敢行し、スコアが要求するまさにその時、そのタイミングで、スペースシャトルを打ち上げる正確さが必要となる。そこで自分の用事をしたり、ものすごいテクニックを垂れ流したりすることではない。エラ・フィッツジェラルドやフランク・ザッパのようなタイプの「virtuosity（達人の技）」なら別の話だが、もし君が全く妥協のない、自らを押し殺した音楽的完成度を要求するようなギグを求めているのなら、これがそうなのだ。

もっというなら「virtuosity（達人の技）」は単なる言葉にすぎない。もう十分に言われていることで、何の意味もない。パイをケーキと呼んだからといって、そうなるわけではないだろう。もし単に楽器演奏の卓越性にのみに基づいて、ジェフ・ベックやバディ・リッチの方がマディ・ウォーターズやチャーリー・ワッツより音楽的能力を発揮していると思っているなら、それは邪道である。「世界最高のロックンロール・バンド」には「最高のロックンロール・ドラマー」が必要だった。だがもしあなたが「最高の」ドラマーは誰だと尋ねているのなら、あなたは間違った質問をしている。

宇宙と愛し合う
ジョン・コルトレーンと、
ジミ・ヘンドリックス
(Photofest)

7章 ドラマーのタイム感、時間の伸縮について

The Harder They Come

1973年、《メイン・ストリートのならず者》に続く《山羊の頭のスープ》のオープニングを飾るハイハットの「シュープ」という音はまさにドラッグのガサ入れのようだった。ハイハットを開閉する（シュープという）音は、その音自体をはるかに超え、ある意味をもつようになっていた。つまり華麗かつ禁断のセックスの印、そしてあらゆるヒッピー・ドリームとは無縁のライフスタイルだ。

アイザック・ヘイズとカーティス・メイフィールドは素敵なことをやっていた。「シュク・シュク・シュク・シュク」というハイハットのリフと脂の効いたワーワーペダルという二つの拳を使って、《シャフト》と《スーパーフライ》をハーレムから直接ドライヴしながら。彼らは、けたたましいシンバルの音を街の犯罪のように響かせた。この脂ぎった音は、すぐさまポルノ映画やスワット・チームのサウンドトラックに盗用されるようになった。誰も彼もがこの音を使いたがった。

ジョン・ボーナムは、まるでマジシャンのように、ハイハットの使い方を知っていた。ツェッペ

リンの一枚目の一曲目、〈グッド・タイムズ・バッド・タイムズ〉で、彼が自らをどう披露するか聞いてみるといい。そして〈モビー・ディック〉をドライヴするためにハイハットにくっつけたチャン・チャン鳴るタンバリンのギミックも。チャン・チャン・チャン・チャン。まるでスピードをキメたアイスクリーム売りが、ハイになった低学年の生徒にお釣りを用意しているようだ。

一方、キース・ムーンは自分の周りを取り囲んでいる無数のドラムスに圧倒されて、ハイハットにまで気が回らなかった。

チャーリーは、歌を売るため、シンガーの後ろから光を照らして、ハイハットを自分のものにした。それは彼自身のジャズの特徴で、筋肉質というより音楽的だったのだが、それでもいくらかのマッチョさと想像力を必要とした。つまりノックアウト・パンチを繰り出すことで知られる彼の右手のことなのだが、それには的確な場所を見つけ出すための柔軟なタッチが必要だったのだ。《山羊の頭のスープ》は、ストーンズがそれまでやってきたより、あからさまに都会的なサウンドで、暗いガラスにストーンズを通り抜けさせたような、ややイマイチのファンクだ。[*1]《ならず者》というルーツ・ミュージックによるスプラッター・ペインティングを世に知らしめた〈ロックス・オフ〉や〈リップ・ジス・ジョイント〉の悦ばしいデカダンスは今や消え失せていた。これはインスピレーションに欠け、忘却のような音がする彼らの最初のレコードだった。

キースの法律問題は、彼のドラッグ問題同様、叙事詩のように入り組んでいた。彼らは1972

年末、ジャマイカのキングストンにあるダイナミック・サウンド・スタジオで《山羊の頭のスープ》のレコーディングを始めたが、望んでそうしたわけではなく、彼らを受け入れてくれるところが他にあまりなかったからだった。キースは「ジャマイカは俺たちが入国できる数少ない場所の一つだった」とストーンズのオーラル・ヒストリーで述べている。「ありがたいことに九つの国が俺を追い出したんで、どうやって事をまともに進めるかが問題だったんだ」

このレコードを作る作業を始めたダイナミック・サウンドは、安全なヨーロッパ（Safe European Home）からかなり遠く離れた場所だった。入り口は武装した警備員によって固められた大きな門で、スタジオの装備は誰にも盗まれないよう床に固定されていた。１９７２年のキングストンはそんなところだった。最高のオリジナル・ギャングスタ・ムービーの一つがここで撮影されたのも驚くに値しない。警官殺しがポップスターになるストーリー、『ザ・ハーダー・ゼイ・カム』である。このサウンドトラック（キースのこだわり、レゲエをヒップな世界に初めて紹介した作品）のほとんどはこのダイナミック・サウンドで録音された。

このことはキースにとってロマンティックな命題だったかもしれないが（やがてジャマイカがたいそう気に入って移り住んだほどだ）、この時期の彼は、《ならず者》の長い影と、それに続く世に

＊1　ウルフマン・ジャックの声による「《山羊の頭のスープ》を手に入れると、君の脳から耳がなくなっちゃうぞ」がテレビコマーシャルのキャッチ・コピーだった。

も素晴らしいツアーに忙殺される最悪のジャンキーで、ＬＰレコードの両面を埋めるのに必要な魔法を生み出すため四苦八苦していた。

★

どんな偉大なアーティストでも成長期には苦労する。コルトレーンは、シーツ・オブ・サウンドから《至上の愛》へ、さらにそこからほとんどの人には理解不能だった大気圏外のジャズへと邁進する以前、チャーリー・パーカーの弟子だった。デヴィッド・ボウイが自分は大気圏外から来たということを理解するためには、二、三枚のレコードが必要だった。オーネット・コールマンは和声、旋律、そしてリズムのルールを変更してしまう以前、バトン・ルージュでローカルが気に入らないスタイルでR&Bを演奏したかどで、ぶちのめされ、サックスをゴミ箱に捨てられた。さらに彼はフリージャズの誕生に手を貸したが、頭の硬いジャズ純粋主義者は彼の作品を理解できず、そういった人々にもぶちのめされてしまった。ダリの初期の作品はゴッホによく似ており、ピカソの作品はラファエロか、あるいはニンジャ・タートルズのキャラの一人のようだったが、突然、木から時計が落ちてきて、頭と同じ側に目を二つもつ女が出てくるようになった。ストーンズも全くそうだ。カバー・バンドから始めて、歌を書くために格闘し、突然のように十字砲火、マラカス、一連のヒットへと続いていった。しかし彼らは太陽に近づきすぎてしまったのだ。

キースは「俺は俺で勝手にやり始めて、つまりマリファナの街へと転げ落ちていっちまったってことだけど、ミックはといえば、ジェット族〔自家用機で世界を飛び回る大富豪やビジネスパーソンのこと〕の街へと登って行ったんだ」と「クリーム・マガジン」に語った。

バンドに属するということは、たとえ全員が同じドラッグをやっていたとしても、容易いことではない。みんなが同じ女とねんごろになったり、プールに死体が浮かんだり、ギタリストが頑固なマリファナ愛好家だったりすると、すぐにおかしなことになってくる。だがこいつが眠りに落ちていない時、あるいはヤクで弱りきっていない時には（さらに法から逃れたり、部屋に閉じこもって震えたりしていない限りにおいては）、コカインとスピードでハイになって、何日も連続して眠らず（最長は九日間）、狂ったように働き、チャールズ・ブコウスキーとジェリー・リー・ルイスを足したよりウィスキーを飲んでいても、あろうことか、きちんとやっていたのだ。

その間、このシンガーの自分自身との情事は収まる気配を見せなかった。スターダムに目が眩み、ファッションと流行りのセクシャリティーの渦を漂いながら依然として自分探しにいそしんでいたのだ。深さと感情をえぐり出すようなリリシストかつボーカリスト、並ぶ者のないロックンロールのフロントマン、ロックスターのあるべき見本を証明した後ですら、自分が安っぽく挑発的に着飾るのか、タフガイ路線でいくのか決めかねていた。

チャーリーは英国的な禁欲主義の王道を行くような男だった。ドラッグまみれで、厳重に武装した海賊のようなギター・プレイヤーと、ジェンダーをひん曲げたようなリードシンガーを繋ぎ止める接着剤が彼だったのだ。「なぜチャーリー・ワッツは重要か」ということに対するもう一つの理由はこれだ。彼はどんな時でも演奏するためにやってきた。キースとミックがセッションをどうするべきか必ずしも分かっていない時でも、子供じみたゴタゴタに嫌気がさしたビルが出ていき、次のツアーが始まるまで待っている間、ベースのパートはキースに弾かせていたような時でさえも。チャーリーはこのグループにとってメレオロジスト〔数理論理学者＝部分と全体の関係を扱う論理、視座を専門とする人〕のように、必要不可欠な存在、つまりザ・ローリング・ストーンズがその周りを回る軸のような存在になった。

《山羊の頭のスープ》以前、ストーンズがリリースしたどのレコードを聞いても、「ドラムスだけで」それが誰だか分かる。例えば《レット・イット・ブリード》の〈モンキー・マン〉におけるリフの後ろで鳴っているスネアとタムタムのコンビネーションもそうだし、《スティッキー・フィンガーズ》ならそこら中にある。〈スウェイ〉のフィルとイントロをチャーリー・ワッツのように演奏することなど誰にも想像できなかった。〈ビッチ〉のターンアラウンド、〈ブラウン・シュガー〉のアウトロなど。《ならず者》の〈ラヴィング・カップ〉での素晴らしい瞬間、〈オール・ダウン・ザ・ライン〉の冒頭における爆発はどれもルーズで卓越している。バックビートには恐ろしいほどのパワーとニュアンスが宿っていた。スネアでキースを追いかけながら、ダウンビート（一拍目）を予想させるゴーストノート（実際には聞こえない音）と小さく唸るロールでジャブを繰り出す。プライズファイターのごとく、どうやってフェイントをかけ、ジャブを打つか、そして右のフックはどう出すべきか、この男は熟知していたのだ。

後にストーンズのプロデューサーになり、《ならず者》のリマスタリングを担当したドン・ウォズは「《ならず者》が示したのは、チャーリー・ワッツならジメジメした地下室に連れて行こうが、この世で最高のスタジオに連れて行こうが、やっぱりチャーリー・ワッツのような音がする」と公言した。

「チャーリーは何かに強制されてやってるんじゃないんだ」とキースは「ローリングストーン」誌に語っている。「やつの謙虚さでは最もあり得ないことで、完全にリアルだ。他の誰かがやつのドラミングについて言っていることなんか知っちゃいないよ」

★

シンガーというのはそれほど苦労しない。子宮の中から泣きながら出てきたところで、どうすればいいか分かる者すらいる。もちろん音楽の歴史において、偉大なスタイリスト、つまり全くオリジナルというのはほとんどいないが、それでも素晴らしい声をしている者がいることは間違いない。

ロバート・プラント、カルメン・ミランダ
ジャニス・ジョプリン、アル・ジョルスン
フランク・シナトラ、ジェームズ・ブラウン
エルヴィス・プレスリー、ボブ・ディラン、ジョニー・キャッシュ
アレサ・フランクリン、ビリー・ホリディ、等々。

ギター・プレイヤーも同様だ。もちろんシンガーよりもう少し苦労が必要で、発想が豊かでなければならないが。

ボ・ディドリー、チャック・ベリー、キース・リチャーズ
ジョン・リー・フッカー、ポップ・ステープルズ
エルモア・ジェームズ、B・B・キング
リンク・レイ、ピート・タウンゼント
ジミ・ヘンドリックス、エディ・ヴァン・ヘイレン、等々。

ところがドラマーはそう簡単にはいかない。

キース・ムーンはチャーリー・ワッツのように偉大なドラマーになったが、それはドラマーがテクニックとテンポについて教わるルールを全てぶち壊した結果だった。反面ジョン・ボーナムは全てちゃんとやってのけた。テクニック的には達人の域に達し、ロックンロールに対する考え方、つまり「予兆（anticipation）」と「貫通（penetration）」は完璧で複雑だっただけでなく、彼以前にスネアドラムの前に座った他の誰よりもずば抜けていたのだ。

さらにボーナムは時間という掴みどころのないもののことをよく理解していた。「スイス人がそれを作り、アメリカ人は金だと呼び、イタリア人が浪費し、インド人が存在しないと言った『時間』」とは何だろう？

それはドラマーが操作するもので、アクセルを踏もうと思えばスピードを増すし、「予兆（anticipation）」を加えたいと思うならスピードを落とすもので、ややもすれば台無しにしてしまいかねないものだ。

うまいドラマー、というか素晴らしいプレイヤーになると、全くそうとしか言いようがないのだ。例えば〈カシミール〉のボーナムを聞いてみるといい。曲全体を通してテンポが変わっている。ヴァースのところは押して、コーラスになると引く。

キース・ムーンも、当然ながら従来の意味でのタイムキーピングということにはあまり興味なかったが、ザ・フーに関して言えば、そうしたドラミングは瞬間的なものでしかない。**チャーリーも時間というものは伸縮するということを知っていた。**

キースは1980年代のレコーディング・セッションについて「モダン・ドラマー」誌に次のように述べた。「スタジオにはハイテクが色々あって、若いのがトラックをクリックしたりして、なんやかんや仕事をしていた。この機械を使って二、三回、ランスルーしてみたんだ。チャーリーと俺はお互い見合っていた。というのも俺たちにはチャーリーが機械通りのそのまんまじゃダメだってことが分かっていたからさ。あいつは〝この通りにするかい。じゃあ〟って言って、その曲の最初からおしまいまでクリック・トラックのテンポをなぞったんだ。完璧にな。その後でチャーリーが言った、〝ここのところはテンポ通り、ここからはちょっと引いて…〟って。あいつはそういうことが先天的に分かるんだよ。だからチャーリーが大好きなのさ」

こんな古いジョークを知っているだろうか？「ドアをノックするのがドラマーだってどうして分かるんだい？　あいつらはスピードを上げるんだよ」。偉大なドラマーなら繊細にそうする。ちゃんとそれができたなら、何の問題もないばかりじゃなく、熱いものが込み上げてきて、じっとしていられなくなって、ドアをノックしているのが誰だろうと、大抵の人はうちの中に入れてしまうだろう。

スローな曲もその好例だ。〈テンポの遅い〉いい歌は、どうすればうまくいくか教えてくれるからだ。シナトラは時にビートよりずいぶん遅れて歌ったので、彼がまだブリッジのところを歌っているというのに、バンドは荷物をまとめてうちに帰ったそうだ。ところが女の子たちはまだそこへ張り付いていた。彼女らはよく分かっていたのだ。

アル・グリーンによるシンプルなサザン・ソウルやファンクの湿っぽいグルーヴの虜になったことのある恋人たちなら、性的な満足はリズムがちゃんとしている時に得られるのだということをよく知っている。技術的なことを言うと、〈レッツ・ステイ・トゥゲザー〉、〈アイム・スティル・イン・ラヴ・ウィズ・ユー〉、〈ヒア・アイ・アム（カム・アンド・テイク・ミー）〉のような歌と演奏するようなドラムスは「無い」。だからこそ限られた経験しかないプレイヤーでは演奏できないのである。シンプルなソウルやポップ・ソングなら、1－2－3－4と数えれば始めることはできる。しかしテンポというものは、人間の性欲を刺激するような、非常に深遠なところに宿っているのだ。それをレコードのグルーヴに置き換えるとなると至難の業である。

そんなことができたドラマーはたった一人、アル・ジャクスン・ジュニアだけだった。彼は、アル・グリーン、その他のソウル・マン、そしてソウル・ウーマンらのためにグルーヴをキープした。彼はスタックス・レコーズのハウス・ドラマーで、ブッカーT・アンド・ジ・MGズのグルーヴを担っていた。〈グリーン・オニオンズ〉における彼の極度にシンプル化され、キビキビとしたスィングは、自分がやっていることを分かっていると思っているようなドラマーを未だにまごつかせている。テレビのコマーシャル、あるいは何かの映画でこの曲を聞いた記憶を頭から引っ張り出し、余計な音符をいくつも叩いているようなドラマーのことだ。オーティス・レディング（アル・ジャクスンを最も偉大なドラマーと呼んだ）を支えた彼のビートは、すぐに彼だと分かる。そのツボから離れず、ほとんど気づかれることなく、テンポを押したり引いたりすることができるのだ。それでも彼のオーティスとのプレイはアル・グリーンの名曲ほどは深くない。それらはホットだが、また同時にスローなのだ。「アル・ジャクスンは多分私の十倍くらいはシンプルだろうね」とチャーリーは驚嘆した。「アル・ジャクスンのように演奏することなんかほとんど不可能だよ」

これらのレコードのリズムはロックせずとも汗をかき、沸騰もしてないのに少しずつ浸透していく。そして彼がハイハットを開けたり閉めたりした時は、許し難いほどエロティックだった。[*2]

★

チャーリーによるハイハットの開閉は《山羊の頭のスープ》の一曲目、〈ダンシング・ウィズ・ミスターD〉を高く持ち上げるはずだったが、キースのそっけなく、ドラッグまみれのファンク・リフ、そして銃と毒による殺人についてのミックの凝りすぎた物憂げさなど、この曲全体にわたる途方もない酷さは、誰にも持ち上げられないほど重かった。《ならず者》の最良の部分がブラックなら、《山羊の頭のスープ》におけるベスト・ソングは（1970年代前半に盛んに製作された）ブラックスプロイテーションのようだった。

子供が撃たれたという想像上の新聞の見出しから拝借した歌詞をもつ〈ドゥー・ドゥー・ドゥー・ドゥー…（ハートブレイカー）〉は、新しいアーバン・ソウル・サウンドをうまく狙ったものだ。だがそれは、良質のダンス・グルーヴ、素晴らしいコーラスがあるにもかかわらず、このメッセージをぶち壊しにしている。なぜなら「予兆（anticipation）」が「絶望（desperation）」に成り代わっているからだ。この新しいレコードはベース・プレイヤーの参加意欲が失せていたということを物語っている。ビル・ワイマンは《山羊の頭のスープ》で4曲しか演奏していない。

〈シルバー・トレイン〉はまずまずの出来で、他よりはマシな方だ。チャーリーにぴったり寄り添ったキースのかっこいいリフ、ミック・ナンバー2による上質なスライド、ミック・ナンバー1による上質なハーモニカ等、4分間の手堅いストーンズ・イズムを提供してくれている。しかしながら、彼らが影響を受けたスワンプを歩いて行く様を伺うにはちょっと遠すぎる。ストーンズによる出来損ないは、その他大勢による黄金よりもはるかに素晴らしいのも事実ではあるが。

＊2　アル・ジャクスンは1975年に殺された。それでもまだみんなやっているなんて驚きだ。

ミックの頭がどれほどお星様の上にあろうと、そしてキースの頭がどれほど砂の中に埋もれていようと、あるいは雲の中、またその狭間にある無限の空間（トイレで一発打つとか、気分が悪くなるといった、ヘロインがもたらす楽しい一日、はたまた最悪の一日のいずれかの場所ということだ）に埋もれていようと、**チャーリーが歌を終わらせてくれるということは少なくとも信頼してよい。**〈悲しみのアンジー〉は薄いお茶、別れについてのぞんざいで女の子好みのバラードだが、残念ながらもう一つの〈ワイルド・ホース〉にはなり得なかったし、同様に〈シルバー・トレイン〉も第二の〈オール・ダウン・ザ・ライン〉にはなり得なかった。どれほど一生懸命やったところで。しかし、このポップ・バラードには少しばかり素晴らしいドラミング、まさにチャーリー・ワッツの特徴を見つけることができる。この曲をとろけるように、と言うよりは純粋にお世辞たっぷりにしているのは、ゆる～いフィル、そしてビートよりわずかに遅れるグルーヴなのだ。もしチャーリーがこの曲にソウルをもたらさなければ、この歌のサッカリンのような甘さはいとも簡単にネチネチとしていただろう。**彼は燃やすべくソウルを大量に放出している。**まるでジンジャー・ビールの栓を抜くように何の苦労もせず、そして生き生きと。しかしそれでいて少しばかり執念深い。これもストーンズ・サウンドの一面である。笑顔を浮かべて誰かを殺すことを音楽的に表現したものだ。

この混乱したレコードにおける変わり種は、意外なヒット〈スターファッカー〉、別題〈スター・スター〉（ストーンズ自身は前者で呼ぶのが慣例であるが）だ。この歌について最もショッキングなのは、詩的にも音楽的にもかなりダーティーで、あまり簡単に表現できるような代物ではないということだ（ポルノチックなポラロイドや、後悔の念とは無縁の有名映画スターのおしゃぶりについての歌であることは言うまでもない。かつてフェラチオや警棒による獣姦を熱狂的に語ったことのあるバンドにしてみれば、それほど大したこととも思えないが）。イントロは熱を帯びた焦らしで、地毛の金髪を安っぽく見せるためにわざわざ黒く染めているかのようだ。キースのリフとチャーリーのドラムスがまるで合っていないので、内輪の冗談のようである。なぜなら明らかにこれほどのレベルのバンドなら、あるいはどのようなレベルであっても、たとえこの歌がジョン・ウェインと一発やることについてであっても、こんなものをレコードに残したりはしない。もしも冗談ではないならば、そんなことはしないはずだ。

他の部分ではストーンズがストーンズをやっている。ちょっと違うのはビルがベースを弾いていることだが、それも2ヴァース目からで、彼が来た時にはパーティーはもう大分進んでいた。考えてみると、ちょっとしたものである。曲が進んでいくにつれて段々ハードに、そして速くなっていく。間違いなく最もいい加減で、だらしなく、最もストーンズ的で、これでもかと言うくらい下品だが、難しい時節ならば、これもまた勝利である。もう一つの〈ギミー・シェルター〉にはなり得なかったが、ユーモアのセンスは汲み取って然るべきだ。

★

次のアルバムもニアミスであった。

タイトル・トラック〈イッツ・オンリー・ロックンロール〉はすぐさまヒットしたが、正直言うとT・レックスのいい歌には及ばないし、チャーリーは少しも「ゾーク」への貢献をしていない。この曲はロン・ウッドの家で録音された。彼はそこで親友らに囲まれて、ソロ・アルバムを準備していた。ドラムスにはまだザ・フェイセズにいたケニー・ジョーンズ、ベースにウィリー・ウィークス、バックアップ・コーラスを手伝ったデヴィッド・ボウイ、そしてミックなどである。彼は〈イッツ・オンリー・ロックンロール〉の歌詞を持ってきて、ロンに仕上げを手伝ってもらい、一方〈俺の炎（アイ・キャン・フィール・ザ・ファイヤー）〉というロンの曲を手伝うことに同意した。その夜の終わり、ミックは「〈イッツ・オンリー・ロックンロール〉は俺がもらう。あとは好きにしてくれ」と言った。ストーンズはレコーディングする用意ができていたが、結局ロンのところで作ったオリジナル・トラックをきれいにして、再構築するにとどまった（ジミー・ミラーも二、三度顔を出し、チャーリーから文句が出ることもなかった。みんな彼のような音になるべく懸命にやっているのだし、それならそれでいいと思ったからだ）。キースはチャック・ベリー・リフを繰り出し、イアン・スチュアートがピアノを弾き、ミックがボーカルを完成させ、見ての通りのビッグ・ヒットとなった。当然のことながらソング・ライティング・クレジットは「ジャガー&リチャーズ」となり、そんなひと騒ぎの一幕であった。こんな混乱の只中にあった時でさえ、このようにしてザ・ローリング・ストーンズのためにスターが勢揃いしたのだ。

ザ・フェイセズの二人を交えた〈イッツ・オンリー・ロックンロール〉は、（言い得て妙ではあるが）ザ・フェイセズというよりはストーンズっぽく聞こえるし、この労作からの最もハードなロック・ナンバー、〈ダンス・リトル・シスター〉と〈イフ・ユー・キャント・ロック・ミー〉は紛うことなくチャーリーとキースだ。キースがギターを爆発させ、チャーリーがそれに続く。

ボビー・キーズは「このバンドのハートとソウルはキースとチャーリーだ」とキースの回想録『ライフ』で説明する。「生きていれば誰だろうと、そして音楽が骨身に染みているやつにならこのことは明白だ。これがエンジン・ルームさ」

ミックは完全な権威をもって《イッツ・オンリー・ロックンロール》の収録曲を吐き出すように歌うが、「パーティーしようぜ」とか「俺の動きを見ろ」とかいう以上に、今や少なくとも何かしら脈絡のあることを書くようになった。そしてこのレコードには二、三素晴らしい、一般には忘れられている瞬間がある（あまり評価は高くないが安定感のある〈快楽の奴隷〉、ザ・テンプテーションズの〈エイント・トゥー・プラウド・トゥ・ベッグ〉の名ヴァージョン、そしてそこそこのバラードが何曲か）。彼らはもう若造のような響きではなかった。《山羊の頭のスープ》までにはさらにうまくなっていた。それが何であれ、ジミー・ペイジがキースについていみじくも語ったように、「〈ダンス・リトル・シスター〉がどんなものだろうと、あいつは何をやっても許されるんだ」

彼らにとってここまで来るのは長い道のりであった。ティーニー・ボッパーのアイドルに始まり、カウンターカルチャーの反逆児、向かうところ敵なしのミュージカル・ヘヴィーウェイト級、趣味の悪いノラクラのロック専制君主まで十二年かそれ以上ものハードワークだ。彼らが一緒にダンスしていたのは死体、悪質なドラッグ、良質なドラッグ、いい女、悪い女、あらゆる筋のアウトロー、ますます脅迫的になってきた法機関のガサ入れなどだが、音楽の女神ミューズはバラバラに崩れる寸前にまで達していた。

1973年、《山羊の頭のスープ》をサポートするヨーロッパ・ツアーは素晴らしかった。前回のツアーのマジックが依然として漂っていたからだ。しかし、ヘロイン癖とダンスしていたボビー・キーズは半分ほどのところまでしか来られなかった（オフィシャルにはドン・ペリニヨンを入れたバスタブで酔っぱらったということになっていたが）。これは手痛い一発だった。ボビーはキースの伴走者であり、ミックの結婚式における花婿の介添え人だった。

しかし、当たり前だが、ボビー・キーズは箒そのものではなく、箒の柄の部分に相当した。そして物語はさらに進んでいった。

《山羊の頭のスープ》は、ジミー・ミラーにとっても最後のレコードとなった。彼はネルコットでマリファナ街道をキースと共に進んだが、ヘロインにハマりすぎ、本道から逸れてしまったのだ。レコードに名前が記載されることもなくなり、プロダクションのクレジットにはミックとキースの変名、「ザ・グリマー・ツインズ」と記されるようになった。

「この頃のことはあまりはっきりしてないんだ」とキースは『アコーディング・トゥ・ザ・ローリング・ストーンズ』に告白している。「プロデューサーが誰で、そいつらがどう死んだかってことだけど。ジミー・ミラーは《イッツ・オンリー・ロックンロール》の時にはまだいたよ。ロンドンのアイランド・スタジオにいたのを覚えてるから。だけどジミーはその頃になると机に鉤十字を掘ったりするようになってね。まあなんと言っていいやら。しばらくの間あいつは俺のライフスタイルでやっていけると思っていたみたいだけど、俺の食事療法が稀なやつだって分かんなかったんだな」

ジミーは彼らにとってうってつけの人間だった。彼はストーンズのことを理解していた。《ベガーズ・バンケット》から《レット・イット・ブリード》、《スティッキー・フィンガーズ》、そして《メイン・ストリートのならず者》の四シーズンにわたり彼らをコーチした。《山羊の頭のスープ》の暗さと共に彼らの衰退が始まる前、これらのレコードはこの分野の最良作だとみなされている。彼はチャーリーがすごくいいドラマーから真に素晴らしいドラマーへと変身することに手を貸した。実際のところ、全員がそれぞれの領域でうまくなった。そしてそのことがジミー・ミラーの影響だったのか、彼ら自身の自然な上昇志向であったのかにかかわらず、それは目を見張るべきことだった。

しかし今や先へ進む時が来たのだ。[*3]

それからミック・テイラーが辞めた。彼らがパーティーで飲み物を手にしている時、ミック・ジャガーにそう告げた。ミック・テイラーは満足していなかった。彼は曲が書きたいとかなんとか戯言を抜かし、ストーンズなしでもっとうまくやれるかもしれないと思っていたのだ。なぜなら彼今や「ロックスター」だったからだ。彼の装備品にはヘロイン癖と改めて獲得した生意気な態度も含まれていた。

このストーリーのいくつかあるヴァージョンの一つでは、ミック・ジャガーが肩をすぼめ、当然のようにそこにいたロン・ウッドの方を見て、ツアーに参加してくれないか頼んだということになっている。ロンも肩をすぼめて「ああいいよ」と応じた。

★

簡単に言うとそういうことだ。このことに関する本も映画もある。キースはあまり怒っていないようだった。彼はミック・テイラーの才能を尊敬してはいたが、彼の本心については疑問を抱いていた。そして一緒にいるにはあまり楽しいやつではないということになった。

テイラーがいなくなって、タガが外れたようになった。本当の意味で彼はストーンズの一員ではなかった。二、三のチャンピオンシップを勝ち取るために必要なプレイヤーだったというだけだ。いくつか大きな試合でゴールを決めて、二、三シーズン後にはフリー・エージェントになるような才能をもった「助っ人」だったということである。

ロニーはしばらくの間だけストーンズのツアーに参加するということでサインした。彼はまだザ・フェイセズのメンバーだった。1974年、ストーンズはミュンヘンのムジークランド・スタジオに引き篭もり（ここで《イッツ・オンリー・ロックンロール》の大半を仕上げた）、ロニーと一緒に1975年の北米ツアーに出る前、数十人の新しいギタリストを試すためにロッテルダムに行った。それから一年以上も経ってからニューヨーク・シティで新しいレコードを仕上げた。《ブラック・アンド・ブルー》は《イッツ・オンリー・ロックンロール》に続く作品というよりは、ザ・ローリング・ストーンズ以外の草原の方がより緑が濃いと愚かにも勘違いしたミック・テイラーの後釜を見つけるためのものという以上の意味はもち合わせていなかった。《ブラック・アンド・ブルー》はジャムを強調した「オーディション」アルバムだったのだが、それにもかかわらず、ス

＊3　ストーンズとの仕事を失った後、ジミー・ミラーはジョニー・サンダースと仕事をし、モーターヘッドの傑作アルバム《オーバーキル》を共同プロデュースした。もう一つのアルバム《ボマー》ではほとんど不在だったにもかかわらず、リーダーのレミー・キルミスターにより賞賛された。それはジャンキーの真っ赤な大嘘だったが。プラズマティックスのデビュー・アルバムでは、ドラッグのやりすぎで機能しなかったため、ほとんどすぐにクビになってしまった。そしてプライマル・スクリームの目も眩むような傑作、「クラシック」と称される《スクリーマデリカ》が彼の最後のアルバムとなった。52歳で肝臓疾患のため他界する前のことだ。

トーンズのカタログ中、最も不当に評価されているアルバムである（それは《エモーショナル・レスキュー》だという人もいるが）。

明らかにロニー・ウッドが新加入への同意を得たわけだが、どんな質疑があったのか、どれだけのプレイヤーが（オーディションに）やってきて、どれだけが蹴落とされたのか想像するのは難しい。ストーンズと一緒にプレイするためにスタジオに通された有望株の中には、スティーヴ・マリオット、ピーター・フランプトン、ハーヴェイ・マンデル、そしてウェイン・パーキンスがおり、マンデルとパーキンスはかなりうまく演奏し、ギグには参加できなかったが、レコードには彼らの演奏が刻まれた。ジェフ・ベックもジャムに立ち寄ったが、「2時間ほどでやったのはコードを三つ弾いただけ。俺にはもっとエネルギーがあるよ」とキースなら決して言わないような不満を述べた。ロバート・ジョンスンなら尚更そんなことは言わない。個人的にはジョニー・サンダースを入れたかったところだが、誰も彼を招待しようと思わなかったようだ。彼を交えたらどんなパーティーになっていたことだろう。

《ブラック・アンド・ブルー》でロニーが参加しているのは二、三曲だけだが、重要なことは、彼が「古風な織物芸術」を生まれながらに理解し、すぐさまチャーリーとキースによって新たにエネルギーを注ぎ込まれた核と同化したことである（ビルですら一歩下がっているかのようだ）。そしてロニーは強烈なリフの応酬（〈ヘイ・ネグリータ〉と〈クレイジー・ママ〉）、エリック・ドナルドスンのレゲエ・クラシック、〈チェリー・オー・ベイビー〉のクラクラするようなカバーを提供した。一方でミックとキースは掛け値なしで素晴らしい曲（〈メモリー・モーテル〉と〈ハンド・オブ・フェイト〉）を書く作業に立ち戻った。結果、ストーンズはかつての成功を追従するようなバンドではなくなっていた。彼らは自分たちにできることをただただ演奏する、ヴェテランの殺し屋のようだった。そして《ならず者》以来、初めて自分たちの仕事を楽しんでいるようだった。

ロニー・ウッドについて一言。彼はいずれローリング・ストーンとなる運命だったようだ。ロナルド・レーガン、エルヴィス・プレスリー、あるいは他の二、三の人物と同様、ロン・ウッドは自らの星の元に生まれ、一度人生を始めてしまうと、それが良いものか悪いものかにかかわらず、上昇することを止めなかった。

そういう運命だったのだ。確かにそう感じる。その時は偶然のようだったが、創造主がこのように設計していたのは明らかだった。五日目にはミック・テイラーが、そして六日目にはロニー・ウッドが、そして魔法が生まれたのだ。もしこの魔法がいっぺんに起こってしまうと信用がない。そしていいストーリーではなくなってしまう。

ブライアン・ジョーンズはこの（ザ・ローリング・ストーンズという）獣を創るために不可欠だった。霊を宿す動物たち、つまりマディ、ウルフ、ボ、そしてチャックのフードゥーを呼び覚ますためには、ブライアンが必要だったのだ。ミック・テイラーは外科医だった。彼は骨に近いところまで切り刻むことを専門としていた。60年代をその終わりまで切り裂き、死体を再編成するためには彼が必要だった。ブライアンがもたらした「古風な織物芸術」は役目を終えたからだ。テイラーがもたらしたのは「古風な殺人芸術」とも言えるものだった。

ミック・テイラーとはほんの短い間だった。《レット・イット・ブリード》の数トラックに始まり、《ならず者》と《スティッキー・フィンガーズ》における素晴らしいとしか言いようのないナイフ捌き、下降線を辿り始めた2枚のアルバム《山羊の頭のスープ》と《イッツ・オンリー・ロックンロール》だけである。しかしそれで十分だった。光で目が眩む前、彼のナンバー10スペシャルともいうべきギターを使って、彼は自分の仕事を見事に成し遂げた。

ミック・テイラーの頭の中で「君はこのバンドを辞めるべきだ」と囁いた声とは一体何だったのかいつも不思議に思う。天使だったのか、それとも悪魔だったのか？　なぜなら明らかにクソみたいなことになっただけだったから。自分だけでビッグ・スターになろうという夢は、夏の最後の薔薇のように、すぐさま潰えることとなった。

この織物機の大部分を占めるようになった新しいギター・ペアについて、チャーリーは良く思っていた。「ブライアンと一緒にうまくいっていたことは、ロニーともうまくいっている」とチャーリーは述べた。「ただしロニーの方がうまいけどね」。ロニーと最初に行った1975年と76年の北米とヨーロッパのツアー、そして77年に録音されたブルースのカバーをまとめた《ラヴ・ユー・ライヴ》を聞くと、二人のギターの境界線が曖昧になっているのが分かる。**ロックンロール・ドラミングについて理解しなくてはならないことは、全てこの2枚組のLPレコードにある。**

このレコードと一緒に演奏してみるといい。私は真面目にそう言っているのだ。これらの歌はとてつもなくシンプルなようだが、もしあなたがそう思うなら、チャーリーのカリスマ性やイマジネーションを理解していないからだ。魔法のような色がいつ光を発し、放出されるのか予見することなどできやしない。彼の手の中ではシンプルな歌が魂の迷宮となり、それぞれがリズムにおける新たな冒険となる。どこでロールが終わって、どこでロックが始まるか理解することなど不可能だ。それは、けばけばしさを増したゴスペルと、ダーティーなブルースのごった煮を燃料にした**スィングの歴史のようなもの**だからである。彼の演奏は真の達人のようで、全く苦労することなく流れていくようだ。真のジャズ野郎のように、半分くらいはその場の成り行きでやっているのだろう。**彼のハイハットとスネアのパターンは演奏の精巧さという意味では地雷原のようだった。**[*4]

ストーンズからホーンセクションはなくなってしまった。オールド・スクール・R&Bは新種のファンクに取って代わった。アフロヘアーがステージの半分を占拠してしまいそうなビリー・プレストンがキーボードの位置に座り、なぜか彼のパーカッショニスト、オリー・ブラウンが帯同することを許された。ビリーはやりすぎるクセがあり、少なくとも一回くらいはキースにナイフを見せつけられ、これは誰のバンドかと嗜められることもあった。[*5] しかしながら直近2枚のスタジオ作品の倦怠感は、彼のとても生き生きとした演奏によって拭い去られていた。

ロニーとキースがピュアなメルク社製〔米国の有名な製薬会社〕のコカインをキメたところで、おそらくそれほどの害はなかっただろう（一曲分か、あるいは歌詞一行分か、大人のザ・ローリング・ストーンズにしてみれば適切な量だ）。もしストーンズ御用達のコカインと1975年にその他大勢が鼻の中に入れていたものとを比べるならば、それは安物のポルノを見るのとアメリカ陸軍工兵隊に誘拐されるぐらいの違いがある。つまりアメリカ陸軍工兵隊は、スカンジナビア航空の色情狂のフライト・アテンダント・チームのようだということだ。重ねて言うが、ストーンズは彼らが何者なのかということを明らかにするために、時流に乗った自分たちを演出していた。まさにコカインの音が聞こえてくるようだった。

突然全てが大きくなったようだった。彼らが演奏していたアリーナが大きくなったわけでもないのに、ショーは巨大化し、空気で膨らむペニスが出てきて、ブルーのアイシャドーをつけた、妖精のようなミックが色々な角度からその上に乗った。ステージそのものも巨大なハスの花のようで、ヴァギナのように開くよう設計されていた。

このステージ・デザインはチャーリーのアイディアであり（彼はアートスクールの出身だ）、スペクタクルの仕掛けにハマり、スポットライトを独り占めしようと躍起になっていた大量のアリーナ・

アクトと張り合うためのやり方だった。キッス、ボウイ、エルトン、そして彼らのイミテーターなど、この分野ではどうしたってストーンズには勝てないということを教えてやる必要があった。[*6]
曲のテンポが上がり、ダンス・ミュージックが変わりつつあった時でさえ、彼らの態度はまたもやロックンロール重視だった。〈ホット・スタッフ〉や〈フィンガープリント・ファイル〉はシカゴのサウスサイドからパリ、ロンドン、そしてミュンヘンのディスコへの転換だったにもかかわらず。
ロニーとキースはすぐさま自分たちで運営するサーカス、暴動、ドラッグまみれのふれあい動物園となった。彼らには明らかなウキウキ感があった。同様にミックもロニーは素晴らしい脇役となることを認めていた。前任者（ミック・テイラー）とは違って、シンガーにいじめられてもへっちゃらだった。なぜかって？　彼はなんでもござれだったのだ。最も重要なことは同じような気質のギタリスト二人が一つになって演奏することで、ストーンズ・マシンは統一戦線、リズムとスペク

＊4　公式にリリースされたビデオ・ドキュメンタリー『フロム・ザ・ヴォルト：L.A.フォーラム（ライブ・イン1975）』は超オススメ。この時点でロニーはまだ雇われだったが、明らかにここが彼の属すべき場所である。
＊5　キースはほとんどいつも武装している。ストーンズ初期のアメリカン・ツアーから始まった習慣だが、彼はこのことについて繊細だった。「ナイフを使うのは遊んでいる時だけにするべきだ。どんなことになるか要点を分からせてやりゃ、それでいいんだよ」
＊6　このことが大事かどうかはあなた次第だが、みんなチャーリーの意見を聞くというのは素晴らしいことである。ドラマーの多くはこのような敬意に与れないのが実情だからだ。彼は後のキャリアで、ステージが巨大な宇宙船のようになった時でさえも、ミック、デザイナー多数、照明係などと一緒に仕事をし、ステージセットのデザインに関わっていた。

タクルから成る、並ぶもののない騒音となったのだ。

ここ数年のツアーでは、〈サティスファクション〉を除き、ストーンズは往々にして1968年以前の作品を避けて演奏していた。ブライアン時代のポップ・ソングは、ザ・ビートルズが地上を這いずり回っていた頃の産物のようだったからだ。しかしこの年、彼らは〈ひとりぼっちの世界〉を再び演奏するようになった。フレッシュに料理し直された大胆さ、青年期後の何にも煩わされない快活な気持ち、アリーナ中にはっきりと響き渡るドラムリックをもって。自分たちの足跡の再発見であった。彼らはヤバかった。

ジャズ野郎チャーリーはこの大騒ぎのアンカーだった。彼のスネアドラムは、不思議なことに、パワーを増したようだった。ギターのアンプはますます大きくなり、軍拡競争における核兵器のように、サウンド・システムが決定的に物事を変えてしまった。スモーク・マシーンとレザー・ライト・ショーは当たり前のように用意されるべき装置になったのに、ドラムセットのサイズは家具のショールームのようだった。**チャーリーの小さなドラムセットはそのままで、リラックスした技巧をもってそれを叩いた。**かつてチャーリー・パーカーのコンボでドラムスを演奏したいと熱望していた男は、(規格外のドラムで)なんの躊躇もなく龍をぶち殺すような**レッド・ツェッペリンとザ・フーのドラマーと接近戦を演じていた。**

キースは、もはやチャック・ベリーのリフを弾いているのではなかった。彼はキース・リチャーズのリフを弾いていた。いやストーンズがキース・リチャーズを弾いていたと言った方がいいかもしれない。この男がどこで音楽を終えて、そして始めるのか理解することは不可能だった。その中でミックだけは例外だった。いつもあまりに自意識が強すぎて音楽の中に完全に埋没することができなかったからだ。

ワイヤレス・マイクの発達はあまり有用ではなかった。フリーレンジ・シンガー時代が始まり、シンガーは好きな時にフットボール場ほどもある距離をバンドから離れることもあった。ワイヤレス・マイクはミックの歌唱、バンドとの親密さを煽ったりすること、休暇中の船乗りのように走り回ったりすることにそれほど影響はなかったが、ショウビズとしてはうまくいった。[*7] 観客はこんなことに熱狂したのだ。

〈ダイスをころがせ〉はミックが跳ね回って台無しになった。彼は時に落ち着いてストライクを投げるべきだった。ハイスクール・チアリーダーのように飛んだり跳ねたりしながら、女を騙したり、卑しいギャンブラーについて歌うのは無理な話だ。〈無情の世界〉はロニー・ウッドの不幸なほど長いギターソロのためにバラバラにほどけてしまったようだった。アリーナロックの評判を貶めるこ

＊7　《ラヴ・ユー・ライヴ》はまたまたザ・グリマー・ツインズとしてプロデュースした、ミックとキースへのクレジットである。ボーカルをオーバーダブした際、故意に出来損ないで、いい加減に、つまり本物らしく聞こえるようわざわざしてある。ステージ狭しと動き回ったりすることなしにだ。

とになったコンサートの肥大化だったが、トイレに行こうとしたまさにその時、ドラムスが鳴り響く。衝突と粉砕、「シュープ」とタックルのコンビネーションだ。スネアドラムの強い響きとハイハットのトリックは、いかがわしいストリップ小屋の誘いのようだ。これは〈サティスファクション〉を叩いていたのと同じチャーリー・ワッツと同一人物ではなかった。それは**「世界最高のロック・バンド」を牽引する完全無欠のジャズ・マジシャン**だった。それはドラムキットを叩いて、フットボール・フィールドよりも地下にある違法バーに向いているようなハイボリュームを叩き出すといった、ある種の革命的な奇跡に相当するものだ。例えるなら、おたまじゃくしが沼を登り、立って歩くことを覚え、やがてロケットや爆弾を作り出すようなものだった。

何よりも重要なことは（これ以上に重要なことなど他に何もない！）、キースが〈ジャンピン・ジャック・フラッシュ〉のオープニング・リフを弾き始めると、ザ・ローリング・ストーンズのリズム・セクションと完全に共鳴し、地球がその地軸からぐらつき始めるかのようだったことだ。ミックのサイレンのような叫びの前には、この歌の実際の歌詞も重要ではなくなっていた。もうこれは「十字砲火」についての歌ではなく、「十字砲火」そのものだった。

《ラヴ・ユー・ライヴ》の終わり近く、爆竹が二、三発鳴る。自分たちの指が安物の仕掛けほどの価値はないと感じた熱狂的なファンによる違法の花火だ。素晴らしい音だ。クソやかましい。エキサイティングだ。ここには何の政治もない。これは革命がエンターテインメントになった瞬間だった。

8章
ディスコとパンクに打ち勝ったドラマー
Respectable

超天才的ディスコ・ミュージックとは、安定して脈打つ心臓の鼓動そのものだ。誰もがそのリズムと共に生きているのだから、簡単に関係をもてる。

大抵のディスコ・ソングは、ほんのわずか興奮している成人の平均的鼓動よりもやや速い程度である（スリルには十分だが、悪魔のようなロック・ミュージックのごとく、誰かに脅されているというレベルには至らない）。ディスコを聞くと確かに脈拍が上がるし、湿疹が出ることもあるが、死に至るというほどではない。だからこそディスコティック同様、バル・ミツバー〔ユダヤ教における13歳男子の成人式〕でも人気があったのだ。ドラッグをやったり、一晩中セックスしたりしながら踊るにはもってこいのテンポだし、おばあちゃんですら、死んだりする心配をあまりせず（ヴァン・マッコイの）〈ハッスル〉で踊ることもできた。

完璧なディスコのテンポはキビキビと歩く時のそれである。70年代後期のメインストリーム・ディスコ・ブームの火付け役となった映画『サタデー・ナイト・フィーバー』で見られるように、ピザを二切れいっぺんに食べながら、ニューヨークのブルックリンを闊歩するようなやつだ。「メインストリーム」と言ったが、大勢の人にとっては、これがジョン・トラヴォルタ、ザ・ビージーズ、そしてベストセラー・サウンドトラックなど、ディスコ・カルチャーへの導入となったからである。1977年にはどこへ行こうが、ディスコから逃れることなどできなかった。

多くの人々が忘れているのは、ディスコは音楽であっただけでなく、ファッションだったということである。楽しい時間とは、ホッケー・アリーナでモリー・ハチェット、ジ・アウトローズ、フォリナー、あるいはブラック・サバスの残党なんかを見ることだと思っているようなロックファンとは意見が食い違うのも無理はない。そんな場所での人気ファッションといえば、コンサート・ジャージや色褪せたジーンズがお決まりだった。こんな人々はショーに爆竹を持ってきたりもした。まさにアニマルだった。哲学科を専攻する者がこの地位に蔓延していたわけではないが、彼らは「新しい服を義務付けている全ての企業にはご用心」という超越主義的な時代精神には明らかに通じていたようだ。

そしてムーヴメント「ディスコなんかクソ食らえ（Disco Sucks）」（その通りだ）が悪質な湿疹のように広まっていった。

この汚点に関しては、同性愛嫌悪者、人種差別主義者に代表されるような、単一文化に対する異論を受け入れられない白人ロックファンへの猛烈な批判、こうしたロックファンたちがディスコをクソ呼ばわりしていたことなど、すでに多くのことが書かれている。なぜ彼らがディスコを嫌っていたかというと、ビール腹とシュムー（二本足で下半身が異様に大きいマンガのキャラクター）のような体型に合うスリー・ピースが見つからなかったからだが、それはともかく、こいつらはなぜ、ポリエステルのスカーフに入れ込むために、ギターロックを愛して止まず、楽しいことが大好きな大バカ野郎というアイデンティティーを、ある日突然捨て去らなければならなかったのだろうか？　ディスコ嫌いだった中西部出身のハード・ロッキンなボブ・シーガーのファンは、ディスコにはラテン、ゲイ、そしてアフリカ系アメリカン・ルーツがあると分からないほど知性がなかったのだ。アメリカは巨大な国だ。郊外に行くと、ショッピング・モール・ヴァージョンのアメリカもあるのだ。「おそらくゲイだろう」という理由でザ・ヴィレッジ・ピープルは好きじゃないというやつは私が知る限りではいなかった。私が知るほとんどは彼らのことが好きだった。誰もが耳にした二曲（〈Y.M.C.A〉と〈イン・ザ・ネイヴィー〉）はおかしくて、十分にキャッチーだったからだ。さもなければ、彼らの何に対しても全く無関心だった。なにせ多勢に無勢でドレスアップして、あらかじめ録音された音楽で踊っていただけなのだから。彼らは究極的に可も不可もない、単なるノヴェルティ・アクトだった。バナナ・スプリッツ（60年代の終わりから70年代の初めに人気のあった犬のかぶり物をした4人組のショー）ほどかっこよくなかったし、いつも完璧というわけにはいかなかったのだ。彼らがゲイ・アイコンだったという事実は、郊外ではそれほど効果がなかった。この辺のスポーツマンはクィーンというバンドを見にフットボール・スタジアムに行くようなやつらなのだ。とにかく全ては楽しもうということだった。本来はただのポップ・ミュージックで、何かのライフスタイルへ傾倒するのとはわけが違う。しかしハマるとおかしなことになっていくのもまた確かだ。ポリエステルのシャツとスラックス（スラックスだってよ！）と金のネックレス、高価なヘアカット、白いスーツ、高価なコロンなど、ディスコ・ダンスはこうしたものに異様なまでに執着した。

13歳かそのくらいだった頃、母に髪を切りに連れて行かれた。文句のつけようのない完璧な頭を、散髪屋が当時流行りの分けの入った髪型にしてしまった。それを見た母は大喜びだった。私がかっこよくなったからだ（彼女もイカしたママということになった）。私は魂を奪われたことを嘆き、目が潰れてしまうほど泣き腫らした。そして7月の半ばだというのに二か月もスキー・キャップをかぶっていた。私はジ・オージェイズ、ドナ・サマー、KC・アンド・ザ・サンシャイン・バンドが大好きだった。そしてザ・ジャクスン5は決して時代遅れにならなかった。エルトン・ジョン、スティーヴィー・ワンダー、そしてその週にラジオで人気のあったアーティストに加え、ザ・ジャクスン5のレコードをパーティーでかけた。男の子はそうやって女の子をダンスに誘いだしたのだ。私の最良と最悪のアイディアはそうやって出来上がった。

私は（音楽のため）まるで宗教のように「ソウル・トレイン」を、（ダンサーのために）時たま

「ソリッド・ゴールド」を見たが、プラスティック・ファンタスティック・ファッションのクソに入れ込んだりはしなかった。そしてあの散髪の一件以来、母にジーンズを買ってもらうことすらなかった。ケツに何かされてはたまらなかったからだ。

私の周りでディスコ・メイクオーバーに出かけて行った人はほとんどいなかったし、またいたとしても、そいつらは、勇気を示す赤いバッジのようにお気に入りのコンサートTシャツに固執する、労働者階級出身の頑固なロックファンという自らのアイデンティティーを誇張して、わざと横暴に振る舞っていた。そしてディスコVSロックの戦争となった。1970年代末、それが何であれヒッピーの生き残りはまだ煮えたぎっており（プログレと髪の長いブギー・バンドのことだ）、ディスコはそれを全て終わらせるための中性子爆弾となるという迷信があったのだ。それはかなり攻撃的なポーズだった。そして当然、本物のフリークス、パンクロッカーは誰からも嫌われていた。**結局のところ全て同じクソなのだ**ということが理解されるまでには、もうしばらくかかった。

その当時、ディスコティックはリッチな人々にとって安全な場所だ、という秘中の秘があった。それで年配のセレブが多く集っていたのである。彼らにとってこれは承認を得たデカダンスだったのだ。心理的に不安な大人にとってのディスコは母親の心臓だった。完全に自制を失わずに刺激を得るためのチャンスだった。同じことが何度も繰り返され、心地よかった。ディスコティックはミラーボールとDJブースのある巨大な子宮のようだった。

コカインをやっているとビートはやや速くなるし、ルード（メタカロンを含む錠剤）をやっているとやや遅くなる。だが、それはセックス・ビートだった。素晴らしいダンス・ミックスが楽しいゲイ・アンダーグラウンドで完璧だったように、ディスコはいとも簡単に郊外へ移行していった。ベートーヴェンの「運命」のように何の価値のないものでも大目に見られた。いいフックがあったから。あのビートは杓子定規が熱くなるには十分だった。ゲイの従兄、そしてバンプがヒップだと思っていた親たちも夢中になれた。エッジがあって、都会っぽくて、ショッピング・モールでも売っていた。郊外の女の子はこれが大好きだった。レッド・ツェッペリンにハマっているボーイフレンドからTシャツと破れたジーンズを脱がすことのできるものならなんでも。ロックと異なり、ディスコは少なくともいい匂いがした。

「ディスコなんかクソ食らえ（Disco Sucks）」がそう呼ばれた本来の理由は〈ディスコ・ダック（Disco Duck）〉という曲だった。〈ディスコ・ダック（Disco Duck）〉のような曲がヒットして、この文化ムーヴメント全体が真面目に捉えられたって？　ロックがバカじゃなかったというわけではないが、ここまで来るにはもっと時間がかかった。だがディスコでは一瞬だった。

『サタデー・ナイト・フィーバー』（水タバコのパイプの横にジェスロ・タルのアルバムを何枚積み上げていようが、みんな大好きだった）以降、次にやってきたのは自らを食い荒らすような自分自身のパロディーと馬鹿さ加減だった。奇妙なことに、これらの大半はその後ローラースケートに道を譲った。

（1979年のテレビ特番）「プレイボーイ」の「ローラー・ディスコ・アンド・パジャマ・パーティー」（このタイトルが示す以上に馬鹿げたものだった）が（いわば）「堪忍袋の尾」だった。ヒュー・ヘフナー、別名ミスター・プレイボーイが精神年齢の低いヤケクソの愚行に便乗しようとして、夢は終わったのだ。[*1]ディスコ版のオルタモントだ。

さらにもっと恐ろしいことは、ディスコ第一波がもっていたソウルも、商品としての質の高さも、実際のソングライティングも何も伴わない、信じられないくらいアホみたいなディスコ・レコードが粗製濫造されたことではなく（〈ラヴ・トレイン〉から〈マッチョ・マン〉まではかなりの道のりだったが）、レコードを売りたければディスコ人気に便乗しろとレコード会社から言われた、当時エスタブリッシュメント的地位にあったロック・バンドだった。この恐竜たちは自分たちが消滅していくことを恐れ、実際これに賛同した。エルヴィス、リトル・リチャード、そして個人のもつ無敵のパワーから、こんなに遠いところまできてしまったのだ。

ロッカーのロッド・スチュアートは〈アイム・セクシー〉をもってとぼとぼと歩いていた。ザ・キンクスは、重々しく、ビートルズに影響されたアートロッカーになる以前、元祖パンク的なブリ

＊1　「juvenelic」は「juvenile（子供の）」と「imbecilic〔精神年齢が3歳から7歳の〕」との合成語。辞書に載っている言葉ではない〔本文では「精神年齢の低い」と訳した〕。

ティッシュ・インヴェージョンの成り上がりとしてスタートを切ったが、今や〈スーパーマン〉でディスコにゴーだった。骨なしハードロッカー、キッスは、良心の呵責などほとんど感じられない〈ラヴィン・ユー・ベイビー〉で、自分たちは全くの厚顔無恥だということを証明した。さらにはグレイトフル・デッドやイーグルスのようなまがいもののコカイン野郎とコズミック・カウボーイも、それぞれ〈呪われた夜〉とマリファナ中毒者のための数少ないディスコ曲〈シェイクダウン・ストリート〉でミラーボールを回す実験をやってみた。ザ・ビートルズのポール・マッカートニーは当てもなく〈グッドナイト・トゥナイト〉でビートを刻んでいた。[*2] ポール・アンカやフランキー・アヴァロンのようなアンティークな人たちでさえもがディスコにはゴー・サインを出した。だがおそらく最も恥ずかしいのは、自意識過剰のプログレバンド、ピンク・フロイドですらディスコビートとわざとらしい暗黒郷のライトショーとをくっつけ、ナンバー・ワンの座を射止めようとしたことだ。話がロックンロールということになると、なんたることか、この**文化はいよいよベッドの上にクソを垂れたよう**だった。

　では「世界最高のロックンロール・バンド」、ザ・ローリング・ストーンズはどうやって彼らのディスコ宣言、〈ミス・ユー〉を携え、クネクネと歩いて行ったのだろうか？　１９７８年夏、恐ろしく人気のあった《女たち》からのファースト・カットである。

一つには彼らはこれがうまかった。彼らはディスコ・サウンドを脂ぎった、そしてウエットな響きにした。
少なくともミックとチャーリーはかなり長い間（ディスコの）ファンだった。彼らは遅れて来たクラブ・ミュージック・ファンではなかったのだ。何年もの間、彼らは世界中のダンスフロアを徘徊していたし、ミックははっきりそうと分かるように、ストーンズの次のレコードのためのリフを練り上げていた。そしてチャーリーは単純に音楽を追求していた。

ミスター・ジャズはジャズ純粋主義者ではなかった。長い間、彼はチャーリー・パーカーとのロマンスの渦中にいたが、だからと言ってこの男は自分の周りで起こっていることを聞いてなかったわけではなかったのだ。1970年代初頭、フィラデルフィア・サウンドが爆発した時、彼はその虜になった。特に最初の素晴らしいドラマー、アール・ヤングの魔法のような「シュープ」というサウンドにである。彼はジ・イントゥルーダーズの〈(ウィン、プレイス・オア・ショウ) シーズ・ア・ウィナー〉、ジ・オージェイズの〈ラヴ・トレイン〉と〈裏切り者のテーマ〉、ハロルド・メルヴィン・アンド・ザ・ブルーノーツの〈愛の幻想〉、〈ディスコ・インフェルノ〉に代表されるザ・トランプスのものは言うに及ばず、ザ・スピナーズ、ザ・スタイリスティックス、MFSB等々とのセッション作に至るまで、この時期のヒップなダンスレコードの全てに登場していた。[*3]

＊2　(ロッド、ザ・キンクス、ポール・マッカートニー等) これらの曲が全てヒットしたことを述べないのは不正直である。

1978年までにザ・ローリング・ストーンズは（ザ・キンクスなどとは異なり）、時代遅れにならないためにはディスコビートが必要だなどと、スーツを着たクソ野郎から言われなくてもよくなっていた。もしそうしたければ、一つ前のレコード《ブラック・アンド・ブルー》の一曲目〈ホット・スタッフ〉（ジャガーはディスコへの旅立ちと呼んだ）か、二年前の《イッツ・オンリー・ロックンロール》収録、〈フィンガープリント・ファイル〉のダンスフロア・スタイルに立ち戻ればよかったのである。ちゃんと注意を払っていた者なら誰でも、これまで以上に拡張されたR&Bのコンセプト（つまりディスコ）が、《ラヴ・ユー・ライヴ》において本来なら賢いとは思えない2曲分ものスペースを与えるほど、大きなものになっていたことを分かっていたはずだ。それは本来ならば（彼らの評判を押し上げ、前のツアーでは喉を掻っ切るかのようだった）〈オール・ダウン・ザ・ライン〉や〈リップ・ジス・ジョイント〉のようなソリッドなロックンロール発信機が簡単にあてがわれるスペースだった。しかし、これはミキシングルームでキースが負けたということだ。進歩を止めることはなかったのである、察するところ。

ストーンズが〈ミス・ユー〉を録音した時、それは明らかにミックの時流に乗ろうというアイディアの賜物だったわけだが（キースを説得する必要があったが、最終的にはミックの熱狂に賢明さを見出した）、迎合したなどと言うことはできない。なぜなら**彼らは何年もの間、素晴らしいブラック・ダンス・ミュージックを演奏してきたのであり、時流に合わせてビートを変えてきただけのこ**

とだったからだ。流行を追いかけようとして失敗した好ましくない記録もあるにはあるが、うまくいった時には、ずっぱまりだった。

火を見るより明らかなのは、彼らが想像以上に素晴らしいディスコ・バンドだったことだ。あるいは、放棄し、弛緩することも厭わない、想像以上に高慢なロック・バンドだったと言った方がいいかもしれない。[*4] もしミックにこれほどまで優れたバンドがなかったら、彼はこれほど優れたダンサーになっていただろうか？

＊3　チャーリーのリスニング癖はちょっと変わっていて、ずば抜けて多様、多彩という他ない。ブルース、R&B、ロックンロール、レゲエ、ルーツ・ミュージックに関して極めてハードコアなキースと異なり、チャーリーはありとあらゆるジャンル、何に対してもオープンである。ルイ・アームストロング、ビッグ・バンド、その他のジャズの奇人・変人といった彼を常に喜ばせるものだけでなく、ハーモニー、メロディー、そしてテンポに対する進歩的な考え方が古臭い伝統主義者を脅かしていたチャーリー・パーカー（今日ですらマイルス・デイヴィスのよりメローな作品から抜けられない自称ジャズ・ファンはパーカーの先進性に背を向ける。真面目な話、最近チャーリー・パーカーをちゃんと聞いてみようとしたことがあるだろうか？）、さらにオーネット・コールマンの異質なモダニズム、ジョン・コルトレーンの探求、ピアニスト、セシル・テイラーによる無調、自由形式の技巧が彼のリスニングには含まれていて、チャーリー自身これらについて、簡単だと述べている（知的な変人の中でも、かなりのマイノリティーに属しているようだ）。そして言うまでもなく、ディスコ、ダンス・ミュージック、時にはモダン・ロック・バンドにすら手を出している。1981年のストーンズの二、三のショーにプリンスを呼んできたのは、ミックに加えて、チャーリーの後押しがあったからだ。チャーリーとミックはプリンスにぞっこんだった。キースはそうでもなかったが、この日は彼のバンドメイトたちが勝利した。彼らは、明らかに安全で、MTV受けするジョージ・サラグッドとJ・ガイルズ・バンドを連れてくる前、プリンスをオープニング・アクトに起用した。悲しいかな聴衆はチャーリーとミックの熱狂を支持しようとせず、黒いパンティーと長いブーツを履いた彼に罵声を浴びせ、ビールと食べ物を投げつけた挙句、ステージから引き摺り下ろしてしまった。この時プリンスにブーイングを浴びせたのと同じ輩が、今日彼を請い求めていることに疑いはない。

チャーリーのドラミングは完璧である。鍛錬され、全く飾り気がない。まるでアル・ジャクスンのように、外科医のような正確さで「シュープ」を使う。だがそれを使いすぎるとディスコの時流に乗ろうとするウェディングバンド・ドラマーの目印のようになってしまう。チャーリーの手にかかると、スィングした。ディスコを演奏する時でさえ、キースのすぐ後ろでビートをキープしながら、微妙な揺れがあった。切迫感をもって曲を前に推し進める。そして抜け目がない。彼はブライアン・ジョーンズ時代以来、ミニマルに演奏したことなどなかったのだ。これまでと同様、これが「なぜチャーリー・ワッツは重要だったか」ということである。グルーヴの中に「予兆（anticipation）」を作り、当然のように「貫通（penetration）」は放っておくのだ。曲が終わった後で起こる何か（それが何であれ）のために。

ザ・ローリング・ストーンズは彼らがやるべきことをやっていただけのようだった。「古風な織物芸術」がディスコにその場所を見つけたというだけのことだった。〈ミス・ユー〉はマイナー・キーの傑作だ。フックが一つあるだけだが、これでもかというほどニューヨーク・シティが盛り付けてあって、これは一体誰のレコードなのかと不思議に思っている輩のために、素敵なブルース・ハーモニカも用意されている。

機嫌の悪いロック屋はこれをクソ扱いしたが、ちょっと待ってくれ。《女たち》はディスコ・ソングに占拠されているわけではない。ザ・ローリング・ストーンズ・ソングスのゴージャスなてんこ盛りで、〈ミス・ユー〉はその中の一曲にすぎなかった。彼らはダンスフロアに物申す一方、グレート・パンクロック・バンド、そしてジャズとトーチソングにも手を出しているプロの中のプロとも言うべきカントリー・バンドであることも証明しているのだ。

実際のところ、彼らがマーヴィン・ゲイを捕まえ、スティーヴィー・ワンダーとギグをやっていたような連中だったことを考えれば（もう何年も〈ストリート・ファイティング・マン〉や〈ハッピー〉を持ち出して、襲いかかっていたことは言うまでもない）、**ディスコとパンクを同時に演奏することに比類なく適していた。**今までずっとやってきたことを別の名前で呼んだだけのことだ。

★

1977年、《女たち》を始めるにあたってパリのパテ・マルコーニに集結した時、ストーンズは特命を受けたバンドだった。もはや「世界最高のロックンロール・バンド」として月桂冠の上にあぐらをかいているわけにはいかなかったし、参加賞のトロフィーもなかった。この分野でどうにかタイトルを勝ち取らなければならなかったのだ。そしてキースがトロントでヘロイン所持のために

＊4　念のために書いておくと、〈ミス・ユー〉以外に彼らの素晴らしいディスコ・ナンバーは〈エヴリシング・イズ・ターニング・トゥ・ゴールド〉、〈ダンス（パート1と2）〉、〈エモーショナル・レスキュー〉が含まれる。どれも傑作である。

逮捕され、これでおしまいになりかねなかった。

キースがヘロインで捕まったのを言い忘れていたかな？　あちゃー。

かいつまんで言うとこういうことだ。《ラヴ・ユー・ライヴ》になった1975年から76年のツアーの終わり、ストーンズは小さなクラブ、トロントのエル・モカンボで演奏することを思いつき、自ら経験を積んだ古いブルース・ナンバーに焦点を当てようということになった。彼らが到着すると、不幸にも地元警察が汚れたスプーンを持っていたキースのガールフレンド、アニタ・パレンバーグを捕まえ、それから間もなく、キースが隠していたものを見つけた。ジャンキーの結婚式にこと足りるわずかな量ということだったが、私にしてみれば、どんな美男美女であろうと、部屋一杯に意識不明者が出るというのはそれほどいいアイディアとは思えない。いずれにせよキース自身の問題だ。私は他人を裁かない。[*5]

とにかく、二、三日経ってギグは行われ、古いチャック・ベリーのお気に入り、マディ・ウォーターズの曲、そして驚くべきボ・ディドリーの〈クラッキン・アップ〉（チャーリーの華々しいカリプソ風ドラミングが聞ける）などを録音した。しかし驚いてはいけない。ほとんどは後でオーバーダブされたもので、それは想像をはるかに超える量が行われていた。

これが《女たち》に至った経緯である。

驚くべきことは、1978年、彼らがどれほどエネルギーに満ちていたかということだ。カナダの刑務所における長期滞在というオッズに異なるリアクションを見せた人もいたかもしれないが、彼らは彼らでケツに噛みつかれるような事態に陥っており、それこそが原動力だったのだ。ディスコは大人気だったかもしれないが、パンクロックが体たらくの集まりにエネルギーを注ぎ込み、内側から彼らを食い殺してやろうと脅しをかけていたのだ。1970年代末でザ・ローリング・ストーンズが自らを終わらせるというのは選択というよりも必然だった。時代に沿うための最後の喘ぎだった。

レコードの一曲目、〈ミス・ユー〉は全力投球のディスコ炸裂だったが、これに続くのは〈ホエン・ジ・ウィップ・カムズ・ダウン〉で、ここ数年で彼らが録音した作品中、最もはちきれんばかりの一曲だ。ワイヤー・フェンスのごとく鼻にかかったような音だったが、**どんなロックバカの基準に照らし合わせても間違いなくパンクロックだった。**だが、これでさえこのアルバム中、最も溌剌とした曲ではなかった。これは始まったばかりだった。もし頭の悪いテッド・ニュージェントのファンが「ディスコはオカマだと」思っているせいで頭にきているなら、彼らこそその冗談のマト

＊5　この「キースがトロントで御用となった」件について直接知りたいのなら、何度でも言うが、キースによる最良の書物、『ライフ』を一読願う。ヘロインを素敵に思わせることのできる人などほとんどいない。ついでに言うと、ホテルでキースを逮捕する前、彼の目を覚ましたのはカナダ連邦警察と彼らが乗って来た馬だった。明らかにこれは礼儀を重んじるカナダ人のエチケットの一例である。カナダ人は本当に素晴らしい。彼らは無意識の者を逮捕したりすることを許されていないのだ。

だ。なぜなら〈ホエン・ジ・ウィップ・カムズ・ダウン〉は、ゲイのハスラーについてミック・ジャガーが第一人称で歌っているのだ。「俺はニューヨークのゲイ、LAのオカマ」。だがこの曲は執拗に、そして威厳をもってロックした。ザ・ローリング・ストーンズがこれまで作った中で最もタフ、そして最もいかがわしいレコードで規範を示し、年寄りをくすくす笑っているようなパンクスに戦いを挑んでいた。だがそれは簡単なことではなかった。

ストーンズはパンクロックなんか理解していなかったし、車座になってザ・セックス・ピストルズやザ・ラモーンズやザ・ダムドなど聞いていたはずもなかった。ジェネレーション・ギャップがあり、そして明らかに経済的なギャップもあった。ミュンヘンのクラブやニューヨークのスタジオ54あたりで金持ちセレブのコカイン中毒と友達になることも一つだったが、パンクロックは若者のムーヴメントだったのだ。イギリスでは労働者階級によってかなり政治的に動機づけられていたが、アメリカではそれほどでもなく、政治的反乱であったと同様、芸術的ステートメントだった。しかし決して「どれだけ金を持っているか」ということではなく、むしろ「持ってない」ということについてであり、どのような種類の音楽であろうと、確固とした地位を築いた億万長者に理解できるような代物ではなかったのだ。結局のところザ・セックス・ピストルズの存在意義は、聴衆とのコンタクトを失い、ブクブクに膨れ上がったロートルの最後の波をこのビジネスから追い出すことだった。ピストルズの未来がどれほど限られたものであっても、彼らはこの上流階級の灰の山を高く積み上げていた。そしてその中にはザ・ローリング・ストーンズも含まれていたのだ。

おかしなことに、ストーンズがこの若者による反乱への返答を案出していた頃、彼らのライヴァルともなり得たザ・クラッシュは、いわゆるパンクロック・ミュージックと並んで、クオリティーの高いレゲエやロックンロールを録音しており、彼らが招待したゲスト、ボ・ディドリーと一緒にアメリカをツアーする準備を進めていた。残念ながら、ザ・クラッシュのファンはロックンロール・カルチャーのマッシュアップを理解できず、途方に暮れていた。[*6] これらは全て同じクソだということを彼らはまだ理解していなかったのである。

ストーンズにしてみれば、いくら見渡しても、成り上がりの同業者は、はるか後方にいるかのようだった。彼らが「気がついている」のは明らかだったが、まだそれに「ハマって」いたわけではなかった。ストーンズは冷淡にこのエネルギーへの感謝を口にした。パンクロックは自分たちがかつて行っていたこととさほど異なっているわけではない、ということを知っていたからだ。しかし

＊6　これ〔ザ・クラッシュがボ・ディドリーと一緒にツアーしたこと〕は、ザ・フーが彼らのステージにザ・クラッシュを招待するよりも前のことだったというのは特筆すべきだ。これは「パンク」がまだ「クラシック・ロック」の敵だった暗黒時代のことだ。そして「ディスコなんかクソ食らえ」と唱えていたアホどもがピンク・フロイド、ザ・キンクス等々のクソを享受するための言い訳を探していたにもかかわらず、「ディスコ」もまた「敵」と見做されていた。さらに皮肉な時代が後になってやってくる。ザ・ラモーンズ、ザ・セックス・ピストルズ、そしてザ・クラッシュが、突然「クラシック・ロック」として認知された時のことである。あたかもこんなムーブメントは以前起こらなかったかのように。

ながら、こいつらパンクスは弾けないという容赦ない解雇通告なしというわけにはいかなかった。唾を吐いたりすることへの空虚なコメント（そんなものはよくテレビで見るし、それが芸術的ムーヴメント全体を代表していることのように思い込んでいるような輩もいるが、そんなことはヘタレの大人がよくやることだ）もあるにはあったが。本当に痛快だったのは、**ガキに向かってうちの芝生から出ていけと叫ぶ代わりに、ストーンズは大きな銃を取り出して、ぶっ放したことだ。**

★

ストーンズは分かっている。ザ・ビートルズは分かっている。レイ・チャールズとチャック・ベリーは分かっている。ところが**ある人たちはカントリー・ミュージックというものをまるで分かっていない。**

例えば、音楽に対して偏見をもっているバディ・リッチは、世界中で最も有名なドラムの達人だが、全く自分の言っていることを理解していない「音楽についてなら全部知っている」輩である。だがこいつは「自分が話していることについて全く理解していない」のである。

1973年、この世界最高のドラマーは、かつてはビッグ・バンド・シンガーだったが、今や最もトレンディーなトークショー・ホスト、マイク・ダグラス（バーブラ・ストライサンド、スライ・

ストーン、そしてジョンとヨーコも彼のショーの共同ホストを務めたことがある）に向かって長々と演説しながら、「アメリカで最も大きな音楽」について自分の意見を述べた。[*7]

「そろそろこの国は音楽の趣味ということに関して成長するべき時だ、カントリー・ミュージックがやっているようなことに大股で後退していくんじゃなくてね。カントリーはとても単純なんで誰にでも歌えるし、誰にでもできるし、弦一本で誰でも演奏できるんだ」

それからマイルス・デイヴィス、チャーリー・パーカー、そしてアート・テイタムといったグループに遠慮がちに自分を含めながら、ジャズに傾いた改宗について述べた後、本題に戻った。「ヒルビリー（田舎者）になるなんて大したことねえだろ。（はっきりそう分かるように聴衆が気まずくなっていく）誰でもワー、ワー、ワーって歌えるんだから」

我らがホスト、ダグラスは、もうたくさんだと思い、「音楽を楽しむ方法は人それぞれだよ」と社交的に応対した。

バディは全く意に介さなかった。社交などという言葉はこいつの頭の中には片隅にもなかった。「もし君が歌うのを聞くんだったら、私はフランク（シナトラ）かトニー・ベネットを聞くね。彼らの歌には、どんな時代にでも私を連れて行ってくれる感情が十分にあるんだ。ところがそれがグレ

＊7　1964年、ザ・ローリング・ストーンズは彼（マイク・ダグラス）のゲストとして招かれた。これは彼のショーがクリーブランドから放送されていたローカル番組だった頃のことだ。彼はディーン・マーティンよりはるかに優れた人だった。

ン・キャンベルだったら……」」。彼は腐ったミルクを飲んで、今にも吐き出しそうな顔をして、カントリーをポルノグラフィーに喩えた。まあ、古びたバディ・リッチ・ビッグ・バンドのカセットを彼のギグでばら撒くよりも、ポルノの方がコンウェイ・トゥイッティのレコードを売るためには効果があるだろうが。

とにかく「こいつは自分が話していることについて全く理解していない」と私が言った理由は、彼の友人、「ジャズ」シンガーのトニー・ベネットが、ハンク・ウィリアムスの歌、〈コールド・コールド・ハート〉でチャートのナンバー1を取り、グランド・オール・オプリーでの演奏を行ったからだ。それはかなり名誉なことだったと理解している。

バディ・リッチの友人フランク・シナトラはエディ・アーノルドとジョン・デンバーによる歌を録音しているし、ボビー・ジェントリーと著名な「ヒルビリー・シャンソン歌手」エラ・フィッツジェラルドのデュエット〈ビリー・ジョーの唄〉は言うまでもなく、そして（ああ！）超呑気なグレン・キャンベルの〈ジェントル・オン・マイ・マインド〉だってある（この曲は、ほんの少しだけ例を挙げると、イケてないディーン・マーティン、アンディ・ウィリアムス、アレサ・フランクリン、そしてビング・クロスビーらによってカバーされた）。これらの素晴らしい歌には、ミスター・リッチが推奨したような「このドラマーが〝ちょっと嗚咽〟するような余地」はほとんどない。二集の《モダン・サウンズ・イン・カントリー&ウエスタン・ミュージック》を録音したソウルの天才、レイ・チャールズもいた。両方とも大ヒット作である。

ザ・ローリング・ストーンズに話を戻そう。彼らはいつでもカントリー・ミュージックが大好きだった。そして聞いたこともないようなレベルで演奏していた。いかがわしい〈レット・イット・ブリード〉や〈トーン・アンド・フレイド〉、〈スウィート・ヴァージニア〉の不可能とも思えるようなシャッフル、〈ノー・エクスペクテーションズ〉、〈ディア・ドクター〉、〈ファクトリー・ガール〉のしなやかなタッチ、美しく、ドラッグまみれの哀歌、〈ワイルド・ホース〉と〈シスター・モーフィン〉など。彼らの最も有名なカントリー・ソング、〈ホンキー・トンク・ウィメン〉と〈デッド・フラワーズ〉は、何かに例えるなら、(意図的に)安物のパスティーシュのようだ。**《女たち》においてストーンズはカントリー・ミュージックへの新しいアプローチを発見した。**彼らは(ラジオで四六時中かかるので)誰かがクソと呼ぶような音楽を固めて作り、それを〝パンク〟と呼んだ。

★

バディ・リッチがカントリー・ミュージックに対して心を開いたなら、かなり幸せに死んでいたかもしれないが、まだ救いがある。[*8]

下らないカントリー・レコードはそれほどないと言っているのではない。実のところ、その大半はおそらくカスである。同じことはディスコでも、ヘヴィー・メタルでも、ロックでも、何についてでも言える。しかし馬鹿みたいな詩もたくさんあるが、だからと言ってアレン・ギンズバーグまで放ってしまうことはないだろう。そしてもう少し掘り下げてみたいなら、レッド・ツェッペリンを聞き直してみよう。昨今のカントリー・ミュージックのほとんどと比べて、もっと純粋にかっこいいくねりが、ジミー・ペイジのギターには聞こえるはずだ。ジェームズ・バートン、ジョー・マフィス、スコッティ・ムーア、クリフ・ギャラップのようなカントリー・ギタリストがやるようなやつである。

では我々は何を学んだのだろう。バディ・リッチはスノッブだという事実以外に。あれだけ才能があるというのも困りものだ。

素晴らしいカントリー・ドラマーは、バディ・リッチや、その他何千人ものいわゆるドラムの達人よりも、多くの人の心に触れている。カントリー・ミュージックは消え去らないのだ。ジミー・ヴァン・イートンはサン・レコーズのハウス・ドラマーで、ジェリー・リー・ルイス（彼はイートンを「クリエイティヴなロックンロール・ドラマー」と呼んだ）、ロイ・オービソン、そしてボブ・ディランのお気に入り、ビリー・ライリーとリトル・グリーン・メンらとプレイしたが、シカゴやニューオーリンズ出身のアーティスト同様、ロックンロールのパイオニアであった。当然のことだが、彼も最初はジャズ・ドラマーだった。つまるところ、このゲームは全てこうやって始まるのだ。ジョニー・キャッシュの〈フォルサム・プリズン・ブルース〉、〈リング・オブ・ファイアー〉、〈ウォーク・ザ・ライン〉などのバックに汽車のリズムを据え付けたのはW・S・ホーランドだ。言うまでもなくカール・パーキンスの〈ブルー・スエード・シューズ〉、〈ハニー・ドント〉、そして〈マッチボックス〉（全てザ・ビートルズがカバーしている）でもプレイしている。彼の名前は誰もが知っているわけではないが、バディ・リッチが触れたどんなものよりも、彼の音楽に対してポジティヴな思い出のある人がより多くいることは間違いない。*9

そしてチャーリー・ワッツである。そして、「なぜ彼は重要か」ということのもう一つの理由がこれなのだ。**カントリー、ディスコ、ブルース、パンク、その他何であろうと、彼は「戦艦」をゆら**

＊8　バディ・リッチは、トミー・ドーシー、ルイ・アームストロング、そしてエラ・フィッツジェラルドなどとも共演したアメリカの最も著名なビッグ・バンド・ドラマーとしての驚くべき経歴の後、「バディ・リッチ」と安物のプリントを施されたポロシャツを着た大学生や才能あるアマチュアが主なメンバーだったグループと演奏したり、コミュニティー・カレッジ（短期大学）や高校で仕事をしたりしながらキャリアを終えた。「ロスアンゼルス・タイムス」に載った彼の死亡記事によると、彼は死の床で看護師に何かアレルギーはあるかと尋ねられ、「カントリー＆ウェスタン・ミュージック」と答えたらしい。そして「もしあなたにさして（音楽的）技量がなければ、ロック・バンドで演奏することになる」という発言が引用された。リッチはマリファナが切れると駐車場で暴力を振るい、癇癪を起こすことで有名だった。１９６０年代にステージを共にしていたダスティ・スプリングフィールドは「クソ女」呼ばわりされた仕返しに、彼がハゲを隠していたカツラを引っ叩いたことがある。バディがギグの後でバンドに向かって叫んでいるブートレッグは有名だ。今ではインターネットで簡単に聞くことができる。

す（スィングする）ことができた。

チャーリーが《女たち》よりうまくプレイしたことはこれまでになかった。ここでのプレイはこれまでになかったほどイマジネーションに富み、正確さに満ちている。どの曲もロックンロール・ドラミングという芸術における新鮮なテイクだった。

《女たち》完成後、キースは「チャーリーはあまりに見事なんで、もっと良くなっていくって期待するだろ」と「メロディー・メーカー」に語った。「もしあいつが良くならなかったら、『なんで前より良くならないかって、そりゃいつだって素晴らしいからさ』ってボヤくんだよ！」

そして、チャーリー・ワッツがクソ野郎と呼ばれたことは一度もなかったのだ。

★

《女たち》はストーンズの贖罪だった。《山羊の頭のスープ》や《イッツ・オンリー・ロックンロール》に重たくのしかかっていた音の暗さは消え失せていた。そう思うのは私だけなのか、あるいはこれらのレコードはターンテーブルの針を交換しなくてはならないような音がしたのか？《女たち》におけるパンクっぽい曲は、透明性とテレキャスターの音を伴って鳴り響いた。そのことはエンジニア、クリス・キムジーのレコーディング・テクニックと新しいメッサ・ブギー・アンプのセットに関係している。ベースですら以前のストーンズのレコードでは聞けなかったような粒立ちをもって鋭く鳴っていた。

ツアーの後半では本当によく聞こえた。彼らがテンポを少し落とすと特にそうだった。これらの歌は本当の意味でのアウトロー・カントリーだ。〈ホエン・ジ・ウィップ・カムズ・ダウン〉と〈リスペクタブル〉は、**キースとチャーリーが（そして今ではロニーも加えて）、熱を帯びた必殺のドライヴをもって、チャック・ベリーのリフを攻撃しているということの証明だった。**それはゾンビの黙示を蹴散らす軍団のようで、ロックンロールにおける最も抗し難い力だった。特にミックが自分の体を売って大統領とドラッグをやるというテーマに立ち戻っていた時はなおさらだ。

彼らは弦を曲げたような、カントリーがかった優美さでもってこれらの曲を演奏した。言い換え

＊9　カントリー・ドラマーは考えられる限り最もタフで、全国放送のテレビには決して呼んできたくないような人種だ。ウィリー・ネルスンのドラマーを五十年以上勤めていたポール・イングリッシュは、チンピラ、ピンプ、そして警察からも目をつけられていた人物で、ドラマーというのは二の次だった。彼は武器を持たずに家を出たことなどなかった。ウィリーとも撃ち合いになり、彼の怒れる家族にショットガンを持って対抗したこともある。いかがわしいプロモーターから取り分を得るため、ピストルを使おうとしたことが数えきれないほどあるという言い伝えもある。そしてロードに出ている全員が幸せなファミリーとなる前、「正直」であるように取り仕切っていたのも彼だ。「ウィリーと何か揉め事を起こせば、悪魔が自ら銃を持って現れる最悪の結果が待っている」と言われていたらしい。つまりポール・イングリッシュである。そしてタープ・タラントだ。彼は十二年以上にわたりジェリー・リー・ルイスの素晴らしいドラマーを務めたが（1964年のアルバム《ザ・グレーテスト・ショー・オン・アース》で彼の演奏が聞ける）、彼が失業したのは、武装強盗で逮捕されたからだった。彼らのいずれもバディ・リッチがカントリーを貶めるのを聞けば、喜んで相手になること請け合いである。

れば、新たに牙を剥いたような態度と、オールドタイム・ロックンロールとの混合だ。それほど故意にではなかったが、道を踏み外したような者（の歌）、特に〈リスペクタブル〉は、マール（・ハガード）、ウィリー（・ネルスン）、クリス（・クリストファースン）、あるいはウェイロン（・ジェニングス）にはうってつけだった。《女たち》はこの作品が示したとおり言葉の再定義であり、ショー・ビジネスの権威に対する新しい異議申し立てだった。同じ職種でやっている輩は全員、自分らが一体何をやっているのか、もう一度真剣に考え直してみたほうがいいのではないか、という警告だったのである。

《女たち》は全て削ぎ落とされ、ライヴ録音されたようだった。なんのトリックもなし。ディスコティックのお気に入り、エスタブリッシュメント・ロックのポスター・ボーイズ、だがバーでの喧嘩なら、まだ十分に立ち回れる、そんなバンドによって作られたものだ。

ストーンズのパンクに対する考えは、明らかに彼ら自身に由来するものだ。ミックが夜遊びからディスコのアイディアを得たのとは反対に、パンクロック・ソングは「パンクロック・ソングとはこんなもののはずだ」という彼ら自身の考えから来ているように思える。つまりテンポが速くて、怒りと態度を伴ったショット・スルー（shot through／突き抜け）ということだが、それはザ・セックス・ピストルズやザ・ラモーンズのようなバレーコードの弾幕とは異なる。それは単純にストーンズのやり方ではないのだ。[*10]

カオスの縁により近いのは、山のようにいるパンクスではなく、ザ・ローリング・ストーンズ、そして彼らの音楽の方だった。飛び回るようなテンポ、ロックンロール原理主義からの脱却を目指して戦うジャズ・ドラムスは、それなりに素晴らしいが、簡単に予測のつくリズム・セクションを伴ったザ・セックス・ピストルズ、ザ・ラモーンズ、そしてザ・クラッシュのどれよりもパンクである。とりわけザ・ラモーンズは、よく訓練された軍事攻撃のように、真っ直ぐに進んでいく。そして即興を行う余裕は全くない。精密にできてはいるが、ストーンズとは正反対である。ジョニー・ラモーンは「真っ白なロックンロールで、ブルースからの影響は全くなし」とバンドに約束した。彼らがフィル・スペクターと60年代のガールグループを崇拝するバンドということを考えるならば、確かに扇動的な物言いではあるが、ジョニーがシンコペーションなど無いと言ったのは本心からである。彼らは全員がオン・ザ・ビートで演奏し（ほんのわずかにブギーなどやれば、それでおしまいだ）、なぜか狂ったようにスィングするのだ。

ストーンズに制限はない。〈シャッタード〉は、少なくともこの場所のバイブを楽しげに掴んでいるという意味において、究極のニューヨーク・シティ・ロック・ソングだ。この曲ではセックスと成功のために自己破壊してしまうメッカを擁護し、イディッシュ語の歌詞を歌っている。その歌の

＊10　実際、ジョニー・ロットンはザ・セックス・ピストルズに関してかなり正確に述べている。「俺たちはエネルギーをコントロールしていた。歌は猛り狂ったようなテンポじゃなく、本当にゆっくりとしてたけど、ものすごいスピードになってしまったんだ」

間ずっとこのメッカを持ち上げている。まるで金の亡者とファッション狂いのためにウジの湧いたドブネズミ天国のように。だが一体これは何なんだ？　ちょっとディスコっぽいビートだが、全然ディスコ・フレンドリーじゃないじゃないか。むしろパンクっぽいのに、ペダル・スティール・ギターまで重ねてある。そしてあのクソMXRフェイズ・シフターまで。それはこのレコード全体に使ってあるが、〈ビースト・オブ・バーデン〉でもう十分だったじゃないかと思うのも無理はない。〈ビースト・オブ・バーデン〉といえば、この歌はカントリー・ソングなのだろうか、あるいはR&Bソングなのだろうか？　まるで分からん。同じことがザ・テンプテーションズの曲の三回目のカバー、〈ジャスト・マイ・イマジネーション〉にも言える。この曲は歯を剥き出しにして唸るようなエッジをもって鳴り響き、かつてはスムーズなバラードだったのに、平手打ちを食らわしているかのようだ。寂しげで、ジメジメし、田舎臭いが、同時にストリートっぽく、しつこく、そしてザ・テンプテーションズのオリジナルのように物欲しげというよりは、少し怒っているように響く。ソウル・ミュージックの驚くべき一片である。そしてこの曲は、《女たち》の全ての曲同様、「古風な織物芸術（その定義は今や完全にドラムスを含んでいる）」を伴ったショット・スルー（shot through／突き抜け）で、どんな曲でも始めたテンポで終わるべきというものの考えを容赦なく度外視した結果だった。

真面目な話、これが一体何なのか誰が分かっていたのだろう？　タイトル・トラックは汚らしい酒盛りの歌のようだった。これはチャイニーズ・ガールズ、ブラック・ガールズ、ホワイト・ガールズ、そして他のほぼ全てのガールズらと何がしたいかということについての歌で、ここにはプロテストも何もなかったが（そのような非道さは道理に叶っていたのかもしれない）、やがてこんなことを続けるのはこれで終わりにしようということになった。特にドラムのパート、チャーリーがこれまでに呼び起こした最もルーズでタイトな奇跡の一つ、これはもうやめとこうと。汚らしい自慰行為のような歌だったが、チャーリーは《ゲット・ヤー・ヤ・ヤズ・アウト》以降、ドラムセットの背後で約束したことを全て実行していた。「シュープ」、歪んだスネア・ロール、そして新品のチャイナ・シンバル。

チャイナ・シンバルは重大な出来事だった。

チャイナ・シンバルはちょっと変わった金物類の一つだった。ギアに関して古臭い考えしかもってない者にとっては特にそうだった。チャーリーはチャチな仕掛けにハマったことは一度もなかった。彼は、ほぼ全キャリアを通じ、ライドとそれより小さいクラッシュの二枚のシンバルを使っていただけである。最小限中の最小限と言ってよい。チャイナ・シンバル（時にトラッシュカン〔ゴミ箱〕・シンバルとも呼ばれる）のエキゾチックな炸裂は、基本的なストーンズ・サウンドの前提にとっては、反直感的（つまりよく考えられたもの）と言えた。

ずいぶん前の話だが、エキゾチックなチャイナ・シンバルは、エキゾチックなタムタム、木魚、ベル・ツリー、自転車のホーンなどの奇妙な仕掛けの一つとして、初期のジャズ奏者のセット中にあった。ドラムセットを「トラップセット」という名前で聞いたことがあるなら、話は通りやすい。それは「コントラプションズ（奇妙な仕掛け）」を短くしたものだ。それから何年も後になって、かなりの数のスィング・ドラマーが、大きなホーンセクションの後方でドライヴを得るために、チャイナ・シンバルを使っていた。虚飾よりも慎み深さと音楽性で知られた稀有なビッグ・バンド・ドラマー、メル・ルイスは、ホーンセクションを押し出すために（ホーンをかき消してしまうことなしに）使っていたチャイナ・シンバルでライドするのが大好きだった。ジェイク・ハンナは、後期のウディ・ハーマン・ビッグ・バンドを支えていたスィング時代の頑張り屋だが、チャーリーにチャイナ・シンバルをプレゼントしたことで知られている。

しかし1970年代末か80年代になると、チャイナ・シンバルは、一般的にはプログレ・ロッカーと、様々なレベルの技量をもったメタル・ヘッズがよく使うものになった。彼らは特大サイズのチャイナ・シンバルを逆さまにセットして、ドラムソロとも何とも見分けのつかないものに穴を空ける効果のために、カンカンというヘンテコで耳障りな音を出したりした。あるいはクラクラするようなツインバスによる雪崩のような連打に区切りをつけることもあったし、この手の隠し芸に涙を浮かべるような、『ダンジョンズ・アンド・ドラゴンズ』の純粋なファンを感激させるような安い仕掛けとなることもあった。要するに紙吹雪の嵐のドラム版だったのである。

チャイナ・シンバルのジャズでの使用法の再発見はチャーリーに任せておこう。彼は初期の時代にその実験を行っていたが（キャリアの初めの頃、彼がチャイナ・シンバルを掲げている写真がある）、R&B伝統主義というプールの深いところをストーンズが歩いていた時には、まだうまくいかなかったのだ。ところが何故かチャイナ・シンバルは、そのやかましい栄光の中にあって、彼らの新時代に新しい趣きを吹き込むべく、《女たち》にその活路を見出したのである。

チャイナ・シンバルは、あまり期待してなかったような、生々しく、汚れたような色を与えることとなった。エキサイティングだったということは疑いようもないが、他のものと同様、分別が必要だった。チャーリーは、伝統とは異なり、右側が上になるようにセッティングした。「ニュー・ディール政策」以前からそのような方法でプレイされたことはなかった。「これには毎晩かなりの強打が必要になる。端っこで（音が）割れるんだ……」と、プロモビデオで自分のドラムセットを描写した際に説明している。

チャイナ・シンバルは、ストーンズという脈絡では、少しばかり混乱していた。伝統的などんな意味においても、メローで、小綺麗ではなかった。シカゴ・ブルースやR&Bやソウルの歴史のどこにもそれを見つけることはできなかったが、1970年代後期のザ・ローリング・ストーンズにはピッタリ合った。その音は鋭く、短い。チャーリーがパーカッションの変態ものに限った見本市に何か出品するなら、トラッシュカン（チャイナ）・シンバルなのである。それは《女たち》でのニュアンスある効果からライヴショーで顔をひっぱたくような、ドラムセットの後ろにいるジャズ野郎からの紳士的な「ファック・ユー」で開花し始め、《女たち》と同種の、ほぼ遜色のない次回作《エモーショナル・レスキュー》で満開となった。ざらざらしたチャイナ・シンバルの響きは、ギターリフと同様、〈シーズ・ソー・コールド〉（氷のように）〉のフックの大部分を占めており、この曲に完全に皮肉な響きを与えている。これに続くどのツアーも、そしてどのレコードもこの（チャイナ・シンバルの）音で味付けがしてあった。これは「古風な織物芸術」における最後のヨリだった。百万人もいるドラマーの誰も、今の時代にその効果を抽出することなどできなくなった。それは安っぽいとしか思えないような効果で終わってしまっていただろう。ところがミスター・ワッツの手にかかると、カントリー風パンクに本物の勇気（true grit）を与え、R&Bとソウルを明るく照らし、ポップチューンでは完膚なきまでバチバチと音を立てたのだ。

当然のことながら、この美しさは彼らのキャリアの後半になって現れた。そしてこのことが「なぜチャーリー・ワッツは重要か」という理由の一つなのである。チャーリーはストーンズの音をまたもや比類ないものにしたのだ。彼はまだ進化していたのだ。

下手くそなバンドやバー・バンドが、ストーンズ風にやるということは、チャック・ベリーとジャック・ダニエルズでもって、いい加減にやることへの言い訳だと思っているようなハードロック・アリーナの世界で、チャイナ・シンバルは最後に咲くべくして咲いた花であり、気持ちのいい春から革命の夏へと、間違った方向に行ってしまったフラワー・パワーの最後の輝きだった。それはザ・ローリング・ストーンズの壮大な旅を終わらすべく、最後の攻撃性の閃きだった。もう一度言うが、**チャーリー・ワッツはブルースを未来にもたらしたのだ。**

★

レコーディングが終わるまでに、キースはクリーンになる途上にあり、セッションの間、トイレで「たまーに」やっているくらいだった。[*11] 牢屋の中に七年間もいることを考えるのはしばしば健康的な効果があることだった。ところが、おかしなことに、今度はチャーリーがヘロインで遊び始め、キースに「NO」と言われる羽目になった。ありがたいことに彼はキースの言うことを聞いた、しばらくの間は。後に厄介なことになるのだが、そのことについては追って触れるとしよう。「だが当面の間」、彼らはどうにかちゃんとやっていた。

アルバム《女たち》をサポートする1978年のツアーは、全ての面で成功するべくして成功した。そこで警告だ。『レディース・アンド・ジェントルメン』がミック・テイラー期を捉えたものだったのと同様、このツアーのライヴ・ドキュメント『女たち－ライヴ・イン・テキサス'78』はロニー・ウッド時代のそれに相当する。もちろん、色々なことが変わった。このビジネスにおいて六年間というのは永遠に等しい。テクノロジー、ファッション、政治、ドラッグの趣味、音楽の聞き方も全く違うものになった。しかしバンドはシリアスさを目的とし、統率されているようだった。

このツアーは、1970年代初期の体中に電気が走ったようなツアー以来、最高の演奏で、彼らは、教会のドアに恨みつらみを打ちつけてやるという信念をもって、自分らの意図を宣言した。彼らはレッド・ツェッペリンほどヘヴィーではなかったが、テンポはどんどん上がっていった。

ミックはいつもの通り、歌詞に少しばかりの心づけをしていたが、それをしなければミックはミックじゃない。彼は本当に〈スウィート・リトル・シックスティーン〉の歌詞を「タイトドレスとリップスティック」から「タイトドレスとタンパックス」に変えなければいけなかったのか？　売春、マリファナ、奴隷女とのセックスで十分じゃなかったのか？　〈スターファッカー〉で彼が「どこで線引きしていいものか分からない」と歌っている時は、少なくとも真実を語っていた。そのことは十分に考慮されるべきだ。

そしてミックが着ていた「DESTROY（破壊）」という言葉の下に鉤十字のあるヴィヴィアン・ウエストウッドのTシャツだ。ジョニー・ロットンがザ・セックス・ピストルズで着て有名にした鉤十字のシャツを着るのがかっこいいと思ったというのもちょっと悲しいものがある。チャック・ベリー（の曲）からリフを捻り出すのも一つだが、既製のパンク・ファッションを買ってくるというのはちょっと情けなかった。

しかしストーンズの新しいレコードには、みんな夢中になっていた。みんなが主張した。「この瞬間、ストーンズはロックスターという自己を乗り越え、古くからのファンと再び繋がり、同時に新しいファンを獲得した」と。彼らは再び人々のバンドとなったのだ。彼らがギターを追求すれば、チャーリーが魔法と毒と喜びを歌に吹き込むことでそれに応えた。彼はハーレムのナイトクラブで演奏するためにデザインされたドラムスで、スタジアムを揺さぶったのだ。彼らが絶好調だったことは否定できなかった。

*11　《女たち》のセッションはとても実り多く、トップ・クラスのカントリー・ソングをアルバムもう一枚分ほど生み出した。後にそれらのほとんどが磨き直され、リマスターを施された《女たち》のデラックス・エディションに収録された。どの曲もたいへん価値あるものだ。12曲のキラー・カッツのどれをとっても、ヒット曲〈ファー・アウェイ・アイズ〉に勝るとも劣らないバカさ加減である。〈ドゥ・ユー・シンク・アイ・リアリー・ケア〉はおそらくニューヨーク・シティに関する最高のカントリー・ソングだ。彼ら以外の誰にDトレインやロング・アイランド急行への失恋について書くことができるだろう。ハンク・ウィリアムスのカバー〈ユー・ウィン・アゲイン〉、キースによるとびきりハイ・アンド・ロンサムなウェイロン・ジェニングスの〈ウィー・ハド・イット・オール〉ももちろん素晴らしい。社交界のガールフレンドに殺されたスキーヤー、スパイダー・サヴェッジについて歌った必殺のロカビリー〈クラウディーン〉(俺は銃で妻を脅している／でも安全装置はかけたまま)、そしてハードにスィングするシャッフル〈トゥー・ヤング〉(俺は気楽にやろうとして、チンチンはしまっておくことにした。彼女はとても若いから)は、ミックがそれまでに関わった曲中、ここまで下世話でロッキングな2曲はないという例だ。これもまた穿った言い方だが(どう解釈しようとあなた次第だ)、ミックとしてはキースが収監されようがどうでもよく、これらの曲をレコードから外せば、まだ自由の身でいられ、自分たちの所業の面倒を見ていられるとでも思ったのかもしれない。当時、彼らがこれらの作品をどうしてリリースしなかったのか理解するのは難しい。もう一本ホームランが打てたのかもしれないのに。もしかしたら「世界最高のカントリー・バンド」という秘密を知られたくなかったのかもしれない。

何年間かにわたって、チャーリー・ワッツ・スタイル（様式）がゆっくり形成されてきたが、**今やチャーリー・ワッツ・サウンドが存在する**。なぜかチャイナ・シンバルの導入は彼のプレイをより引き締まったサウンドにした。重み、腐敗、倍音、電話のベルとの勘違いなど、一切を取り去り、全てをアタックにした。まるでブルース・リーに顔を張られているかのようだった。

オン・ステージでの〈シャッタード〉は、ほとんど不可能とも言えるようなテンポで演奏され、ディスコなのかパンクなのか依然見分けがつかなかったが、明らかに後者の方に傾いていた。ミックが「この街に住むためにはタフ、タフ、タフ、タフ、タフ、タフにならなきゃな」と歌うと、スネアドラムによって生み出される威厳で感傷的な気分が響き渡った。そしてこんなやつらに喧嘩をふっかけるなんて絶対にごめんだと誰もが思った。

永遠のクロージング・ナンバー、〈ジャンピン・ジャック・フラッシュ〉は挑戦的であったばかりか、「証明書」になった。テンポなんかお構いなしの、情け容赦のないリフの応酬で、スタジアムいっぱいの若者の頭を吹き飛ばすためという目的にのみ演奏された。筋肉的で、これ以上ないくらい熱狂的だった。彼らは、彼らの評判は実際の彼ら以上だという予想など全くなしにステージに飛び出してきたが、毎晩彼らが何者なのかをはっきりと証明した。彼らこそ、この世界でクソ最高のロックンロール・バンドだった。

長期間にわたる使用に耐える《レット・イット・ブリード》のロバート・ジョンスンのカバー、

〈ラヴ・イン・ヴェイン（むなしき愛）〉は、今や拍手喝采で演奏が止まるほどのドラムス立法曲で、裏返しから（つまり彼らの演奏によって）その所以が計り知れるブルースの古典になっていた。ここまで完璧な大胆さをもってこの曲に取り組み、かつオーセンティックであることをやめることなど、彼ら以外、世界中の誰もできなかっただろう。古《いにしえ》が新に出会ったのだ。まるでミンガスがレッド・ツェッペリンに出会ったように。ただストーンズの誰もこのことに賛成しないだろうが。ツェッペリンは真面目に受け取るには、微妙な部分が十分足りていないと思われていた。〈ミス・ユー〉ですら完勝だった。レコードではいかがわしく、潤滑油が効いたように楽しかった。ライヴでは熟練の泥棒チームが素晴らしいリフを奏でることができる一例だった。

メンフィスでは、ちょっとした遊びで〈ハウンド・ドッグ〉を演奏し、チャーリーは往年のD・J・フォンタナをやってみた。もちろん彼は自分なりのやり方でやった。あの三連の連打を、かなり用心深く「予兆（anticipation）」から「貫通（penetration）」へと圧縮して。分別は勇気のかなりの部分を占めるが、しばしば勇気の大部分はいつやるべきかということを理解することなのだ。

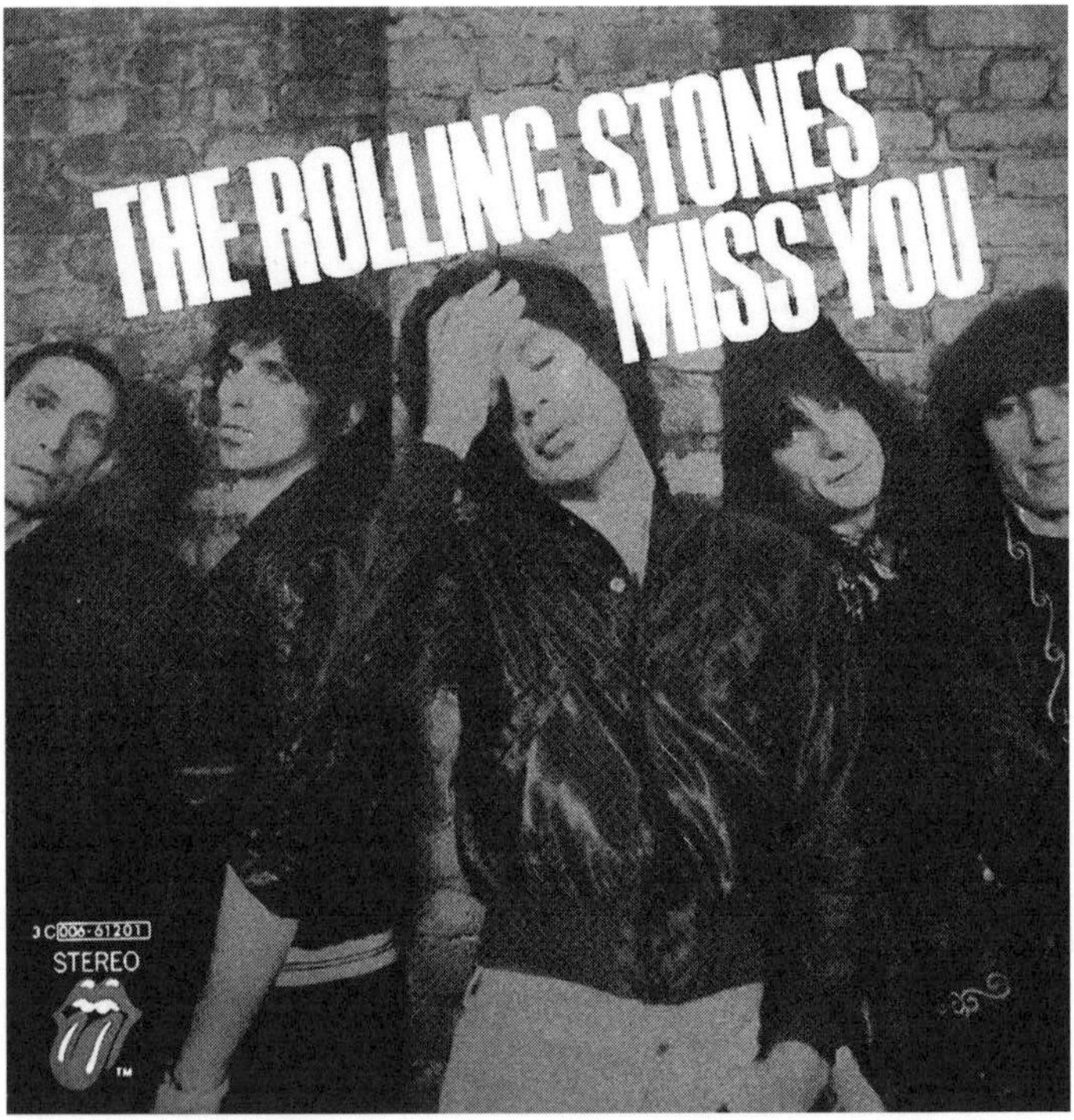

シングル〈ミス・ユー〉のジャケット

9章

80年代のチャーリー
——予期せぬ傑作《刺青の男》への貢献

Hang Fire

前回のツアーの大勝利の余韻からしばらく経ってみると、かったるい雰囲気が鮮明になった。カレンダーが1980年になった瞬間、全て面白くなくなったのだ。

キースは晴れて自由の身となったが、まだ時代は変わっていなかった。[*1] 1980年代の最初の一年目でジョン・レノンが死に、ロナルド・レーガンとマーガレット・サッチャーは新たな戦争をめぐって子供のように笑っていた。保守的な大衆、エイズ危機の勃発、MTV（ロックンロール革命を利用するための耳障りな共同交付金回収装置）などが新しい時代のニュースリールにおけるゴールデン・タイムを争っていた。

ザ・セックス・ピストルズは誰かの罪のために死んだが、他の救世主と違って、死んだままだった。そのことでストーンズがあえて何かを証明する必要もなかった。思うにこれが勝ち組に付された呪いだったのだ。

30代でのあらゆる悪行を経た後、ストーンズは当代のロック寿命基準でいうシニア世代となっていた。レスター・バングスは、彼らが《イッツ・オンリー・ロックンロール》を約十年前に発表した時点で、こいつらはもはや下り坂で、時代遅れだと言い放った。これは自分の思い込みだけでやっている（あるのか、ないのか分からない）詐欺のような仕事の三十年目、つまり老年期に突入したロック・ミュージシャンが、自分のことを真面目に受け取りすぎているという考えに根ざしていた。ベビーブーマーがロックをプレイすることは悲しい冗談としか受けとめられなくなることなど、誰にも予想がつかなかったのだ。何せ「ジジイになる前に死んでしまいたかった」のだから。

ミックは新しいトレンドを探してクラブを徘徊していたが、特にイライラしていたに違いない。セックス、リズム、ゲイ・ディスコ・シーンのデカダンスは、ダンス・ミュージックのコーポレート（産業）・ヴァージョンと、まがいものの蛍光塗料で色付けされ、滴り落ちるような、そしてたまらなくムカつくシンセサイザーの音に溢れたニュー・ウェーヴに道を譲った。

ストーンズは後に「クラシック・ロック」として知られる、このジャンルの成れの果てになるところだった。自分たちの過去がどれほど使い物になるかということの上に胡坐をかく会社の重役に昇進し、レッド・ツェッペリン（まともな理由では説明できないライフスタイルに起因する合併症で、代替の効かないドラマーを失ったことにより活動停止した）とザ・フー（同じような理由でドラマーを失ったにもかかわらず、こちらは傲慢にも活動を続けた）の穴を埋めるべく救済を提供しながら。

＊1　キースのヘロイン所持に対する禊（みそぎ）はカナダ盲人協会のためのベネフィット・コンサートだった。カナダには素晴らしい判事たちがいた。彼らはキースを投獄したところで誰も何も得られないが、それよりは彼にクリーンになってもらい、チャリティ・コンサートでも開いてもらった方がマシだと考えたのだ。ショーはニュー・バーバリアンズとして告知された。これはロン・ウッドの移動式パーティー・バンドで、メンバーはキースとその他の仲間数人からなっており、ストーンズの《女たち》のツアー後からロードに出た。彼らのセットは素晴らしかったが、それにも増してストーンズが現れて演奏した時には、まるでジェット機が離陸するところを精神的レベルで体験しているかのようだった。彼らは1978年のセットの一番いいところをさっとやってのけた。明らかなハイライトは全くもって目眩のするような、ほとんど災害とでも言うべきヴァージョンの〈スターファッカー〉だ。このショーのブートレッグ、《ブラインド・デート》（簡単に見つかるので、ぜひ探してみるべき）が直後にリリースされたが、私はこの〈スターファッカー〉の最初の二、三分間ばかりを何度もかけていた。私の友人にも聞かせてやったが、彼はこのめちゃくちゃを褒め称えている私のことを頭がおかしくなったと思っていたようだ。それは出来損ないからもほど遠い、はっきり言って言語道断の演奏で、彼らは完全に海原を彷徨っていた。キースがオープニングのリフを弾き、ミックがそこにタイミング良く入り、それがチャーリーへのキューとなるはずだったが、ミックが完全にハズしたのである。もしかしたらミックにはバンドがよく聞こえてなかったのかもしれない。そのあたりはよく分からない。結果、バンドの半分は歌の通りにコード進行していったが、残りの半分はどうしていいか分からず、取り残されてしまった。そんな感じでしばらく演奏を引き伸ばしつつも、その間、キースがチャック・ベリーのリフを繰り出していた。その部分だけはちょっとかっこよかったが、ほとんど何の助けにもならず、全体はただのめちゃくちゃだ。チャーリーは即興でヴァンプしたりジャズしたりマッサージしたり色々やってはいたが、曲が進むにつれ、ますますどうにもならなくなってしまった。ある時点で、彼らはどこが一拍目か完全に分からなくなってしまったかのようだった。そしてどうにかキースが流れを掴み、まるで回転盤に結えられた女性が再び周回してくるのを待っていたサーカスのナイフ投げが、彼女の頭ではなく、両足の間にナイフを突き刺すかのごとく、曲の冒頭となるべく箇所を見つけたのだった。それは彼の得意な、ほんの少しばかり肉片を骨から削ぎ取る凄技のようだった。そしてチャーリーはいつものようにキースの後ろからビートを上げていき、ミックがとどめを刺す。全員が一体となり、またしても彼らは「世界最高のロックンロール・バンド」となっていた。それは低俗、いい加減、そしてゴミのような演奏で、私が聞いたどんなプロのバンドとも異なっていた。それはそれで目を見張るものではあるが、確かに多くの人が素晴らしいと呼ぶようなものではない。こんな演奏をするバンドを雇うようなバーなど皆無なのは明らかだ。個人的にはこのクソ、言い換えればマジックを瓶詰めにしたいくらいだった。

これは悪い時代の始まりだった。ミックとキースの内紛は、これから始まろうとしていた十年間の大部分を平板なものにしてしまったが、その原因は世界で最も著名なジャンキーとしてのキースのキャリアにあった。

21世紀の波に乗って未来について考えるならば、公然たるコアなドラッグ中毒は、かつてそれがもっていたような魅力を失ってしまうことになる。最も基本的な句読点の付け方すらまともにできなかったガンズ・アンド・ローゼズとモトリー・クルーのせいだが、その話は別の機会に譲るとしよう。

もしヘロインをセクシーなものにできるなら、キース・リチャーズにとってのヘロインは、リタ・ヘイワースにとってのマックス・ファクターである。しかしながら、真実は、全てのジャンキーにとっての真実なのだ。あなたがどんなバンドで演奏していようと、そんなことはさして問題ではない。あなたがどれほど金持ちだろうと同じことだ。あなたが誰であろうと、ヤクはあなたを生きたまま食い殺してしまう。キースの崇高な自叙伝も（そのことに関しては）何の手加減もない。これはロックンロール・バンドの歴史物語であると同時に、法の執行に身をかわしながら、次の摂取だけを目的として生きる、悲惨なヘロイン中毒の話だ。アート・ペッパーとアニタ・オーディによって描かれた暗くロマンティックな悪夢にも似たジャンキーの回想録である。

ストーンズのヘロイン・デイズが最も激しく燃え盛ったのは《ならず者》の時代だと考えている

なら、あるいはドラッグの奴隷になることに関してワクワクするようなロマンスを感じているなら、それはあの汚らしい地下室で、キースがあまりに多くの仲間や腐敗したカウボーイどもに囲まれていたからに他ならない。そして彼らのキャリア中、最もクリエイティヴな十年間に生み出された傑作の多くが、あのようなライフスタイルから直に花開いたように見えるだけなのである。ミックはギタリストたちほど酒にもドラッグにも傾倒しなかった（実際のところ彼の酒が楽しくないのは有名だ）。彼はそんなことに加わるよりも絵を描く方が得意で、ゴッホが濃青色、赤紫色、そして青緑色を巧みに使ったように、コカイン、スピード、そしてヘロインを使って、〈シスター・モーフィン〉、〈リップ・ジス・ジョイント〉、〈デッド・フラワーズ〉、〈キャント・ユー・ヒア・ミー・ノッキング〉、〈ブラウン・シュガー〉、〈レット・イット・ブリード〉、〈リスペクタブル〉等を次々に生み出した。これらは全て〈マザーズ・リトル・ヘルパー〉の無邪気な注射と、ありがたいことに短期間で終わったＬＳＤ時代以降に起こったことである。

しかし《女たち》に続く《エモーショナル・レスキュー》が出るまでに、キースは改めてクリーンとなり、解毒作用から来る禁断症状からも解き放たれ、ツアーに出たくてうずうずしていた。ところが、ロニーは全くのパーティー・モード、コカインとの気ままなお遊びを継続中で、その真ん中にいるミックは、どちらとも関わり合いたくなかったのだ。キースとロニーは、個人的な化学薬品をめぐる争いの渦中にある「ヘッケルとジャッケル〔2羽の似たものカラスを主人公にしたアメリカのアニメ」」のようで、彼らの最悪の恐怖は、つまるところ「外用のみ」と書かれたラベル付きのボトルに集約されていた。

ミックの仕事の大半はこのおしゃべりたちを辛抱することだった。しかし70年代も終わりになると、ミックは他の誰とも比べられないほどの純粋な情熱と魅力をもってこの仕事を終わらせ、そろそろ休憩する時だと思っていた。それから間もなくして、彼は「数字」を見せられることになったのだろう。「デーン！」それが意味していたのは、グルーピーの数なんかよりも、ビッグ・マネー・大企業スポンサーと組み、これまで以上にチケットが売れるという点で、最大のツアーになり得るということだった。つまりミックをエクスタシーに駆り立てる、いよいよすごい出来事だったのである。そして誰かがロニーのクラック・パイプに常に目をやるということを条件に、新しいツアーへ出発することになった。[*2] それは三年ごとに北米ツアーを行うという不文律を守るということでもあった。

このサーカスをうまくやるためには、新しいレコードが必要だ。この時代、音楽業界の企画には、ツアーに出るための新しいアルバムが必要だった。これが普通のやり方で、歴史が始まって以来、恐竜が地上を歩いて以来、いつもこうやってきたのだ。ストーンズがツアーに出るために、わざわざ新しいレコードなんか必要ないと誰かが気がつくまでには何年もかかった。実際（ある時期になると）ニュー・アルバムなんかない方がマシなくらいだった。

あまり時間もなかったし、グループを再集結して、新しいレコードのために曲を作るプロセスを始めようという気にもならなかったので、ストーンズと長く行動を共にしたエンジニアのクリス・キムジー（この話の陰の功労者の一人で、《スティッキー・フィンガーズ》から一緒に仕事をし、《女たち》を必要なものだけに削ぎ落として、傑作にした人物）を、前回のツアー、あるいは過去4、5枚のアルバム制作から使える残り物を見つけてくるようにという難しいリサーチに送り込んだ。というのは、ここまで見てきたように、ストーンズが調子のいい時には、隣のやつのディナーよりも彼らのクソの方が上等だったからだ。

しかしストーンズにとっても《刺青の男》は、ソファのクッションの間に見つけた札束のような贈り物だった。「素晴らしい作品だと思うよ」と後にミックは語った。「だが俺がいつも好きなものが欠けていた。目的、場所、時間など、統一感に欠けていた」

「残り物」は《山羊の頭のスープ》、《ブラック・アンド・ブルー》、《女たち》、そして《エモーショナル・レスキュー》から見つけられた。驚くべき賜物だったが、十分な研磨が必要だった。

彼らの最高の仕事は、**チャーリーのスネアドラムを神の音、オリンパスの山から発せられた雷のような音に仕上げた**ことだ。これは流行りのコンピューターで行われたのではなく、スネアドラム

＊2　キースはロン・ウッドをシャキッとさせるため、彼の頭に銃を突きつけたといわれている。

を含むトラックをバスルームに置いたスピーカーから流して、部屋の中で跳ね返る音を再録音した。それはゴールド・スター・スタジオのようなエコー・チェンバーではなかったが、結果は、マーサ・リーヴスの〈ノーホエア・トゥ・ラン〉以来聞くことのできなかったようなアタックとなった。

チャーリーのリムショットは、銀行強盗の機関銃の弾丸が大理石の壁に跳ね返るようには響かない。つまり危険な音、予測不可能な音ではないということだ。彼の演奏は銃弾の速度とはあまり関係ない。**彼の魅力は跳ね返った弾丸がもつ危険性にあるのだ。**彼の後ろでギターはこれまで以上に不快かつパンチのある音を鳴らす。ベースもまた同様だ。ビル・ワイマンがこれほど良い音を出したことはなかった。キムジーと彼のパートナー、プロデューサーでミキシングも担当している**ボブ・クリアマウンテンは、ストーンズ自身ですら見つけるのに苦労したストーンズの音を見つけていた。**

ミックはパリのパテ・マルコーニ・スタジオに立て篭もり、ほぼ一人で仕事をした。彼は口やかましいバンドメイトに邪魔立てされることなく仕事するのが大好きだったようだ。というのは彼の演奏（歌唱）は完璧で、ほとんど無邪気なほど、わざとらしいところがない。そしてどのような意味合いでさえも怒ったり、緊張したりしているようには聞こえないのだ。《女たち》の強気で、辛辣な言葉はパンクスどもを蹴散らし、確信に満ちた祝祭をもたらした。一方《刺青の男》のファルセットはスリリングに響き、新しい歌詞とメロディーもフレッシュで、倉庫に生えていた苔を集めて作られたような音はまるでしなかった。

1981年の夏にリリースされた《刺青の男》はザ・ローリング・ストーンズの予想し得なかった宝石で、彼らの最後の傑作である。ツアーをサポートするために、過去のレコードからのアウトテイクを刷新したものを合成して、一枚のレコードにまとめ上げたことを考えると、全くの奇跡と言ってよく、**その真ん中にいたのはまさにチャーリーだった。**

遡って考えてみると、まるで次第に暴風雨がやってくるかのように、チャーリー・ワッツの上昇が見えてきたはずだ。《山羊の頭のスープ》の〈ドゥー・ドゥー・ドゥー…（ハートブレイカー）〉における冒頭のハイハット、小旅行〈イフ・ユー・キャント・ロック・ミー〉に出るための三音の合図（アルバム《イッツ・オンリー・ロックンロール》で最初に聞こえる音だ）、《ブラック・アンド・ブルー》での以前にも増して妥協のない活気に溢れたリズム、《女たち》でのドラムスにおける目の覚めるような響きと複雑さなど、それぞれのアルバムでストーンズっぽさをもたらしていたのは、ミックやキースと同じくらいチャーリーだったという認識、そしてチャーリーこそが他の誰ももっていない「ゾーク」をもたらしていたことに関してもはや議論の余地はなかった。それは教義だったのだ。

《刺青の男》には何もかもが抜き身で並べてあった。チャーリーは全トラックにおいてダックし、ウエーヴし、そして才能のないドラマーならロープに掛かってしまうようなところでもスペースを見つけた。あらゆるスーパー・ヒーロー同様、彼には人間的であると同時に超人的なクオリティーがあった。マシンガンを持ったギャングのような音を響かせる一方で、フィルとブレイクダウンの不均衡に脆さがあった。

《刺青の男》は体操競技と異なり、ロック・ドラミングの『カーマスートラ』のようだった。それぞれのドラム・フィルはどこかしら素晴らしく、新しい角度から組み入れられていた。そしてこれが「なぜチャーリー・ワッツは重要か」という理由の一つである。彼は頂上まで登りきって、全てやりきってしまうのは品がないということをわきまえているのだ。そんなことは犬のすることだ。

★

本来、失敗したレゲエ・ジャムとして生を受けた〈スタート・ミー・アップ〉は、どんなことにでも対応できるロック・ソングへと進化した。ロックラジオにとっても完璧なテンポだし、アップビートだが荒々しくもなく、〈ブラウン・シュガー〉のコードから発したにもかかわらず、危険さを誇ったりすることはない。「死人もイカせる」という短い一節は、ほどよく軽快ないかがわしさを醸し出している。それより何より、昔ながらのザ・ローリング・ストーンズのような音がするのに、車庫から出てきた新車のように、磨かれて、ピカピカなのだ。[*3]

《刺青の男》の真の美しさは、追いかけ合うようなブレイクダウン、時間を捻じ曲げてしまうこと、目的と実行、複雑かつ前例のない突然のハイハットの開閉など、**全ての歌でチャーリーがドライヴするということだ。**ずんぐりとしたブルース・ソングは別として、ロック・ソングは全て、チャーリーが自分でキック・オフするのだ。

〈スタート・ミー・アップ〉に続いて、（《女たち》と《エモーショナル・レスキュー》のセッションからどうにか生き残った）〈ハング・ファイアー〉はテンポを速めた十六分音符のパッセージの爆

＊3　無惨な大失敗をキャッシュへと転じるかのごとく、絹綿を黄金へと換えたのがストーンズの錬金術師たちだった。〈スタート・ミー・アップ〉のイントロは、ヒット・レコードではかつて見たことのないほど大事故寸前の様相だということでよく知られている。この完全にトチ狂った開始は、二、三拍ほどのスペースでものの見事に解決されている。キースのオープニング・リフとチャーリーの間違った入り方がどうやってぎこちない至福へと相なったかということについては、大学レベルの論文が書かれている。率直にいうと、私はこれをチャーリーとキースの内輪のジョークだと思っていたが、彼らも二度と同じように演奏することができていない。あるいはやってはみるものの、ドラムスが入る前のところがほんの少し長くなったり短くなったりして、いつも異なった結果になっているということは特に目を引く。びっくりさせられるのは、発火装置にタイミングを合わせている時でさえ、彼らがこの部分をとてもルーズに保っているということだ。それは実に面倒臭い、至難の業である。キースは「ギター・プレイヤー」誌に次のように語っている。「ある意味ロックンロールは、かなり非構造的な方法で演奏される、とても構造化された音楽でね。曲を始めてから乗っかっているビートを裏返したりするんだ。〝今の聞いたかい？　ビートを裏返しちまったよ、なんてね（笑）。〟確信をもってそれができれば、しかも無理矢理じゃなく流れの中でだと、すごい快感なんだ。そうなっても自滅しないという自信が十分あるバンドだったらできることさ」。＊1（P209）の〈スターファッカー〉然り、《ゲット・ヤー・ヤ・ヤズ・アウト》収録の〈リトル・クイニー〉もその一例だ。ここでは冒頭からビートがひっくり返っていて、（このボートを）立て直すために縦横無尽なチャーリーの機敏さが必要とされている。ボーカルが入ってくる前、彼が一拍余計に入れているのが分かるだろう。しかもこのレコードは三回のショーから編集されたものだということを考えるとなおさらだ。わざわざこのバージョンを選んで入れたのだろうか？　意図的にそうしたとしか思えない。

発により点火する。そして、やたら不均衡なアクセントを伴った突風は、まるで泥の塊を投げつけるかのように響く。たいへん素晴らしい。しかし、(こんなことをすれば) 大抵のドラマーならクビになってしまうところだ。この歌の間ずっとスネアドラムが全く予想できないところで鳴り響く。予期 (anticipate) することなど不可能で、言うまでもなく貫通 (penetrate) するのだ。

〈奴隷〉ではチャーリーがまず (拍と拍との間を長く取って) 大股に歩いて見せ、曲の間中グルーヴを主導する。本来は《ブラック・アンド・ブルー》のために録音されたもので、ビリー・プレストンとオリー・ブラウンのファンクがまだトラック中に残っているが、サクソフォン奏者、ソニー・ロリンズのソロをオーバーダビングして (古参のジャズ野郎、キースのダーティーなロカビリー、チャーリーを宇宙軌道にまで打ち上げたに違いない)、刷新された。〈リトルT&A〉では、〈リップ・ジス・ジョイント〉を思い起こさせるような二発の短いショットでキューを送る。〈ネイバーズ〉(〈リトルT&A〉同様、《エモーショナル・レスキュー》からの残り物) ではチャーリーとミックが冒頭からスィングする。イントロはボーカルとドラムスの

愉快な取っ組み合いのようで、〈ラヴィング・カップ〉のパンクロック・ヴァージョンだ。ソニー・ロリンズがまた演奏しているが、ジャズ・アワーはまだ終わっていないのだ。スネアドラムが、実際上のバランスの限界を超えて、増幅されている。

レコードの裏面（「裏面」とは20世紀由来のアナクロで、ＬＰレコードの一部分のことだ）は《山羊の頭のスープ》まで遡るバラードの組曲からなるキラーで、ここでのチャーリーは圧巻という他ない。この頃でもまだ流行っていた、プログレのティー・ポットで巻き起こる嵐のごとく荒れ狂うドラムスがお好みなら話は別だが。ディスコとパンクが頑張ったにもかかわらず、ミニマリズムは巨大なムーブメントとはならず（カンサス、ラッシュ、スティクス、そしてイエスはまだアリーナを埋め尽くしていた）、ありとあらゆるギアに死ぬほど囲まれたドラマーがドラム雑誌のページを飾っていた。チャーリーはそんなものと無関係で、丸いバッジのようなグレッチのキットで手術を続けていた。未だに大人気だったゴテゴテのドラムセットに比べると、彼のドラムスは極小だった。

どんな曲でも、どれほどレイドバックしていようと、彼には度胸があった。演奏のどの部分でも全て歌に寄り添っていた。**他の誰にもできないような方法で、チャーリーはミックを持ち上げたのだ。**ストーンズのクラシック・バラードと泣きの曲でもトップを占めるこれらには、音楽的な力強さがあった。《刺青の男》は誰も予想していなかったレコードだ。以前と同様、**チャーリーはパンクロック、ロカビリー、ブルース、ジャズ、そしてカントリーに切り込んでいった。**それらを正確に搔っ捌き、床に血が一滴でも滴り落ちる前に、心臓を取り出していたのだ。

★

もしザ・ローリング・ストーンズの1975年のアメリカ・ツアーが、ヴァギナのようなハスの花が開くステージや（純粋にカッコよかった）、巨大なペニスの風船（純粋にバカげていたが、面白かった）など、セックスと低俗さを高度に合成したステージ・ショーを創造することによって、ホッケー・アリーナを活用することへの芸術的可能性を拡大したものだとしたら、1981年のUSツアーは、その全てをパステル・カラー、（いくつもの）風船の落下、そしてミックのための移動式クレーンによって、別物に変えてしまった。もしまだ理解してないならここではっきりさせておくが、これは明らかに「彼の」ショーだった。だからこそ油圧式リフトを導入し、熱にうかされたエヴィータのように、群衆の数百フィート頭上に浮かぶことができたのだ。

前回のツアーにおけるドラッグまみれのショー・ビジネス・デカダンスが全て死んだのはここだった。もう証明するものなど何も残っていなかった。ツアーの後方には素晴らしいレコードがあったが、ミックが言ったように、「目的、場所、時間など、統一感に欠けていた」のだ。ツアーに出るとそのことがよく分かった。

これは、キースがまるで体を切り刻むがごとく、ギター演奏を追求しなかった最初のツアーだった。彼は「キース・リチャーズ」を演出することで十分に満足していたようだったが（彼がまだそこにいたのは奇跡だった）、彼はヴォーギング（60年代にボールルームから発展し、様式化されたクラブダンスやストリートダンス）を踊っていたのであって、ナイフを持って何かを切り刻んでいるのではなかった。キースは強盗を働いているかのようだったが、それもいい意味ではなく、まるでチャチな路上犯罪でもやらかしているようだった。

あちこち走り回るというミックの新しい方針は極端なところまで達し、そのようなジャズ体操に聴衆は熱狂した反面、彼の歌にとっては大して効果がなかった。息が切れているようで、それもまた1980年代に彼が感じる新たな切迫感の現れだったのかもしれない。レーガンとサッチャーが彼らのやり方でみんなを混乱させていたように。

ロニーは本当の目的をもってギターを弾くのと同じ程度にカクテルをすすり、次から次へとタバコを吸っていた。無責任ギリギリだった（ザ・ローリング・ストーンズのギタリストなら紙一重のところだ）。

ボビー・キーズが〈ブラウン・シュガー〉のソロを任されるのは粋な計らいだったし、ピアノにオリジナル・ストーン、イアン・スチュアート、オルガンにイアン・マクラーゲン（元ザ・フェイセズ組がこの組織全体をひどくしていた）を見るのは素晴らしいことだったが、あらゆる意味において本物の切迫性をもち、このバンドに期待すべく嬉々として凶悪なスピリットを欠きながらも、そのことに屈したりせず、このバンドを繋ぎ止めていたのは、まさにチャーリー・ワッツだけだった。

かつてストーンズはファックしようとゲートの外で吠えていた。しかし、今やたくさんの子供たちが聴衆の中に、そして言うまでもなくバックステージにまで溢れており（国際化され、世代を超えたエンターティンメント・アトラクションとなることへの落とし穴だ）、何かふわふわとよく弾むものの中に居を構えたかのようだった。まるで裏庭で行う子供の誕生日のパーティーのために両親がレンタルする膨らまし式のお城の音楽版といったところだ。これはセックスなしヴァージョンのザ・ローリング・ストーンズで、メキシコ製のマリファナの塊でいい加減に巻いたジョイントや、熱い金属製のパイプに入った安いハシシと並んで、色とりどりのスプリンクルのかかったアイスクリーム・コーンを聴衆が買い求めるような、家族ぐるみのピクニックだった。

こうしたものの成果であるライヴ・レコード《スティル・ライフ》は、安物のお土産以上のものではなく（「ローリングストーン」誌は、直近のツアー・マーチャンダイズ・アイテム、ストーンズTシャツの音楽版と呼んだ）、このメギッラー〔ヘブライ語で巻物、あるいはうんざりするほど長く、詳細な説明〕をどの程度真面目に考えているか手の内を見せたような、手短な仕事だった。第一に簡単に金を稼ぐ手段で、第二に文化的な工芸品だったが、さらに悪かったのは、本当にそう感じられたということだ。買った時には熱狂したが、実際は平凡だったストーンズのレコードは《スティル・ライフ》だけではない。しかしドラムスのみ聞くようになった最初のレコードだった。[*4] チャーリーは水をやって植えられた本物の木だった。その葉は青々としげり、熱波が来ても恐れず、干魃にまごうことなく、果実を産しても滅ぶことはなかった。このことが「なぜチャーリー・ワッツは重要なのか」というもう一つの理由だ。たとえ他の全員が正気を失っても、彼にならいつでも頼ることができるからだ。

＊4　このショーで数少なかった明るい部分の一つは、使い捨てのカバー、〈トゥエンティ・フライト・ロック〉だ。それはエディ・コクランの歌の完璧に楽しい速攻料理で、パチパチというドラムス（途方もない速さで進行していくオールド・スクールのシンコペーションとモダンな原始主義というレッスンだ）が耳を引く。そしてもう一つは、《エモーショナル・レスキュー》からの素晴らしいB級カントリー・ソング、〈レット・ミー・ゴー〉だ。これは《女たち》のカントリー・パンク精神を保っている一方、悲しいかな、ほとんどの観客は彼らが何をやろうとしているのか理解しておらず、最後には自分たち自身にすら分からなくなっているかのようだ。スピード・リミットを通り越してしまうとモージョー〔特殊なパワー〕が失われてしまうように、ある曲ではいきなりテンポを上げてしまうと、キレが悪くなってしまうのを他の誰よりも彼らが知っている。セットリストに〈レット・ミー・ゴー〉を加えるべきだと信じていたということは、彼らがいい趣味をしていたということを物語ってはいる。その一方で元のテンポの倍の速さで演奏しなければならないと感じていたということは、高慢さの上にあった自信がそれほどではなかったということを物語ってもいる。スモーキー・ロビンソンのカバー〈ゴーイング・トゥ・ア・ゴー・ゴー〉に関して言うべきことはほとんどない。

『シャイン・ア・ライト』。まだまだかっこいい。まだまだ回るオールド・ファッションな泥といかがわしさ
(Photofest)

10章　俺のドラマーはどこだ事件——素晴らしいソロ・アルバムを作った唯一のストーン

Where's My Drummer?

さあ、お待ちかねのストーリー・タイムだ。

チャーリー・ワッツがきれいに顔を剃って、サヴィル・ロウ製の特上スーツでめかし込み、ホテルの部屋から真夜中に出てきて、ミックの顎に一発食らわしたという、誰もが聞きたいやつだ。

これはとても素晴らしい実話である。チャーリー・ワッツの右フックには敵わない。貨物列車にはねられるようなものだ。チャーリー・ワッツが君の頭蓋骨で〈リップ・ジス・ジョイント〉をプレイしているところを想像してみるといい。分かるだろう。

これは悪い時代の始まりだった。キースはクリーンで、片やミックはワールド・クラス・ジャンキーを自分の二番手として、一緒に物事をまとめていくという選手権大会のような仕事をやっている最中だった。しばらく経ってから、彼はストーンズが自分のバンドだと確信するようになった。今のところクリーンになったギタリストと決定権をシェアしてはいるが、バンドの統率を譲歩するなんてまっぴらごめんだと思っていたのだ。

1981年のツアーからまだ二、三か月ほどしか経っていなかったが、この時点でミックとキースは口をきかなくなっており、今後数年にわたる彼らの仕事上の混乱を決定付けるべく論争においても、お互い譲らなくなっていた。ミックはダンス・ミュージックに基づくトレンディーなポップ・レコードを作りたいと思っていた。一方、キースはギターが根っこにあるような、ルーツに忠実なものをやりたかった。ブルース、レゲエ、ロックンロール等々、何のトリックもないやつである。ガキどもが何を聞いているかなんて知ったことではなかった。彼の関心事はザ・ローリング・ストーンズが得意なことのみである。

ともあれ彼らは再びパリのパテ・マルコーニで作業を始め、ミックは正午から5時くらいまで、片やキースは真夜中から夜更けまでスタジオに現れ、片方がいる時には、もう片方が不在という形が常態化していた。そしてお互いのパートを消しあっていたのだ。

それでもどうにか1983年には《アンダーカヴァー》を捻り出した。これは彼らの創造的生産性が著しく落ち込んでいった最初であり、ロニー・ウッドを交えたイマイチのレコードの一枚目だった（同じようなのがこれからたくさん出てくることになる）。この時期の彼らのレコードはどれでもそうだが、聞く価値のあるストーンズ印が二、三あるのも事実である（そして素晴らしいドラミングも）。実際、タイトル・トラックはクールなギター・ワークがたくさんあって、それほど悪いわけではない。しかし、最初の目論見がどれほど良いものであったにしろ、明らかにMTV人気につけ込んだもので、彼らはシンセとシーケンサーたっぷりの実験室に埋められてしまったのだ。キースはミックに付き合っていたが、「あいつがクラブで聞いたものの焼き直しみたいだ」と唾を吐いた。

ミックがソロ・キャリアを始めると状況はますます悪くなっていった。

ザ・ローリング・ストーンズは新しいレコード契約を得たが、なぜかミックは「自分だけ」のための超大取引、つまり大金をもたらすべくソロ・レコード契約にありつき、第三次世界大戦の勃発となった。

キースはこのことを騒乱罪以上と受け取った。大嘘八百であり、不正直であり、礼を失しており、クソ後ろからナイフを突きつけられたようだと。バンドの誰もバンド以上の存在であってはならない。彼らは一緒になってこのコーザノストラ（マフィア）を作ってきたのであり、今や裏切られたような気持ちになった。そしてチャーリーはというと、彼のバンドに対する忠誠は海ほど深いものだったが、人を殺しかねないような大暴れを起こす寸前のキースが語ったところによれば、チャーリーの気分はキース以上に悪かったということだ。

誰もがミックには嫌気がさしていた。この契約は、真夜中の誰も見ていない時に、ストーンズの新しいレコード契約の後ろにくっついて来たものだ。『グッドフェローズ』を見たことのある人なら誰でも「座って、それからオーケーをもらうんだ。さもなきゃ始末されても文句は言えない」ということを知っているだろう。

だがミックは、次のマイケル・ジャクスンかデヴィッド・ボウイになるための賭けに、あまり深く考えずに乗ってしまった。スーツを着たレコード会社のお歴々が彼にいくら儲かるか吹き込んだのだ。

ミックはとりわけデヴィッド・ボウイを尊敬していた。ボウイは自分のルールだけでやっていて、五十年も同じバンドといっしょにやっているのとはわけが違っていた。さらにプロの奇人、国際的ファッション・アイコン(惑星的と言ったほうがいいかもしれない)、そしてロックスターの王座に就く者として世界中を飛び回り、なおかつ巨大なダンス・ヒッツをもち、正当な芸能人としても尊敬されていた。

1970年代初頭、ミックはどこからあの屈折したジェンダーについてのアイディアを得ていたか分かるだろう。「ジャガー/ボウイ」はハードコアな一目惚れだった。もちろん、ボウイと違って、ミックはアバンギャルドではない。彼にボウイのような文化的不敵さはない。そしてトレンドに囚われるあまり、実験はしなかった。そして言うまでもなく、「彼のバンドはザ・ローリング・ストーンズだった」のだ。なぜかミックはこれを元経済学専攻の学生に与えられた最高の栄誉とは捉えず、イギリスのタブロイド誌に悪意をもって語ったように「自分のキャリアにおける何歩目か」としか考えていなかったのだ。[*1]

キースはそのコメントを聞いて、ハラワタが煮えくりかえるかのようだった。彼はこう反応した。

「ディスコ・ボーイ、ジャガーのマスカキ・バンド、エアロスミスにでも入ったらどうだい」。キースの方から仕掛けたことはなかったのだ。

ここでチャーリーがミックに一発食らわせた件に戻ろう。このことについては誰でも知っている。しかしちょっと奇妙ではある。何十年もザ・ローリング・ストーンズのためにプレイしてきて、誰もが語りたいチャーリーをめぐるストーリーとは「これ」なのか？　このことが権力に対する真実を物語っているからか？「上品なドラマーにからむべきではない」という話はみんな大好きである。とにかく面白いし、チャーリーの「ゾーク」も満載だ。だが誰もが忘れているのは「オチ」である。では。

１９８４年、ストーンズはまるで仲良くできなかったが、事態を修復しようということになり、アムステルダムでミーティングを行っていた。ミックとキースはいい雰囲気ではなかったが、二、三

＊1　ボウイは「ソロ・アクト」としてやってきたが、あるバンドメンバーに対しては極端なまでに忠実で、ドラマーのデニス・デイヴィスはそう扱われた一人である。このモンスターは素晴らしいスタイルでもって、ボウイの混沌としたR&Bでも実験的ロックでも澱みなく演奏可能で、また明らかに彼のボスともうまくやっていけた。ボウイは、《ヤング・アメリカンズ》に代表される70年代半ばのフィリー・サウンド期、ベルリン・イヤーズ（《ロウ》、《英雄夢語り（ヒーローズ）》、《ロジャー（間借人）》）、そして《スケアリー・モンスターズ》までの驚くべき一連の作品とツアーを通じてデニスを使い続けた。彼は素晴らしいバンドを編成することにおいては天才的だった。一緒にやっていけるグループ、そして彼らを一つにまとめておくことの価値を熟知していたのだ。一方、ジャガーのファースト・ソロ・アルバムでは少なくとも25人のミュージシャンが演奏した。その中には6人のドラマーが含まれており（パーカッショニストは含まない）、7人がシンセサイザーのパートを演奏した。

杯（すなわちミックの限界だ）ひっかけにいくことにした。キースはミックに外出するためのジャケットを貸してやった。それはキースが結婚式の時に着たジャケットだったのだ。そして彼らは朝の5時頃、ちゃんとホテルに戻ってきた。この時、ミックには素敵な考えがあった。キースの懸命なアドヴァイスに反して、チャーリーを部屋から呼び出そうと命令したのだ。「**俺のドラマーはどこだ？**」

キースによれば、「20分後、ドアをノックする音が聞こえた。チャーリー・ワッツだった。サヴィル・ロウのスーツ、完璧な着こなし、ネクタイ、顔もキレイに剃って、クソ一点の曇りもない。コロンの匂いがして。俺がドアを開けると、こっちの方はチラリとも見ず、俺のところを真っ直ぐに通り過ぎて、ミックを掴んで言った。『二度とお前のドラマーなんて呼ぶんじゃない』。そして俺のジャケットの襟を掴んで、あいつに右フックを食らわせたんだ」

キースはチャーリーの一撃を「ドラマーのパンチ」と呼び、「ありゃ必殺だよ。バランスとタイミングが大事なんだ」と言った。二十年間、世界最高のバンドという重みを抱えてきた右手の期待に寸分違わない一発だ。

ここまではこれでいい。みんなが忘れているのはここからだ。**チャーリー・ワッツの右フックはこれだけではすまなかったのだ。**ミックはスモークサーモンを乗せた皿に向かって吹き飛び、さらに川の方へ開いた窓のところまで滑っていった。「ミック・ジャガー、スモークサーモンの皿に乗って川に滑り落ちる。クソおかしい」。ありとあらゆるドラッグ、不幸な出来事、オルタモント、そして彼らが経験したありとあらゆるクソみたいなシチュエーションの後、誰がザ・ローリング・ストーンズはこうやって終わると考えただろう？『コックサッカー・ブルース』よりもマルクス・ブラザーズにピッタリのシーンでもって。

キースは自分が結婚式の時に着たジャケットはミックが着ているということに気がついた以外は、全て元通りに戻したかった。まさに「銃はうちに置いといて、カンノーリ（イタリアの菓子）を持っていこう」という瞬間だ。彼はミックを掴み、部屋に連れ戻した。チャーリーはひどく腹を立てていた。チャーリーはミックが窓から飛んでいくのを喜んで見ていた。実際のところ、チャーリーはもう一発見舞ってやりたいと思っていたが、キースは自分のジャケットがなくなるのは嫌だと主張したのだ。

★

ミックの命は救ったものの、奇妙なことに、状況は改善しなかった。キースもおセンチな馬鹿者で、ミックのことをいつも「ブレンダ」、「マダム」、「女王陛下」などと呼び、彼に対する攻撃を継続した。キースはうんざりしていた。彼の怒りの原因はこういうことだ。もしミックがリベラーチエとアイルランドの子守唄のレコードを作りたいなら（ストーンズではできない何かということだ）、そうすればいい。だが「『ストーンズとはツアーしたくないが、間抜けなバンドとなら』なんて抜かしやがるんなら、あいつの喉を掻っ切ってやる」。ストーンズにとっては最低の時期だったが、マスコミネタには事欠かなかった。「いつになったらお互いにブックサ言うのを終わりにする《stop bitching》んです？」と聞かれたキースは「あの雌犬《that bitch》に聞きな」と応じた。

ミックの最初のソロ・アルバム《シーズ・ザ・ボス》をめぐっては莫大なパブリシティが行われ、彼の背後にはＭＴＶと音楽業界全体がびっしり取り巻いていた（彼が発する戯言が常に新聞を賑わしたのは言うまでもない）。しかし、かつて賢人は言った。「人は、たとえ全世界を手に入れても、自分の魂を失ったら何の得があろうか？」そしてもう一人、キースという名の賢人は次のように述べた。「（アドルフ・ヒトラーの）『我が闘争』みたいなもんさ。みんな持ってるけど、誰も聞いたことがないってやつだ」

確かに覚えているやつは誰もいない（まあまあのポップ・ミュージックだったが、そもそもの目的通り、ほとんど使い捨てだ）。しかし、だからこそ神は彼にザ・ローリング・ストーンズを与えたのだ。ミックは大したことのないポップやロックのレコードを作るために、ストーンズから逃れる必要はなかった。そんなことはストーンズでも十分できたのだ。ミックはこんなクソを４枚も作ったが、収穫は著しく減っていった。その後、まるで必要性のない、間違ってタイトルをつけられた

《ヴェリー・ベスト・オブ・ミック・ジャガー》がリリースされたが、察するところ契約上の義務だったのだろう。[*2] しかしやってしまったことは取り返しがつかない。その後二、三年、ザ・ローリング・ストーンズは、自らの「シュレーディンガーのネコ〔1935年にオーストリアの物理学者エルヴィン・シュレーディンガーが発表した物理学的実在の量子学的記述が不完全であると説明するために用いた、ネコを使った思考実験〕」を有効的に行うことになる。そしてキースは殺人モードに入る。

おかしいのはストーンズ（のメンバー）がソロ・アルバムを作るのはこれが初めてではなかったということだ。ビル・ワイマンが最初で、1974年に遡る。《モンキー・グリップ》は良質のロックンロール・レコードで（ロウエル・ジョージ、ドクター・ジョン、レオン・ラッセルなど、友達がたくさん参加している。それはとても楽しい情事だった）、ビルはかなりいいポップ、あるいはロックンロール・ソングを書く能力があり、それを楽しんでいたようだが、ジャガー／リチャーズ・ソングライティング王国では起こり得ないことだった。このレコードは彼ら自身のレーベル、ザ・ローリング・ストーンズ・レコーズから発表された。その意味では家族からの祝福を受けたレコードだ。いいレビューもあったし、短い間ではあったがビルも輝いた。だが誰も気に留めなかった。二、三年経ってから、よく似たような《ストーン・アローン》を発表した。まあまあのリンゴ・スター

＊2　《ザ・ヴェリー・ベスト・オブ・ミック・ジャガー》はすでに存在しているのだから不要である。タイトルは《メイン・ストリートのならず者》だ。

のレコードくらいの価値はあったが、それほど魅力的ではなかった。これもストーンズ・レーベルから出て、誰も気に留めなかった。1981年、ビルは、シンセ・ノヴェルティ・レコード〈シー・シー・ロックスター〉のマイナー・ヒットを記録する。おかしかったが、可も不可もなかった。全英トップ40に至ったが、誰も気に留めなかった。

ロン・ウッドは何年にもわたってソロ・アルバムを出していた。（〈イッツ・オンリー・ロックンロール〉を制作したセッションからの）《俺と仲間》（1974年）は、ザ・フェイセズのギタリストのソロがどんなものかという期待に沿うものだ。だが彼のロックスター仲間が一緒でも、二、三曲聞くと、なぜ自分はザ・フェイセズを聞いてないのだろうと考えるようなレコードだ。1978年、《女たち》に続いて発表された《ギミ・サム・ネック》はすごく楽しい。チャーリーがドラムスを担当していることに何の不満もないが（ミックとキースとボビー・キーズも参加しているのは言うまでもない）、二、三回聞くと、なぜ自分はザ・ローリング・ストーンズのレコードを聞いていないのだろうと不思議に思うようなレコードである。もちろんロニーはこの時点でオフィシャルなストーンズのメンバーではなかったので、誰も気に留めなかった。それからロニーはもういくつかパッとしないレコードを出した。私も含めて誰もが推察する通り、みんなロニーが好きだったが（彼は一緒に遊ぶのが好きな子犬のようだ）、彼は永遠のサイドマンで、誰にとっての脅威ともならないのだ。

ではキース・リチャーズだ。OK、キース、何て言おうか？

キースはザ・ローリング・ストーンズの外でロックンロールのレコードを作ることなど考えてもみなかった（何のためにそんなことを？）。[*3] だがミックがサーカスに入るために逃げ出したので、突然、キースは活動できるバンドを結成し、レコードを作って、ツアーに出ることに必死になった。

誰もがキースのファースト・レコード、《トーク・イズ・チープ》が大好きだと言った。彼は人民の代表だった。おそらくミックがマーケティング・レポートに囲まれ、半円の老眼鏡をかけ、イニシャルの入ったシルクのローブを纏い、白い手袋をした執事が「ウォール・ストリート・ジャーナル」にアイロンをかけていた間は少なくとも、キースはロードに出て、音を立ててジャック・ダニエルズを飲みながら、純粋に好きな連中とロックンロール・ソングを演奏していた。

では我々のヒーローに戻ろう。驚くべきは（というか最も驚くべきでないことは）、チャーリー・ワッツが、批評を超越した、**完全に素晴らしいソロ・アルバムでスコアした唯一のローリング・ストーン**だったのだ。

チャーリーはリベラーチェと子守唄のレコードでもやっていた方が良かったかもしれない（そこが彼の天才たる所以だ）。しかし（相談するべく）議題はない。それは「芸術のための芸術」だ。彼

＊3　正確に言うとキースは1978年にソロ・シングルを発表しており、誰も心臓麻痺を起こさなかった。お気楽なクリスマス・シングル〈ラン・ルドルフ・ラン〉（チャック・ベリーのカバー）で、そのB面は〈ザ・ハーダー・ゼイ・カム〉（ジミー・クリフのカバー）のはちゃめちゃで楽しいバージョンだ。ロニー・ウッドがドラムスを演奏している。彼らは明らかに楽しい時間を過ごしたようだ。

は純粋にそれが好きだからやっているのだ。完全にピュアな精神のなせる技だ。

1970年代末と80年代初頭、ブギー・ブルース・バー・バンド、ロケット88でイアン・スチュアートやジャック・ブルースと時々プレイしていたのを除いて、1985年、チャーリーはチャーリー・ワッツ・オーケストラと共に最も華々しくソロ・キャリアを始めた。真面目な話、3人のドラマー（チャーリーが正面で真ん中、二人のドラマーに両脇を固められている）、英国最高のボッパー、古参、頑固なモダニストを含むホーンセクション等、30人以上のメンバーからなる「ビッグ・バンド」で、〈サヴォイでストンプ〉、〈レスター・リープス・イン〉、〈スクラップル・フロム・ジ・アップル〉など、熱いビッグ・バンド・クラシック、そしてバップ・クラシックを演奏した。

ニューヨークのリッツで彼らを見たが、最も驚いたのは会場中を支配していたチャーリーのスマイルだ。純粋にあれほどハッピーな男は見たことがない。

滴るようなバンドの（サイズ自体に畏敬の念を覚えてしまう）その真ん中でチャーリーがスィングしていたが、難しいパートは他の二人のドラマーが担当していた。ドラム・レッスンを受けたことのないチャーリーにとって、チャートを読むのはあまり簡単なことではない（サイドマンに爆弾投下やビッグ・ヒットは任せていた）。しかしながら、チャーリーはこの巨大なジャズ・マシーンを操縦しながら、人生最良の時間を過ごしていた。

彼はビッグ・バンドのライヴ・レコーディングを完成させた後、自身のクインテットに落ち着き、学生時代の友人、デイヴ・グリーンと共演した。グリーンはベースを担当し、これらのプロジェクト全体の一端を担った。デイヴはチャーリーがバンジョーからネックを外した時、そばにいた人物で、子供の頃はチャーリー・パーカーの78回転を一緒に聞き、それ以来ずっと付き合っている仲だった。

1991年、チャーリーとデイヴ・グリーンはチャーリーが子供向けに書いた『オード・トゥ・ア・ハイ・フライング・バード』（オリジナルは1964年）を復刻し、《フロム・ワン・チャーリー》というタイトルの限定盤CDとしてリリースした。それは、その作者のごとく素晴らしく、また一風変わった作品だった。たった28分間ほどのリッチなビ・バップにオリジナル・アート・ワークの復刻が付されており、トリビュートとして、ようやく叶った子供の頃の夢として、単体のジャズ・ディスクとして等々、どこをとっても喜びに満ちている。チャーリーは圧倒的なドラマーではないが、いとも簡単にスィングし、グループも自然に結束を固めている。チャーリーの幼馴染がベースを担当しており、チャーリーも特別な尊敬を払っている。さらに卓越した、そして流麗なプレイヤー、ピーター・キング（フィリー・ジョー・ジョーンズ、アニタ・オーディ、レイ・チャールズとも共演した、抜きん出た英国のアルト奏者）がバードのパートを演奏し、いいムードを演出しながらも、パーカーが時折見せたような極端な奇妙さを回避している。

前年にバーミングハムのロニー・スコッツにて二夜連続で行われたショーをライヴ録音した《ア・トリビュート・トゥ・チャーリー・パーカー・ウィズ・ストリングス》には、ストーンズのバックアップ・シンガー、バーナード・ファウラー朗読による『オード・トゥ・ア・ハイ・フライング・バード』の抜粋が含まれている。CDの前半は《フロム・ワン・チャーリー》のライヴ・ヴァージョンで、後半は、弦楽器のセクションを伴った、新しい作品である。曲のほとんどは、チャーリーの秘蔵っ子、ピーター・キングによるもので、チャーリー・パーカーの楽曲いくつかで味付けしており、単なる一連のカバーや純粋主義者によるトリビュート以上のものに仕上がっている。「ヴァラエティ」誌は「**ストーンズのメンバーが発表した中で、最も芸術的に成功したソロ作品**」と評した。

一流のジャズバンドの後ろに座り、なるほどと思わせるようなクルーナーが彼のお気に入りの歌を歌い、そしてストリングスに囲まれ、明らかにチャーリーは夢の中にいた。彼は「あそこに座っていると、ストリングスが膨らむんだ」と「ローリングストーン」誌に語った。「スマートに響くファンタスティックなサウンドだ。楽しんでいるよ。だっていつもはギター・プレイヤーとやってるんだから」。彼の日常の仕事への緊張がとろけていくようにすら感じるだろう。

《ウォーム&テンダー》(1993年)はボーカルにバーナード・ファウラー、そしてさらに多くのストリングス(つまりフル・オーケストラ)との演奏による16曲のスタンダードだ。チャーリー・パーカーの影響はバックグラウンドに後退する。その次の《ロング・アゴー&ファー・アウェイ》(1996年)も前作同様、約束に違わぬ作品だった。豪華、かつ様式的、情緒的、双方の意味合いにおいて「ロマンティック」で、古風なセクシーさがある。この作品は美しいが、あまりにゆっくりと進行するので、大半のローリング・ストーンズ・ファンを死に追い立てるようだ。

チャーリー・ワッツ・クインテットが現実のものとなって、1990年代初頭、ストーンズのツアーの合間に、チャーリーは「静かなるストーン」という期待とは裏腹に、テレビに出始めた。マスコミ嫌いで有名な彼は、定期的に行われるギグについて話すようなタイプではなかったが、昔ながらのやり方で自分のジャズバンドを宣伝する必要があった。もしかしたらある晩の観客は自分の妻と親しい友達だけかもしれないという20世紀の後半に活躍したジャズ・ミュージシャン全員が抱いた不安が彼にもあったのだ。

しかしながら、チャーリーは上品なマナー、ドライなウィットでトークショーのホストを安心させ、同時に彼も神のような尊敬をもって扱われた。そしてザ・ローリング・ストーンズについて話すことを拒み、デイヴ・タフとチャーリー・パーカー、チコ・ハミルトンとビッグ・シドのことについて喜んで語った。観客の誰も彼が話していることを理解しないのではないかと危惧したが、クインテットが演奏し始めると、誰もが魅了された。

ここで正直に考えてみよう。数少ない例外を除いて、ジャズ・ミュージシャンがメインストリーム・テレビのトークショーで話す機会、ましてやソファに座ってインタビューを受けることなど、どれほどあるだろう？

しかし今やこの世界のものは全て平等だ。ローリング・ストーンであることは役得である。それはレイトナイト・トークショーに自分のコンボを連れ出すことを意味していると今になって分かったのだ。そしてもし二、三人の誰かがバードの魅力に気づき、ジャズ・クラブに出かけたりしたならば、彼らがそこで楽しい時間を過ごしているということを除いて、チャーリーは神から与えられた仕事をやっていたのだ。初期のストーンズも音楽に対する同様の使命を感じており（ゴスペルを大衆に述べ伝えるブルースの伝道師であった）、それは機能した。私に関して言えば、女の子にキスする前、ハウリン・ウルフやアイク・アンド・ティナのレコードを探して、ディスコのレコードの後ろにある埃だらけのコーナーを漁るために、ニューヨーク・シティに向けて秘密の旅をするようになったし、また車が運転できるようになる前、マディ・ウォーターズやB・B・キングを見に行ったりした。

チャーリー・ワッツ・クインテットはロンドンのロニー・スコッツ、ニューヨークのブルーノートで演奏し、北米、ヨーロッパ、日本をツアーし、そのサイズ、人気の双方においてより大きくなった。短期間ではあったが、バンドは十人編成にまで膨れ上がり、チャーリーはもう一枚のライヴ盤、《ワッツ・アット・スコッツ》をリリースした。チャーリーは、この時点で、自分のソロの合間にハウリン・ウルフ、ロニー・ウッド、レオン・ラッセル等と至るところで共演し、ミック・ジャガーと比べてもより多くの良質なレコードで演奏していた。

結論から言うと、チャーリーはストーンズの紋章無しで尊敬された。小遣い全部をアイライナーに突っ込まないただ一人のメンバーであるという神秘性、純粋にシャイな人柄、デカダンスではなく上流階級寄りの衣服、もしあれほどまでバカ丁寧でなかったならば、気力をなくしていたようなスタイルをもってドラムスを演奏する男（彼はオールド・スクールのように、いつもスティックをグルグル回している）は、それ自体の上品さという意味において、とてもパワフルな存在だった。

もう一度言うが、彼は**簡潔さということにおいて、音楽を実質的に定義し直した**。フットボール・スタジアムをロックさせるような力がありながら、エルヴィン・ジョーンズやトニー・ウィリアムスのような猛烈なパワーをもってジャズ界に進出しなかったし、ものすごいスピードでエクスタシーへの道に駆り立てるべくあられ雲を創造するケニー・クラークやロイ・ヘインズのように、天気までコントロールしてしまうことはなかった。

だが彼のプレイには、音楽への純粋な愛から生じ、両の足にスネアドラムを挟むことによって形成されたナチュラルなスィングがあった。彼は全く不安に思うことはなかった（この音楽にはそれほど貫通（penetration）に対するアプローチはなかった）。そしてあらゆるジャズに対し宗教にも似た畏敬の念を抱いていたが、感謝すべきは、それこそ彼がストーンズに残したものだったということだ。[*4]

自分のクインテットと一緒の時、チャーリーは、彼に影響を与えた最初のレコード、〈ウォーキン・シューズ〉でチコ・ハミルトンがそうしたように、硬くコーティングされたスネアドラム・ヘッド上でブラシを動かしながら、「スープを混ぜる」だけで満足していた。あるいは彼のもう一つのお気に入り、アール・ボスティック・ヴァージョンの〈フラミンゴ〉におけるジミー・コブのごとく、時折バックビートを叩いたりして、ライド・シンバル上を「ゆっくり料理しながら」[*5]。しかし2009年、彼はドアを吹き飛ばしてしまうかのようなジャズ・ブギー・バンドを結成した。二台のピアノ、ベース、ドラムスを擁した、天にも登るようなバンド、ABC&D・オブ・ブギウギである。チャーリーはブラシを持ったマッドマンのようなシャッフル、ライド・シンバルでのワイルドなスィング、そしてストーンズが〈ダウン・ザ・ロード・アピース〉を演奏していた初期の頃にやっていたようなドライヴに立ち戻り、ABC&DのCD《ライヴ・イン・パリ》でまたもや栄光を掴んだ。このバンドは、**ジャズとロックンロールの距離がかつては紙一重だった頃のように、ギターなしで激しくロックした。**

2017年、おそらく彼の最高傑作《チャーリー・ワッツ・ミーツ・ザ・ダニッシュ・ラジオ・ビッグ・バンド》(録音は2010年)が発表された。(〈サティスファクション〉、〈黒くぬれ〉、そして〈無情の世界〉など)ストーンズのリフをいくつかフィーチャーしたギル・エヴァンスのような組曲は、どうしても作られる必要があったドラッグ関連のノワール・フィルムのサウンドトラックのように響く。[*6]

チャーリー・ワッツがドラムスを叩く音は至福のサウンドで、スヌーピーが喜んで踊っているのを聴覚的に表現したものに匹敵する。それは(これみよがしな)達人芸ではなく、様式(スタイル)

なのだ。そしてドラムソロもない！　ミュージシャンがどれだけ優れているかを測る指針は、テクニックの積み立てだという考えに囚われている輩のために重要な警告がある。「スィングしなけりゃ意味がない」ということである。これこそがパンクロックとカントリー、そしてロックとブルースが教えてくれたレッスンなのである。それは皮肉でもなんでもないのだ。ここまでくればもうお分

＊4　《ザ・チャーリー・ワッツ／ジム・ケルトナー・プロジェクト》はチャーリーのソロ・ディスコグラフィーの中でも番外に位置する。チャーリーと彼の友人、新プラトン主義的に完璧なドラマー、ジム・ケルトナーによるもので、ドラムスに別のドラムスをオーバーダブしたり、シーケンサー、サンプラー、その他のパーカッション（鍋釜、インディアン・ドラムス、そして床に置けるものはなんでも）などで切り刻んだりした、異色のドラム・レコードだ。これは、どことなく抽象的なアフリカン・エレクトロニカのようである（そんなものがあるとしての話だが）。それぞれのトラックには、〈シェリー・マネ〉、〈トニー・ウィリアムス〉、〈ケニー・クラーク〉など、彼らが愛するドラマーにちなんで名前がつけられているが、それらはトラック自体とはあまり関係ないようである。このことこそ「チャーリー・ワッツはなぜ重要か」という理由の一つなのである。「アバンギャルド」に対する恐れ、異種的なものへの追求、実験、芸術のための芸術制作に対して狭い心をもっていないのはストーンズの中でチャーリーのみのようだからだ。１９６８年、彼は英国のフリー・ジャズ・ヒッピー集団で、ハードコアなジャズ・ファンやアシッドヘッズすらも慄かせた途方もないノイズを創っていたザ・ピープル・バンドに出資し、プロデュースも行っている。個人的にはかっこいいレコードだと思うし、チャーリーがこの音楽的狂信者を励ましていたことは彼自身のことを雄弁に語っていると思うが、作品としては一度聞けば十分である。

＊5　ジミー・コブは《カインド・オブ・ブルー》、《スペインの肖像》などでマイルス・デイヴィスと共に演奏し、言うまでもなくサラ・ヴォーンとも長く共演していた。しかし彼もそれが稼ぎ口となるならば、二拍目と四拍目をぶっ叩くことを厭わなかった。

＊6　この作品〔《チャーリー・ワッツ・ミーツ・ザ・ダニッシュ・ラジオ・ビッグ・バンド》〕がやや暗い映画に出演することへのインスピレーションとなったのかもしれない。チャーリー・ワッツ・クインテットの主要メンバーは１９９２年の映画『ブルー・アイス』にフィーチャーされている。元スパイのマイケル・ケインがジャズ・クラブのオーナーに転身したストーリーだ。

かりだろう。つまるところ、これらは全て同じクソなのである。

あらゆる意味で最良のザ・ローリング・ストーンズは、チャーリーの実際のジャズバンドよりもさらに強烈なジャズバンドだった。[*7] ストーンズがノリにノッて演奏する《cooking》時、同じことを二度再現することなどほとんどなかった。彼らはジャム演奏を繰り広げていたが、それはヒッピーバンド的な意味合いではなく、ロールがロックに潤滑油を与えるという意味でそうしていたのだ。そうやってずっと油をさしていたのだ。

〈オール・ダウン・ザ・ライン〉の冒頭4小節において、そして〈リップ・ジス・ジョイント〉でのブレイクにおいて、チャーリーはどんなジャズ・コンボと演奏する時よりも激しくプレイした。〈ミッドナイト・ランブラー〉にはより即興的で、閃光のようなチョップがあった。パフォーマンスが思うがままに発展し、キースとチャーリーがテンポを揺らしたり、クレージーなシャッフルを挟み込んだりしながら彼らの演奏を繰り広げる時は、ジャズクインテットとのどのセッションの時よりも、明らかにそうだった。

これこそ「チャーリー・ワッツはなぜ重要か」ということの理由である。彼は世界中で最も成功したロック・バンドにいながらも、自身の夢を追うことをやめなかったのだ。

*7　デューク・エリントンには多く名言があるが、「ロックンロールはジャズの最も騒々しい形だ」はそれを最良の形で表現している。

11章

ドラッグを克服するには？——チャーリー・ワッツと彼のストーンズへ

Bridges to Nowhere

１９８３年あたり、この物語のヒーローであり、狂気の工場を繋ぎ止めていたドラマーは、どうしようもないクソ大問題になってしまった。

数十年にわたり世界中で最も名だたるジャンキーのパートナーを務めた後も、時折酒とわずかばかりのマリファナを嗜む程度だったのに、スピードとヘロインでハイになる日々を送り、酒の方も友人、キースに追いつかんばかりの、狂ったような勢いだった。チャーリーは42歳だった。

こんなドラマクイーンたちと何年も一緒にいて、ドラッグやアルコールに踏み込まないほど強い意志をもっている者などいるだろうか？

実際のところ、より大きな問題は怠惰なやつらと一緒にいたことではなかった。一度ストーンズのツアーが始まると、「レコード制作－ツアー－レコード制作－ツアー」という工場のようなペースになっていった。いつもながらの単調な仕事の連続なのだ。だが今やアルバムとアルバムとの間は「数年」にも及ぶようになってしまった。彼らがようやく《アンダーカヴァー》のレコーディングに着手し始めた頃（それはチャーリーのアルコール問題が波のように押し寄せてきた頃と重なる）、バンドは完全に機能不全に陥っていた。

これは《山羊の頭のスープ》の頃の「クソ問題」とは全く異なっていた。ミックとキースは互いを攻撃し合っていただけでなく、実質お互いをサボタージュしていたのだ。一緒に仕事をするのもムカついてきた。かつてザ・ローリング・ストーンズのレコードを作るのは面白かったが、今や墓を掘るようなことになってしまった。

《アンダーカヴァー》はリリースされ、そして消えていった。タイトル・トラック（〈アンダーカヴァー・オブ・ザ・ナイト〉）と〈シー・ワズ・ホット〉はライヴのセットリストに残るくらいのパワーはあったけれども（実際のところ前者はごちゃごちゃしたエレクトリック・サウンドを取り去ってしまうと、ストーンズが飛び回っているようで、後者は、大人の威厳を少しばかりでももって演奏すると、アホみたいなポップ・ヒットというよりも、むしろ素晴らしい秘密のカントリー・ソングのようだ）。しばらくの間、ミックはソロ活動に専念することになり、第三次世界大戦が始まった（前章参照）。そして突然、ザ・ローリング・ストーンズ不在という邪悪な、長い時間が過ぎていったのである。

チャーリーが自宅で過ごす時は、ほとんどデヴォンにある馬を飼育する農場で、田舎に土地を所有する紳士のような生活を送り、いつも妻をイライラさせているということだった。「彼女は素晴らしいよ」と彼は「ミラー」誌に語った。「彼女は特別だ。信じられない女性だよ。私にとてもよくしてくれるし、面倒なことは一切起こさない。この人生で唯一後悔していることは、うちにいる時間が十分になかったことだ。だが彼女は私がツアーから戻ってくると、私に（彼女にとって悪夢だから）ツアーに戻ってしまえと言うんだ」

チャーリーはヘンな男である。彼はアメリカの南北戦争の遺品の収集家であり、また彼が愛するジャズにまつわる芸術品、古くてかっこいいドラムスのコレクションは伝説になっている。クラシック・カーも集めているが、自分では運転できない。運転免許を取ったことがないのである。せいぜいできることは、時折それらに座って、エンジンをかけるくらいだ。

ツアーが終わり、シンガーが「君の仕事はこれでおしまいだ」などと脅し始めると、ドラッグに手を染め始めるのだとしか言いようがない。

チャーリーは「振り返ってみると、ミドルエイジ・クライシスだったんだと思うよ」と「ドラム・マガジン」誌に引用された。「1983年頃には全く別人になり始めて、1986年にはそれがはっきりした。自分の行いのために妻も何もかも失うところだったよ」

「静かなるストーン」にしては、よくない時代のことについて、とてもオープンに語った。

チャーリーがドラッグをやってみたのはこれが初めてではなかった。《女たち》のレコーディングの頃、キースがドラッグとの最終ラウンドを闘い、ひどい目にあっていたのに対し、チャーリーのヘロイン量は二倍に増えていった。「私は床の上で眠りこけていたんだ」とチャーリーはBBCに告白した。「キースが私を起こして、『こんなことはもっと歳をとってからしろよ』と私に言ったんだ」

その時はドラッグから足を洗ったが、あろうことかキースの忠告を真に受けて、六年かそれくらい経って、再び手を出すようになった。そしてやっと次のレコード、《ダーティー・ワーク》を制作する段階に来た時、チャーリーは演奏できないくらい、あまりにどうしようもなく、キースの未来のバンドメイト、スティーヴ・ジョーダンやセッション・ドラマー、アントン・フィグを呼んでこなければならなかった。ロニー・ウッドがドラムスを叩いている曲が一曲あったほどだ。このレコードを完成させるためには、二十人ものミュージシャンが必要だった。

チャーリーは「ローリングストーン」誌に次のように述べている。「私はもう少しで自分を殺すところだった。スピードとヘロインを二年ほどやって、すごい病気になった。娘からドラキュラみたいだと言われたほどだよ」

「その手のものは全てやめた、自分と妻のために。あれは自分じゃなかったんだ、本当にね。一度スタジオで気を失ったことがあるよ。そんなことは明らかにプロのすることじゃない。私は気を失って、キースに抱きかかえられてね。私は彼がありとあらゆることをやって、ありとあらゆる状態にあったのを見てきたが、あのキースがだよ。そして私に言った。『こんなことは60歳になってからするもんだぜ』ってね[*1]」

きっかけになったのはワインを取りに行こうとして階段を踏み外し、足首を骨折した時だった。「ワインを取りにワイン・セラーに行く途中、階段で滑ってね」とチャーリーは「ガーディアン」誌に語った。「その六週間後、ロニー・スコッツでジャズ・ショーの予定が入っていたんだ。それでやっと自分がどこまで落ちていたのか気がついたんだ。全部やめた。酒、タバコ、ドラッグ、全てぃっぺんに。もう十分だと思ったんだ」

★

この間にもミックとキースは互いに口をきこうとせず、チャーリーもマリファナ漬けで、バンドの状態は実存主義的なとんち問答のようになっていった。「ザ・ローリング・ストーンズのアルバムをザ・ローリング・ストーンズなしで作るにはどうすればいいか？」

1986年にリリースされた《ダーティー・ワーク》は、当然ながら、ひどいレコードだった。

＊1　ロニー・タットは後にジェリー・ガルシア・バンドでプレイしたが、これは鼻で嗅ぐようなものとは全く無縁のバンドである。ゆっくりと演奏するのが好きなプレイヤーは誰かといえばガルシアをおいて他にない。彼らのテンポはこれ以上ないほど正確だ。ザ・ドアーズが目を覚まし、低音域を補充する決心を固め、《L.A.ウーマン》にエルヴィスのベース・プレーヤー、ジェリー・シェフを呼んできたことも言及の価値がある。彼はその後、ボブ・ディランやエルヴィス・コステロらと演奏した。これらの演奏家には太刀打ちできない。

だが、皮肉にもこのレコードにはストーンズの最後の傑作が収録されている。ちゃんと覚えておいてもらいたいので、私はわざわざ危ない橋を渡って、声を大にして言うが、まさに最後のオリジナル・ローリング・ストーンズ・トラックは〈ハド・イット・ウィズ・ユー〉である。この曲以降、ストーンズが自ら書いた曲で、もう一度聞きかなくてはと思うものは一曲もない。彼らの歌がラジオでかかれば、ラジオを消すことはない。だからと言って仕事からうちに帰って、《ブリッジズ・トゥ・バビロン》(1997年)をかけるやつが誰かいるか？〈ハド・イット・ウィズ・ユー〉は、これまで彼らがレコードに収録した全てのうちで、最もクズみたいな作品だ。この曲はほぼキースのギターだけで、ミックのボーカルと執念深く響くハーモニカ、チャーリーの(スネア)乱れ打ちによる(ベースを入れようとすらしていない)嫌悪感に満ちたふざけまわりだ。〈ミッドナイト・ランブラー〉以来ご無沙汰していた、いかがわしいブレイクダウンを真ん中のところに挟んでいる。

キースのフラストレーションはピークに達していた。このラインはミックのために書いたものだ。

愛しているぜ、汚ねえファック野郎…

ミックにも(キースのメッセージが)伝わり、激しく唾棄した。こんなものがスーツ姿の重役からノーマークで収録されたのは驚くばかりだ。この曲は音響的な「痩せこけ」とでも言うべきものだ。このレコードの残りは（〈ワン・ヒット（トゥ・ザ・ボディ）〉、〈ファイト〉等々）、まるでロッキー映画の続編の一つに使われるサウンドトラックのようで、《ダーティー・ワーク》が基本的にミックとキースが喧嘩している音だと捉えれば、納得もいく。

〈ハド・イット・ウィズ・ユー〉における救いのなさは、彼らのその時の状態にそのまま由来している（ドラムスもそうなのは言うまでもないが、チャーリーもこの日ばかりは「もう知ったことか」と思ったのだろう）。しかし、ストーンズの世界ではかろうじてプロのレコーディングの質を保っている。このレコードの残りの部分を台無しにしてしまっている巨大な、プラスチックっぽい、そして会社のオフィスでするキスみたいなものは、確かにこの曲にはない。アヴァンギャルド・ブルース・ガレージ・パンク・シーン（例えばジ・オブリヴィアンズ、ザ・ゴーリーズ、そしてジョン・スペンサー・ブルース・エクスプロージョンのようなアンダーグラウンドなバンドのことだ）から出てきた一曲のようだ。アルバム全体がこうなってなかったのはとても残念だ。

★

キースが自分のバンドを結成したのはこの時点だった。ミックがストーンズとツアーに出るのを拒み、次のソロ・レコード《プリミティヴ・クール》（1987年）へと歩を進めたからで、それも驚くべきことではなかった。チャーリーは回復し、自分のビッグ・バンド・プロジェクトへとなだれ込んでいった。精神科医を受診したり、ロニーの好きなセレブ御用達のリハビリ施設に滞在するなら安上がりだが、**チャーリー・ワッツともなると自分に合ったセラピーを選択せねばならない**。彼はお気に入りのジャズ奏者をフィーチャーしたジャズバンドを手に入れた。闇のような時間から抜け出るためのプロジェクトを始め、このショーをニューヨークにもってくる時までには、明らかに幸福感を発散させていた。

「私の悪い時期にはポジティヴな面とネガティヴな面の両方があったんだ」と彼は後にストーンズ自身のオーラル・ヒストリーで語っている。「ドラッグがなかったら、彼らに私と一緒に演奏してほしいと頼む勇気はなかっただろう。ジャズ・オーケストラは最終的に素晴らしいバンドになった。あれをやっている間に立ち直ったんだ。第一段階ではまだ泡のようだったが、第二段階では素面だった。四十年間やってきて、素面で演奏した初めてのバンドだったんだ」

《ダーティー・ワーク》から三年経ってようやく、ミックとキースに突然の転機が訪れ、お互いにどうする方が得策か実感することになる。つまりザ・ローリング・ストーンズはスタジオに戻って、レコードとツアーについて考え始めるべきだということである。

次のレコード《スティール・ホイールズ》（1989年）は「カムバック」である（ロニーが加入

してからのレコードは全部そんな感じだったが)。そしてここから、どんどん複雑化するツアーと、焦点の定まっていないスタジオ作品による、どんよりとした状態になる。どれも皆、落第点相当だ。ただし一枚のレコードを除いては。

60パーセント以下が落第点として、12曲入りのレコードなら、少なくとも7・2曲は良質な作品でなくてはならないということになるが、それは90歳のおばあちゃんに、彼女の蛾に食われたひどいドレスがどれだけ好きか言うようなものだ。愚の骨頂である。《スティール・ホイールズ》はひどいレコードではないが、心に残るものではない。だがかなり成功して、アメリカではダブル・プラチナムを獲得した。ストーンズにはお互いを攻撃するのをやめて、ロックンロール・レコードを作ってもらいたいというポピュリスト・ムーヴメントが明らかにあった。

このレコードには素晴らしい瞬間がいくつかあるが、7・2曲には到達していない。おそらく「寛大に見てC」がいいところだろう。我々の物語にとって大切なのは、今やチャーリーが「シグニファイア〔対象物と人間との間の交流を可能にする仲介者〕」となったということだ。その信号を受け取るのはストーンズである。つまりミックとキースは明らかに一歩引いており、互いにうまくいかない時は、それがなんであれ、チャーリーが間に入ってストーンズらしく仕上げるのだ。〈サッド・サッド・サッド〉におけるチャーリー・ワッツの爆発と共に《スティール・ホイールズ》は幕を開ける。オープンGチューニングのギター・イントロに続いて、「曲が始まる前に裏拍から入る」電気が走ったようなスネアの連打だ。ギターはおそらくミックが弾いているが、キースっぽい音であり、つまりストーンズの音である。アルバムに払った対価としては、全曲中ベストソングである。チャーリーのスネアの音は《刺青の男》の時よりも大きくミックスされている。《刺青》ほどクールではなく、クズみたいだが、明らかに「効果」である。

「ウワサのヒット・シングル」、〈ミックスト・エモーションズ〉におけるドラムス・ギター・イントロはもう一つのよくできた「ストーンズ流催眠術」だ。ドラムスはモータウン・リックをチャーリーが足早に料理したものだが、(それに続いて)ギターがオフ・ビートで入ってきて、メンバー全員が揃って演奏する前に高速の揺れを生じさせる。これら全てがちょっとした奇跡のように、あまりに素早く起こる。音楽の1秒半ほどの間に、あれほどのエキサイトメントをもって他の誰かが演奏することを想像するのは難しい。あそこの部分のループなら丸一日聞いていられる。だが残りの部分はどうでもいい。

〈ミックスト・エモーションズ〉は悪い歌ではないが、ストーンズは自分たちのハードルをあまりに高く設定してしまい、大半のグループにとって素晴らしいシングルになるようなものでも、彼らにとっては干潮のようにしか響かない。最早彼らは、かつてフィル・スペクターが〈サティスファク

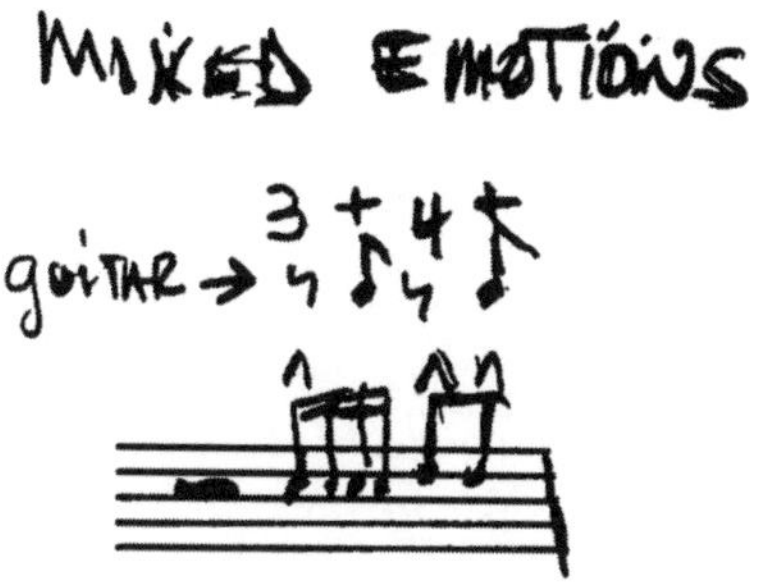

ション〉について」「貢献」と述べたようなものを作っているわけではなかった。どのレコードにも素晴らしい瞬間はあるが、それを見つけるには魔法のバトンが必要だった。

しかしながら、どこを見てもチャーリーがいる。

五年後の1994年に発表された《ヴードゥー・ラウンジ》でも、レコードの一番最初に聞こえてくるのは、またしてもチャーリーだ。〈ラヴ・イズ・ストロング〉におけるチャーリーのイントロはクールで、自信に満ちている。このレコードにはわずかでも勝てるチャンスがあるかもしれないということが、なんとなく分かってきただろう。**ストーンズの曲の最初の瞬間で聞こえて然るべきは、（裏拍から入るスネア）ロールとチャイナ・シンバルの一発だ。**

二曲目の〈ユー・ガット・ミー・ロッキング〉（〈ゴーイング・トゥ・ア・ゴー・ゴー〉はこの曲のようになるべきだった）も同じパターンである。チャーリーがバンドの前にいて、今度は少しばかり強くスネアを叩き、愛すべきチャイナ・シンバルの出番となる。

三曲目〈スパークス・ウィル・フライ〉もさらにチャーリーで、三曲立て続けに彼に開始させている。

そしてまた……

チャーリーはミックスの中で埋没しているわけでもない。彼のスネアドラムは圧倒的だ。彼がチャイナ・シンバルを叩く時はいつも、木が雷に打たれたようだ。そして最後の曲、〈ミーン・ディスポジション〉ではオールド・スクールのようにスィングする。純粋なビッグ・ビート・ジャズである。

だがこれは一体どういうことだろう？「チャーリーは今夜もかっこいい」ってか？

★

キースは誰だろうとストーンズを辞めるやつは「棺桶行き」だとよく仄めかしていたが、《ヴードゥー・ラウンジ》に取り掛かるまでには、ビル・ワイマンがすでに去っていた。彼は、ティーンエイジ・ロック・バンドにいるような素振りはもうたくさんだと決心し、抜けた。

ビルはストーンズ・サウンドの建築技師だった。特にあの独特の「揺れ」にとってはとても重要で、彼らのベスト・レコードにおけるキー・プレイヤーだったが、時代は変わっていた。《スティール・ホイールズ》をサポートする「アーバン・ジャングル・ツアー」では、ストーンズ以外のメンバーの方が実際のストーンズより多くステージにいた。バックグラウンド・シンガーが三人から四人、ホーンセクションが三人から四人、そして一人か二人のキーボード・プレイヤーである。サウンドは甘くなっており（もしコカインのバッグなら「混ぜ物」がしてあるといったところだ）、新しい輩がベースを演奏しようが、それほど違いはなくなっていた。キースはビルを殺さなかったが、基本的には誰もどうでもよかった。ミック、キース、チャーリー、ロニーがザ・ローリング・ストーンズで、ギグのある夜には、「世界最高のバンド」を演じることが未だ可能だったのだ。

新しい輩はダリル・ジョーンズだった。チャーリーによる人選で、それは彼の経歴に対する敬意に基づいている。明らかにチャーリーは、ダリルがかつてマイルス・デイヴィスのバンドで演奏していたことを把握していた。たとえそれが１９８０年代のバンドで、チャーリーが休暇中にかけるマイルスのレコードではなかったにせよ。ダリルはスティングとも演奏していたが、そこのところは誰も気にしないように努めていた。

ダリルは、前任者と比べると、伝統的な大きいベース音により多くを負っているが、キースとロニーが羽繕いをしている間、必要なところは彼が埋めていた。とにかく彼は素晴らしいベース・プレイヤーで、どこから見てもナイスガイだった。少なくともバンドの誰も彼をビル・ワイマンのようにドレスアップさせようとはしなかった。

1997年までに、またもや巨大規模ツアーの準備を始めることになって、彼らはスタジオに戻った。そしてまたプロのロックンロール・バンドにいる大人というよりは、何かあるとすぐに怒る子供のように振る舞った。ミックとキースは互いを避け、違う時間にスタジオに来て、別々にセッションを行った。ミックはキースが不在の時にはヒップホップの連中と駆け回り、そして最後にはまたもや口をきかなくなっていた。全くもってクソ悲劇だった。彼らが本気になると、どれほど素晴らしいレコードができるか誰でも知っているからだ。

★

そこでチャーリーの出番だ。新しい作品、《ブリッジズ・トゥ・バビロン》（1997年）の一曲目、〈フリップ・ザ・スィッチ〉はまたもやチャーリーで、この時は勇壮なドラム・イントロだった。例の「シュープ」はハイハットとスネアの「おとり商法」によるもので、リベット付きの大きなチャイナ・シンバル（巷ではスウィシュ・ノッカーと呼ばれている）のような音に続いて、短い「ズーザ」というドライヴ感のあるビートが現れる。それからまたターンアラウンドがあり、ギターが入る前にビートに戻る。まるでチャーリー・ワッツ・イズム組曲の様相だ。実際のバレエには十分だが、そうでなければ、形式通りにやったストーンズの歌を大幅に拡張したものだ。

このレコードでのスネアドラムは放射能を浴びたモンスターのようだ。クズのような音がして、破滅的なほどだ。だが不幸なことにどこにもジャズがない。いい瞬間があっても（いつでも必ずある）、支離滅裂だ。誰が何を考えていたのか見当もつかない。

もちろんチャーリーが魔法の手をもっていることを除いては。ここに決定的に欠けている「ゾーク」をどうにか与えようとした結果、ドラムスがとても大きな音でミックスされており、今や「**チャーリー・ワッツと彼のローリング・ストーンズ**」と聞き間違えるほどである。

★

エルヴィスの最後の日々について考えてみよう。

彼は、キャリアにおける最後の十五年間、当時、最先端をいくヒップなアメリカから1950年代の遺物、ノスタルジアとして見られていた。誰かの両親〔の世代〕に属するものだった。プライドの高いストーナーが、年寄りのレコードを聞きながら死に至っているところが見つかることなどなかった時代だ。おそらくエルヴィスはアメリカで最も偉大な男性シンガーだったこと、彼がブルースを持ち込んだ時、その源流から直に学んだ本物を持ち込んだこと、そんなことなどどうでもよかった。彼は自分自身が生み出したロックンロールを持ち込んだ。彼がゴスペルを歌えば、君を泣かせることだってできた。

1968年、ストーンズが《ベガーズ・バンケット》で意思表示をした際、エルヴィスはテレビに出て、マーティン・ルーサー・キング・ジュニアに賛同し、〈イフ・アイ・キャン・ドリーム（明日への願い）〉を歌った。それは公民権運動時代の最も感動的な歌の一つで、おそらく彼の最も情熱のこもったパフォーマンスだった。この時、彼は33歳だった。ストーンズが《女たち》を制作し、パンクスに一撃食らわしていたのと同じくらいの年齢だ。だがエルヴィスは峠を越えたエスタブリッシュメントだった。彼の反抗の証明書は期限切れだった。

ある条件下でなら、〈イフ・アイ・キャン・ドリーム（明日への願い）〉は、〈ストリート・ファイティング・マン〉や〈ギミー・シェルター〉と同じくらいパワフルだった。エルヴィスはかつて革命を指導し、今や「統一」を呼びかけているのだ。注目すべきは、彼は同じテレビ番組でジミー・リードの歌も歌っていた。エルヴィスはそれほどストーンズからかけ離れてはいなかったのだ。どちらかと言うと、服装や化粧に注意を払い、ミックやキースがそうするよりずっと前からアイライナーに凝っていたという点では、エルヴィスの方がかなり先を行っていた。しかし同時に、音楽に関して言えば、結局のところ、それが何であれ、同じクソだということを理解していたのである。

この国のロックンロール・バンドは全てエルヴィスに多くを負っている。ジム・モリスンはどれほどエルヴィスからかっぱらっただろうか？　1970年のエルヴィスのバンドはザ・ドアーズよりどれくらい優れていただろうか？　君が探している言葉はおそらく「大幅に」だ。

１９７０年代初期を通じて、エルヴィスはこの地球上で最も優れたバンドの一つを有していた。ギタリストに、ジミー・ペイジのヒーロー、ジェームズ・バートンを擁していた達人たちによるグループだ。キャリアの初期の頃、ペイジはかなりバートンにぞっこんで、財布の中に彼の写真を入れていたほどだ。そして言うまでもなく恐るべきドラムス、ロニー・タットである。毎晩エルヴィスのステージを開始する雷のような、そして絨毯爆撃のようなイントロは、ラスベガス版のキース・ムーンのようでさえあった。[*2] １９７２年、アメリカ人の若者がエルヴィスよりもドゥービー・ブラザーズにお金を使っていたのは悲劇だが、ロックンロール・カルチャーの現状とはそんなものだった。誰にもヒーローなどいなかったのである。

エルヴィスが死んだのは42歳の時だった。彼は麻薬中毒だったが、彼がやっていたのは、あの当時流行っていたのとは別種のものだった。彼はその点でもかなり先んじていたと言える。もし彼が死ななかったならば、それまでと同じようなことをやりながら、活動を続けていただろう。もっとゴスペルをやっていたのは間違いない。彼の最後の素晴らしいセッションの一つは、ソウル・ミュージックの震源地、〔メンフィスの〕スタックス・スタジオで行われたが、この時点で彼は

＊2　この時チャーリーは幸運にもドラッグ問題は先送りにしろというキースのアドヴァイスに耳を貸さなかった。２００1年、チャーリーが60歳になった時、彼は絶好調で、一年以上かけて五つの大陸を周り、１１７回のショーを行った巨大な「リックス・ツアー」の準備中だった。

すでにかなり道を踏み外していた。(不幸にも) 彼にはケツを蹴ってくれるキース・リチャーズがいなかったのだ。

バンドを取り仕切る肉体的、精神的な法則は、エルヴィスのような (独り者の) フリー・エージェントの世界を統括するルールとはかなり異なっている。この意味では、ボブ・ディラン、ニール・ヤング、ロバート・プラント等が、70代になっても素晴らしいショーを続けている。「穏やかな夜に身を任せなかった」クラシック・ロック・アイコンもほんのひと握りほどはいるのだ。イギー・ポップは70歳を超えてなお110点のステージをやっているが、それは例外だ。だが「バンド」には何らかの分子化学がある。それは強い絆とか弱い絆とかいったものだが、だからこそチャーリーとキースとミックが重要になるのだ。それは水の分子を形成するようなもので、水素、酸素、そして彼ら自身のセクシーさを混ぜ合わせると、そこで泳ぐことができたのだ。

★

ストーンズも人間だということは念を押しておこう。2004年、チャーリーは63歳で、咽頭癌と診断された。彼は自分が死ぬと思っていた。そうなる可能性は十分にあったが、幸い癌の発見は早い時期だった。二回の手術、数週間に及ぶ放射線治療を経て、他のどの人間と同様、かなりの窮地に立たされていたが、他と異なっていたのは、彼はチャーリー・ファッキン・ワッツだったということだ。力強くカムバックしてきたのだ。

「突然、ミックと俺はお互いを見合って、『残りのオリジナル・メンバーは俺たちだけかもな』ってことになった」とキースは「ビルボード」誌に語った。「だが、そんな話はしないよな、普通。チャーリーが良くなる方に賭けよう、そして本当に素晴らしかったのは、チャーリーは信じられないようなやつだったってことだ。まるで鉄の塊みたいに。チャーリーが戻ってきて、全てのリハーサルでショーのように演奏してくれた。ビックリだよ」

宣伝を信じるなら、彼らは互いに向き合って座り、「原点回帰」のロックンロール・レコード《ア・ビガー・バン》（2005年）の制作に取り掛かったということだった。（あたかも）今までの問題は傍に置いておいて、ミック、キース、そしてチャーリーがやるべきことをやりながら、ライヴ録りでトラックを作ったのだ。

第一曲目〈ラフ・ジャスティス〉の最初の30秒間、ダーティーなギターとものすごいドラムスの閃光は信じられないくらいだった。チャーリーが月にロケットを飛ばしているかのような響きだ。その瞬間だけ何度も聞くことができた。

だが間もなくすると、ストーンズはこんな音がするはずだとストーンズが考えるような音をストーンズが鳴らしていると考えるようになる。それは奇妙な場所で、そこでは逃れることのできない時代精神の一部に自分自身がなってしまっているようだった。まるで、きれいな洗濯物が底をついたので、店の商品棚から自分のTシャツと同じものを盗まねばならなくなったかのようだ。ピカソにもそんな時期があったとよく聞いた。

《ア・ビガー・バン》にも素敵な瞬間がある。相変わらずのクールなドラミングもたくさんある。だが深みに欠ける。本物の揺れ、本物の織物は皆無で、ツアー（２００６年のスーパーボウルのハーフタイムショーでの演奏を含む）をプロモートするための新しい作品が必要だという以外はインスピレーションを感じられない。

ヒップな世界が教えてくれたのは、エルヴィスがエスタブリッシュメントの一部だったということだ。

彼らはこの年、マーティン・スコセッシと共にコンサート・フィルム『シャイン・ア・ライト』を作った。レコード作りの歯痒い収穫は置いておこう。ストーンズは60代に入っていたが、驚くほど絶好調だった。ギターはもはや大量破壊兵器とはいかなかったし、時には平然としておバカをやっているようなこともあったが、彼らは依然としてザ・ローリング・ストーンズであり、ブルース、ソウル、言うまでもなくグラム、カントリー、昔ながらの泥臭さと低俗さの入り混じった高貴な預言者だった。クリントン財団のためのベネフィット・ショーであったにもかかわらず、〈オール・ダウン・ザ・ライン〉を大音量でぶちかまし、そして脂ぎり、いかがわしいヴァージョンの〈女たち〉

を演奏した。自身の女性問題で有名な元大統領主催のチャリティーでだ。

この歌は妻とその場所にいるビル・クリントンの何たるやを少しばかり肘で脇を突いて伝えるかのようだったが、それが発表された1978年の時ほど卑劣な感じではなかった。むしろ、クリスマスで少し飲みすぎたおじいちゃんが歌う猥歌のようだった。着飾って、ステージ前の列に配置されたミレニアル世代の女性たちは（通常これらの席を埋め尽くしてしまうような、写真写りのあまりよくないベビーブーマーたちと差し替えられたのだろう）、純粋に盛り上がっていたのか、あるいはおそらく、この歌が本当は何についての歌なのかをということを分かった上で興奮していた。ストーンズが彼らの両親のお気に入りのバンドなどということはお構いなしに。

ミックはチャーリーと一緒に、彼の後ろで大袈裟に振る舞っていた。チャーリーは無秩序なフィルの間に、チャイナ・シンバルをデタラメに叩いていた。世界中の誰にもこんなことはできないとでも言っているかのように。

★

時間はあっという間に過ぎていったが、ストーンズは止まらなかった。わずかながらだがツアーが組まれ、規模と宣伝の上では巨大なものとなった。その中には2013年の50周年記念も含まれている。この年、ミックとキースは70歳になった（チャーリーは二、三歳年上で、ロニーは二、三歳若い）。このツアーでは〈キャント・ユー・ヒア・ミー・ノッキング〉のリハーサルをバンドと一緒に行うため、ミック・テイラーが積もり積もった障壁を乗り越えて招かれた。ドラッグ時代のジャムを素面になった時代にやろうとするのは、かなりの危険を伴う冒険だということの証明だったが。

さらに多くのツアーが行われ、それぞれが前回のものより規模を増した。そのほとんどの後でお土産のライヴ・レコードが出されたが、恐ろしいほど内容が重複していた。もし意地悪な気持ちになって、１９７２年ヴァージョンの〈ジャンピン・ジャック・フラッシュ〉と１９９９年版、２０１２年版、あるいは２０１５年版と比べようという気になるのなら、どれでも手に入る。数えてみると、（この曲では）25種類ものライヴ・レコーディングをリリースしている。おそらく最も驚くべきは、チャーリーが一度たりとも同じようにプレイしていないということだ。

彼らは少なくともこの時までには、ロードに出てショーをするために、新しいレコードを出す必要はないということを理解していた。チケットの人気は想像上の「ロックンロールの終末時計」に直接的に比例しているかのようだった。チャーリー・ワッツとザ・ローリング・ストーンズと古《いにしえ》を結びつける熱く青光りする火花は、まだ電青色に明るく燃え上がっていたが、一度消えてしまうと何物にも代えられなかった。

重要なマイルストーンとなったのは、50万人もが参加した２０１６年のキューバにおけるフリー・

コンサートだ。

キューバはいわばイバラの冠と言えるようなものへの宝石だ。彼らが音楽を政治から切り離して長い時間が経ったが、これはその見事な原点回帰だった。自由ということの全てがここにあった。アメリカに戻って、ストーンズが行う最も反逆的なことといえば、チケット一枚に500ドルもの値段をつける厚顔無恥さだったのだから。

彼らのキューバへの旅のフィルム、『ハバナ・ムーン』には感動せずにいられない。キューバの人々の反応は全く思うがままの素直な喜びだ。ザ・ローリング・ストーンズがそこにいる。彼らは、それほど遠くない昔、平均的なキューバ人を牢獄へ陥れた文化からの使節団だ。それは極端なまでに楽天的だ。かつてロックンロールとはそういうものだった。利用され、産業化され、そして全ての経験が当たり前のことになってしまう以前には。

ミックはその夜、あまりに広すぎて、おおよそステージとは呼べないようなところを10マイルも走り続けていた。そこはジャイアント・スクリーンでカモフラージュした飛行場のようだった。もし戦争が起きたなら準備は万端だろう。彼らのことをずっと見ている人からすれば、バンドはペースを落としている。しかしその夜の終わりになって、そこにいるのは〈ジャンピン・ジャック・フラッシュ〉を演奏しているザ・ローリング・ストーンズだった。チャーリーは依然キースを追いかけ、膨大な数の聴衆は恍惚に酔う。何世代ものキューバ人が共に祝っている。人々が泣いている。だがそれはチケットの値段のためではない。

ロックンロールは勝利した。もし人の価値がどれだけの人の心に触れたか、どれだけの喜びを他人にもたらしたかということで決まるなら、全てのストーンズの名前が人生の本に記されるだろう。かつての過ちは全て許されたのだ。

★

ストーンズはショーをずっと豪華なまま保って活動を続けていったが、相変わらず嬉々としていい加減だった。ダラダラしたところは少しもなかったが。しかしキューバのロックンロール革命は別として、これはいわば「中立公平」である。〈ギミー・シェルター〉は21世紀にどんな意味をもつべきだろう？　レイプも殺人もかつてのようではない。奴隷制度もヘロインも同様だ。誰か歌詞を聞いている者はいるのだろうか？

ストーンズのコンサートは過去へのオマージュのようになってしまった。それについては少し寂しい気もするが、同時にこんなことも教えてくれる。ノスタルジアは病的なものと感傷的なものの間にぶら下がっている数少ないものの一つだということ（なぜ物事はかつての栄光の日々のようにいかないのだろう）、あるいはノスタルジアは何かを結びつける力、言い換えれば我々を一つにするような経験に対しての祝祭だということだ。70代のストーンズと古い時代のストーンズに何が共通しているかといえば、人々は彼らを見ることに「とても」興奮し、期待で本当に胸が熱くなるということだ。彼らの存在は当たり前のこととして考えられなかった。この戦士たちは自分たちの年齢にほとんど譲歩することなく、行く先々で騒動を起こしていた。

もしあなたが1969年、あるいは1970年代初頭の彼らを見たなら、あなたは革命の目撃者だ。物事がそのようになることはもう決してない。これはノスタルジアではない。これはロマンスではない。このようなロックンロールの存在を許した環境はもはや再生不可能だという「科学」なのだ。聴衆でさえも随分変わってしまった。文化があまりに革新的なものを支持することはなくなってしまった。あまりに多くの事が起こり、あまりに多くの脅威が取り除かれてしまった。もはや音楽における危険な感じは皆無なのだ。

だがたとえ君が80年代か90年代にかけて、ステージがますますサイズを増していったそれ以降、あるいは最後のツアーのどれかでしか彼らを見られなかったとしても（六十年もの時間がストーンズにはあったのだから、少なくともチャンスがなかったとは言えない）、君は、二度と見ることのできない、この驚くべき叙事詩の衷心の一部だった。そして、もしそれすら叶わなかったとしても、いつでも《ならず者》を聞くことができる。誰でも時には救済が必要なのだ。

バックシートのビッグ・ビート。リトル・ウォルターとロードを共にする無比、無類のフレッド・ビロウ。
前列、奥側がリトル・ウォルター。手前は正体不明の女性（Photo courtesy Rob Filewicz）

12章

今宵ブルースを――ドラマーを憐れむ歌

Blues in the Night

2016年、ストーンズは新作を作るためにスタジオ入りし、「鏡の国のアリス」のような旅の後、古《いにしえ》を発表した。《ブルー&ロンサム》というタイトルの古いブルースのコレクションだったが、それは《ベガーズ・バンケット》より前への原点回帰のようだった。刷新、流行、ファッション、そして政治などはどこにも見当たらなかった。それはデカダンスの面でも軽かった。ドラッグの香りもなかったし、如才ない作品というわけでもなかった。

レイプと殺人に最も接近したのは、ハウリン・ウルフの催眠的なワンコードの傑作〈コミット・ア・クライム〉のカバーで、徹底的に邪悪な音がした。それは剃刀のように鋭く、必要のない音はどこにもなかった。このレコード全体がミニマリストの傑作だった。エリック・クラプトンが二、三曲でプレイしているが、それでもこのレコードをぶち壊しにしていなかった。これほどいい演奏をしているバンドをバーで見たら、ぶっ飛んでしまうこと間違いなしだ。

音的に最もハッとさせられるのは、チャーリーのチャイナ・シンバルで、レコード中あちこちで爆発している。時にはバックビートに乗せるように「連動」している。奇妙な青い影をバシャバシャと塗っているかのようだ。それはプリミティヴであると同時に、甚だしく進歩的だ。それはゴージャスな、そして暴力的な表現主義であり（ジャングルのこの部分には普通ではあり得ない色があったりする）、チャーリーのテリトリーの奥深くまで入り込み、自分たち独自のブルースを作り上げている。また未来的であると同時に、チャーリーが愛したジャズ・ドラマーたちへの回帰でもある。

ここでのチャーリーは、バンドにアクセントをもたらすため、ゴミ箱の蓋のような音を活用している。想像力をどこまで広げられるかということに息づいているのだ。そういう意味で《ブルー&ロンサム》は完璧にタイムレスで、過去半ダースぐらいのレコードに溢れていた人をコケにしたような戯事からの歓迎すべき脱出と言ってよい。

ミックも人をバカにしたようなところはまるでなく、完全に魅力あるブルースマンで、簡単に失われてしまうような秘めたる知識をもつブルース・マスターのプライドを見せつけている。

そして、何よりも**彼らが純粋に楽しんで演奏しているようだということである**。楽しい時間を過ごしているように聞こえるのだ。誰も無理強いされたりしていない。彼らはこの分野における天才だった。人生の全てを費やしてやってきたこと、つまり「古風な織物芸術」である。確かに（リトル・ウォルター、マジック・サム、ジミー・リードなどの）カバー・レコードだが、まるでその場で作り上げたかのように、全ての曲の中で楽々と、そして深々と生息している。ダ・ヴィンチのヌードかマイケル・ジョーダンのジャンプ・ショットのように傑作である。

彼らは宙に浮いているようなワンコードの旋法的なグルーヴを産み出し、コード変更を「感じる」までは、そのコードの上に乗っかるという自らの意思で12小節の（ブルース）パターンを捻じ曲げている。時にはベース・プレイヤーが（次のコードに）動くこともあるが、ギター・プレイヤーはそこに留まっている。彼らにはいつまでコードを「変えないか」という超自然的な感覚があった。これこそカントリーがシティに出会ったところであり、地球が空に出会ったところである。

そしてドラムスだ！　不可能とも言えるようなシャッフルがバックについている。どこの誰がこれほどまでに訓練され、同時にリラックスできるというのか？　チャーリーはインタビューで、聞いてくれるなら誰にでもフレッド・ビロウを持ち上げ（「私は自分の生活をフレッド・ビロウに負っているんだ」）、彼の本質について述べ、さらにシャッフルを正しく演奏することがどれほど難しいかについて語った。

ティーンエイジャーの私がドラムスを演奏しようというアイディアを思いついた頃、チャーリー・ワッツを自分のヒーローとして見ていた（ザ・ローリング・ストーンズは突出してお気に入りのバンドだったから）。そして彼がアール・フィリップス、フレッド・ビロウ、チコ・ハミルトンを研究したように、私も彼のことを研究した。さらにサバス、ザ・フー、ツェッペリン、ヘンドリックス、リトル・リチャード、ジェームズ・ブラウン、プロフェッサー・ロングヘア、MC5、チャック・

ベリー、そしてザ・ラモーンズに合わせて演奏してみた。チャーリーがやっていたことは頭抜けていた。

ツェッペリンに合わせて演奏するということは、それぞれのパーツを覚えることが要求された。それはたいへん独特で、テクニック的に高度である。ストーンズと一緒に演奏するのは、どちらかというと「考えずに演奏する」ことを学ぶことだった。スタイル的な細い動きはあるが、おかしなトリックはない。自然に飛ばせてやればいいだけのことだ。そして踊れなければだめだ。それこそが秘めたるチャーリー・ワッツの本質だ。

《ブルー&ロンサム》を手に入れた時、ちょっと遊んでみることにした。私は節だらけのワイヤーブラシを取り出し、ネックをもぎ取ったバンジョーはなかったので、古いLPレコードのジャケットの上で一緒に演奏した。[*1] 難しい「真偽の確認」だった。自分の身体にハンディキャップがあるようだと感じた。肉体的な努力を強いられた。テンポは気が狂ったかのようだった。必ずテンポを上げるような衝動に駆られるが、ストーンズのマジックは「待った。予期(anticipation)と貫通(penetration)」なのだ。**チャーリー・ワッツは、そのタイミングへと上昇してくるのではない。そのタイミングと共に上昇してくるのだ。**

★

私がまだ駆け出しだった頃、チャーリーは諸々のドラマーの中で共感（sympathy）を得ていなかった。リンゴも同様で、概して彼らがほとんど尊敬されていなかったのは、ストーンズとザ・ビートルズにいたからだった。彼らのことを称えるドラマーはほとんどいなかった。ボーナムは別として、みんながイカれていたのは、アホみたいにデカいドラムセットに囲まれ、10分間もソロを叩きまくるニール・ピアートやプログレのタコ足ドラマーだった。

だが時代は変わった。チャーリーは尊敬されている。今や小さなドラムセットはヒップだ。その原因の少なくとも一部は、余計なものを削ぎ落とした、ポスト・パンクの美学と関係している。それは明らかに産業化されたポップ・ミュージックの複雑性を前にして、オーセンティシティー（本物らしさ）に価値を見出した若いミュージシャンによる原点回帰のサインだった。そして彼らはこのクソは人から教わるものではなく、自分で学ぶものだということに気づいたのだ。

「チャーリー・ワッツのようにプレイするためには」をインターネットで検索して、得られる結果

＊1　プロによる助言。LPのジャケットを使ってブラシの練習をする時は、必ずザラザラした方の面を使ってやること。そうすれば、スネアドラムのコーティングを施したヘッドのように、「ウーシュ」という音がいつもより余計に出る。一番のオススメは『ラスト・ワルツ』のサウンドトラック盤。綺麗に凹凸のある表面、そして3枚組という利点が、シャッフルをやっている時に膝の上から滑り落ちないよう助けてくれる。

が、これほどまで生気ないということにはビックリだ。この手のビデオを作るようなアホドラマーの誰も彼のスタイルをコピーできていないからだ。最も複雑なボーナム・ビートを一つずつ分解したようなもの、頭のおかしいダブル・バスドラのチュートリアル、複雑なジャズ・レッスン、そしてジェームズ・ブラウンの最もトリッキーなファンクについての高レベルなディスカッションなどは何百とある。ニール・ピアートとラッシュを休みなしでかけ続けるベッドルーム・ドラマーのサブカルトも然り。

しかしチャーリーに関して手に入るものといえば、意味あるものはほんの二、三で、彼のスタイルがどれほどシンプルか勘違いしている輩が述べたもの、スネアを打つ際にスティックをハイハットから持ち上げるところをやって見せたもの、〈スタート・ミー・アップ〉の冒頭の見事な1－2スイッチバックを解説しようとしたものくらいしかない。無知な人々、あるいはチャーリーやリンゴはただのタイムキーパーだという、うんざりするような戯事を未だに信じている人々にとって、彼のスタイルはシンプルに映るのかもしれない。しかし一度じっくり観察してみると、こいつらみんなゴジラのようなチョップをもっているのに、シンプルなシャッフル・ビートをスウィングしようとしてズッコケているのには当惑する。まさにそんなやつらが自分でドラムを演奏して、ビデオを作っているのだ。とにかくインターネットの教則ビデオを見たからといって、得ることのできる知恵などあまりない。このクソをプレイしたいのなら、それと共に生きていくしかない。その覚悟をもたなければならないのだ。

「知識を得るための情報にアクセスを誤る」。これこそインターネット世代の大きな欠点である。ケータイのビデオは実際の経験の代わりを務めるものではない。誰もが近道を探している。だがチャーリー・ワッツは「そんなものは存在しない」と君に教えてくれるだろう。

★

彼らは戦争と平和とディスコを生き抜いた。MTVとパンクロックの時代にも生き残った。必ずしも100パーセント関連あるわけではないが、五十年もの間、ザ・ローリング・ストーンズは常に存在し（その間に少なくとも11人の米国大統領と12人の英国首相を数えるほどのキャリアだ）、内乱、口論、不仲、どのような問題があったにせよ、欠員を埋めるためにディオだのドーナツだのを呼んでくる必要はなかった。彼らには継続性があった。

最初のギグ以来、彼らはアメリカ合衆国陸軍よりも絶え間なく成功してきた。見たところ不滅のようだった。汗臭い地下のパブから始め、アレクシス・コーナーと演奏し、60年代半ばの狂気の頂点で、泣き叫ぶ女の子に向かって演奏した。ステージの上に飛び上がって、バンドをめちゃくちゃにしてしまうティーニー・ボッパーが若者文化を意味していた時代だ。ドラッグのガサ入れ、ひどいサイケデリア、気の違った、だが素晴らしかった女性たち、そのどれからも生き残ってきた。彼らは殺人を目撃し、犯罪に共謀した。だが仮想の敵と戦っていたのは、決してチャーリーではなかった。**彼がビートをキープしていたのだ。**

それはちょっとした小さなギグではすまない。ドラミングに対する肉体的要求は信じられないほどだ。二時間のローリング・ストーンズのセットで、どデカいアンプに囲まれ、小さなドラムセットを打つのは、空調の効いたステージ、リラックスしたテンポ、そしてたとえ君が眠っている後での快眠にありつけたとしても、オリンピック・アスリート的な離れ業だ。この仕事に一旦停止はない。へたり込んだり、しかめ面をしたり、あなたの後ろでバンドが演奏しているのに、パワー・コードだけ鳴らしているっていうわけにはいかない。あなたがバンドなんだ。あなたが止まると、ショーが止まるんだ。

チャーリーは癌にも、ヘロインにも打ち勝った。そんなことより何より、五十年以上ミックとキースとロードに出ながら生き残ったのだ。辞める理由が十分あった時でも、彼はそうしなかった。彼にはクソ天使のような辛抱強さがあった。

2019年夏の「ノー・フィルター・ツアー」の最終ラウンド前、チャーリーは78歳になった。これはミックが心臓手術を受けた数週間後のことだ。心臓手術![*2] 彼らが30代の頃にはすでに年寄りのように書かれていたが、それから少なくとも一回は埋葬されて、蘇ってきた。

チャーリーは何度か「もうやめた」と言うこともできた。ビル・ワイマンはそう言って、自分の取り分がよかった時に出て行ってしまった。だがチャーリーは違うタイプの人間だ。彼はミックやキースにいつでも「ノー」と言うことができたが、だがそうじゃない。とにかく彼の妻がそうさせたかどうかも疑問だ。やめてどうするというんだ？　家の周りを一日中ブラブラ歩き回るのか？　彼にはジャズ・コンボもあるし、ブギウギのグループもある。だがこのことは最初からそうだったし、最後もそうだった。チャーリー・ワッツがザ・ローリング・ストーンズを必要としていた以上に、ザ・ローリング・ストーンズがチャーリー・ワッツを必要としていたのだ。ネコのメーキャップを施した適当なやつをドラムスの後ろに置いて、何も問題なかったように装うことなどできないのだ。ありがたいことに彼は人をガックリさせるような性格ではなかった。**チャーリーは紳士であり、兵士だった。**

★

我々にとっての最後のロックスターがこの世を去った時、みんなで私のうちに来て、どんなこと

＊2　ワイヤレス・マイクの発明のせいだ。

を思っているか話し合おうじゃないか。ジャック・ダニエルズを持って。必要になるから。

エルヴィスが死んだ時、君はどこにいたか覚えているかい？ ジョン・レノンが殺された時、どこにいたか覚えているかい？ プリンスが死んだニュースはいつ聞いた？ デヴィッド・ボウイは？ カート・コバーンは？ ラックス・インテリアは？ ザ・ラモーンズは？ チャック・ベリーは？ 他にもたくさんいるが、これは全て時間への対価だ。

フランク・シナトラが誰だか知らない若者に会ったことがある。ディーン・マーティンみたいなアホなら尚更。ストーンズを知らない最初の世代はどの世代だろうか。「かつて心臓があったところに今は穴が空いている」

ザ・ローリング・ストーンズは消え行かない。なぜなら彼らがやっていたようなリズムやセクシャリティーはどんなトレンドにも寄っていないからだ。それは泥とドラッグとデカダンスとソウルから築かれたもので、最も壮大な意味において「ロマンティック」であり、ジェームズ・ブラウン、マーヴィン・ゲイ、マディ・ウォーターズ、ハウリン・ウルフ、ボ・ディドリー、リトル・リチャード、チャック・ベリー等々から直に抽出された古《いにしえ》の知識に基づいたものなのだ。ザ・ローリング・ストーンズは、ロックンロールがまだ脅威だと考えられていた頃に灯されたトーチを運んだ、最後の偉大なバンドだった。流行ったり廃れたりはするが、究極的には決して流行遅れにはならないのだ。

彼らの最良の音楽には宗教的な確信があった。彼らは十字軍の一部だった。犠牲者、脅迫、過ち、そんなことは微塵もなかったとはいかなかったが、それは付き物だ。時には生半可ではない信仰を必要とした。だがかつて、少なくとも一瞬、ザ・ローリング・ストーンズが世界で最高のロックンロール・バンドだったという前提を受け入れるなら（推移理論、数理論理学的必然、そして正しいドラマーのいないバンドについて我々が学んだ実際の経験に従うならば）、論理的に、少なくとも一瞬、チャーリー・ワッツが世界で最高のドラマーだったのである。

だが、そんなことどうでもいいだろう。大体「世界最高」ってどういうことだ？　誰がそんなことを気にするっていうんだ？

大切なことは、ザ・ローリング・ストーンズがローマのコロッセオでプレイしていた時でも、ミックがふくらまし式の巨大なペニスとヤっていた時でも、クレーンの上から歌っていた時でも、キースがヨレヨレで、ロニーもその一歩手前だった時でも、チャーリーが小さなジャズ・ドラムセットに座って、みんなのケツを蹴飛ばしていたということだ。彼が歌を売っていたのだ。そして、そうしている間、かっこよかった。これこそ「なぜチャーリー・ワッツは重要か」ということだ。どんな時でもチャーリーなら全部ピシッと整えてくれる。彼ならいつだってスィングしてくれるから。

あとがき　チャーリー・ワッツのいない世界

チャーリー・ワッツが亡くなったというニュースは車の中で聞いた。

その30秒ほど前、私は一風変わったニューオーリンズ発のR&Bシングルのカウベル・パートを聞いて、不思議に思っていた。ややマンボ風の、この上なく美しいアフロ・キューバン・リズムと、取り憑かれるほどクールなドラム、そしてロールはあってもロックはないものだった。

次の瞬間、私のケータイはいくつもの着信でクリスマス・ツリーの灯りがついたように光り始めた。この小さな半導体が爆発するんじゃないかと思うくらいに。おそらく私が知る誰も彼もが、チャーリーがこの世から去っていったことを我先に伝えようとしていたのだろう。まるで強い北風以上に速いスピードで情報が飛び交う、過剰なまでに互いと繋がったこの世界においてさえも、このニュースが記録的短時間で私に届かないのではないかと危惧しているかのように。この男について書き、ドラミング・ファン・リーグ、ロックとリズムの専門家たち、音楽オタク[*1]（生まれた時からずっと私がこの世に出現し、そしてこの本を書くのを待っていたような人たちのことだ）を代表する大使となり、チャーリーに関する全てに対して情熱を携えて直立している私のところにだ。

私が予期していなかったのは、誰もがこれほど熱心にチャーリーが亡くなったというニュースを私とシェアしようとしていたことではない。彼らを襲った圧倒的な悲しみ、真の喪失感、友人を失った私が大丈夫かどうか確かめようという本物の、愛情溢れる思いやりの方だった。

著者とその主題との関係は奇妙なものだ。私がこの本を書いたとき、チャーリーともストーンズとも会話することはなかった。私はストーンズ・オーガニゼーションに対しておざなりなリクエストを書いた。そんなことが実現することなどないと分かっていたからだ。チャーリーには「ノー・インタビュー・ポリシー」があるし、ストーンズも非公認の事柄に関して協力することはない。だが正直、その方がいいくらいだった。というのもこれで何かに手心を加えたり、いい加減な記事を書いたりせねばならないという負い目を感じることなどなかったから。ミックをダシにして笑う自由が私にはあったし、それはキースでもチャーリーでも同じことだ。真面目な話、彼らや彼らの取

＊1　身に沁みて分かったのは、結局のところ我々全員、程度の差こそあれ、音楽オタクであるということである。

り巻きとクダを巻いたりすることなど、まるで期待していなかった。彼らに近寄りたくなんかなかった。アポロ・シアターでのジェームズ・ブラウンのショーで、キースが飲み物をおごってくれ、話をした。素晴らしかった。ストーンズは私の頭の中にずーっと住み着いていた。それで十分だった。

そしてチャーリーが私に電話をかけてきた。それはパンデミックの始まりと同時にストーンズがUSツアーをキャンセルした直後で、どこの誰もこれから世界がどう転がっていくのか予想できなかった時だ。彼は私に電話するための時間とそうするだけの品格とを見つけてくれた。言い表すことのできない親切心だった。チャーリーはこんな「素敵な」本を書いてくれてありがとうと私に礼を言い、彼らに会えるよう（バックステージに）招待してくれた。そして、あの電話の後から、なんとなく全てが変わってしまったように思えた。ストーンズやチャーリーがより身近になったから。チャーリーの死のニュースを聞いて私は泣いた。車を路肩に止め、長い散歩をした。車に戻ってうちに帰る前、しばらくの間、空を見つめていた。

この喪失は深い。それが何であろうと。チャーリー・ワッツがいない世界とは、すなわちザ・ローリング・ストーンズのいない世界であり、私はそんな場所に住んだことなどないのだ。しかも今に至っては、私はただのファンだった時以上に、彼らの旅に感情的に巻き込まれてしまっている。腰を据えて、この本を書いたからだ。それは、初めて両足にスネアドラムを挟んで座った時から、私にインスピレーションを与え続けてきた演奏を世にもたらした男に対して私がもっている情熱のなせる技だ。そしてこれは、ある人々にとって、教会のドアに打ちつけた声明文といえるほどのものにさえなった。この本を書くのにどのくらい時間がかかったか問われると、必ず「四十五年間」と答えている。ここに書かれてあることは、初めて〈ブラウン・シュガー〉をなぞって演奏しようとした14歳の頃から、ずーっと考えてきたことだ。

重要なのは、私が彼ら（のほとんど）が存命していた間にこの本を書いたということである。チャーリー・ワッツとザ・ローリング・ストーンズに対する愛の一撃として。そしてこの悲喜劇的、時として薬物依存的な、ロックンロール放浪記を創造たらしめた、素晴らしく、地質学的、歴史的、音楽的、そして実存主義的な出来事の全てを祝うという目論見で。その放浪記はあまりにパワフルで、ややもすると私自身が叩きのめされるのを目の当たりにするようなものだ。本書はこのブルースを広め、疑り深い人たちにパンチを繰り出し、ディスコ、パンクロック、そしてこれまで顧みられることのなかったロックンロール・ドラミングのヒーローたちを称えるためのチャンスだった。さらにチャーリー（とリンゴ）は、ドラム・レッスンを一度受ければ誰でもできるような演奏しかしていないと、子供だった私に言い含んでいたプログレ・ロッカーたちの鼻をあかすためのチャンスでもあった。歴史認識という風向きが変わり、正しい側の方にいるのは気分がよかった。

友人たちが私に電話してきた数分後、各種メディアからのリクエストの波を漂うこととなった。「CNN」、「ニューヨーク・タイムズ」、「ローリングストーン」、「パリスレビュー」など、身に余る光栄だった。とりわけ面白かったのは「BBC・ワールド・ニュース・トゥナイト」への出演で、世界中の膨大な視聴者に向かって、なぜ彼らはザ・ローリング・ストーンズであって、ロッキング・ストーンズではないか、尤もらしい議論をまくし立てた。そして、その二、三週間後に書かれたチャーリーの死亡記事の全てで、私はさり気なく剽窃されることとなった。私の見解を自分のものだとする人たち、過去二十年間、10秒たりとも考えたことのなかったドラマーに媚びへつらうような人たちが、クレジットもなしに私の観察を盗んでいた。私がこの男についての本を書いたから。もしあなたが音楽ライターという人種は見識のあるやつだと思っているなら、そんなことはないとはっきり言っておこう。彼らのほとんどは音楽を演奏したりしない。だがジャーナリストによる（知識の）窃盗に対してできることなどほとんどない。せいぜい、標的にされたことに気をよくするのが関の山なのだろう。

この一連の出来事で最高だったことの一つは、チャーリーを愛する人々が彼についての思い出をシェアするためオンラインで集ったことだ（ありがたいことに、私もたくさんの会話に参加した）。そしてどれほどの人の人生にチャーリー・ワッツが触れたかということを聞くことになった。ザ・ローリング・ストーンズではなく、人間としてのチャーリーについて。それはツアーを忌み嫌う世捨て人のドラマーではなく、私の本について何かいいことを言うためにわざわざ電話し、ブルース・ドラマー談義に花を咲かせ、お茶に誘ってくれるような男のことだ。

この男はニューヨーク・シティでの休日に、ルイ・アームストロングの家を訪問するため、クイーンズのコロナ区域までわざわざ遠出してくるようなやつだ（この時ストーンズはニュージャージーの埋立地に建てられた巨大なフットボール・スタジアムで演奏した。そこからクイーンズまでは〝本当の〟遠出だ）。ここはジャズ巡礼者全員が必ず訪れねばならないところだが、ここまでやってくるのは面倒臭いことこの上ない。何せ住宅地のど真ん中にある、小さな家なのだから。私も行ったことがある。確かにそこそこチャーミングなところで、ヴァイブレーションも感じるが、ここはクイーンズであって、ニューオーリンズではない。ザ・ラモーンズやキッスが育った所として有名なところなのであって、ジャズ・アイコンたちで知られているところでは全くないのだ（アームストロングは１９４３年にここに移り住んだ）。想像すれば分かると思うが、ここの人たちはロックの著名人が立ち寄ることなどに慣れ親しんでいるわけがない。とはいえ、世界に名だたるザ・ローリング・ストーンズのドラマーがこんなところまでやって来たのだ。そして、その彼が念入りにみんなと写真に収まり、学童のように質問をし、話しかける全ての人々を特別な気持ちに、そして尊敬されている気持ちにさせた。

チャーリーは自分の楽派（スクール）に忠実だった。ジャズとジェントルメンの一つ、オールド・スクールだ。彼がニューオーリンズにいた時は、（フレンチクォーターの）プリザベーション・ホールにバンドを聞きに行き、もちろんドラムスも演奏した。そして相も変わらず、クリスマスの朝の子供のように、目眩を起こしていた。品の良さに満ち溢れた感じではあったが、（クイーンズの時と同様）チャーリーはそこにいた全ての人々を「自分たちは特別だ、そして愛されている」という気持ちにさせた。そしてプリザベーション・ホール・バンドと素晴らしいバトルを戦った。ジャズ・ファンも一緒になって追い続けるような永遠に続くバトルを。

オフの夜、チャーリーは、スタジアム・ショーの合間を縫って小さなジャズクラブに出演するストーンズのサックス・マン、ティム・リースと彼のコンボの演奏に加わり、ブラシを演奏した。大仰な態度など決して見せない優美さでもって。彼らが演奏しない時には、そこで演奏している誰かの（誰だろうと）演奏を聞きに行った。ギグの後でバンドとおしゃべりして、最後にその場を去るのはしばしばチャーリーだった。

チャーリー・ワッツの心は愛で満ちていた。音楽への愛、彼自身もその一部となった永遠に続く歴史への愛、そして一般人が決して見ることのない精神の寛大さをそれ自体が示しているような愛だ。しかし、いつも言っていることだが、他の人々にどれほどの幸せをもたらしたかということで人の価値が決まるなら、チャーリー・ワッツは王様だ。素晴らしい全てのロック・レコードとリズムの炸裂、インスピレーションに満ちたスィング、The Rolling Stones を THE ROLLING STONES たらしめた再現不可能な潤滑油とグルーヴ、そんなことなんかどうだっていい。彼は大きな心をもった、本当にいいやつだった。そのことはこの本に書いてなかった。だからこそ今ここに書いておくのだ。とても重要なことだから。

謝辞

ザ・ローリング・ストーンズ、そしてとりわけチャーリー・ワッツは、必ずしもインタビューに答えることに熱心ではないし、非公認の本を書こうとしている狂人たちに対しては特にそうである。そういう人たちだって、私自身同様、活気と善意に満ちていることもあるが。しかしながら、あらゆる面で私を感化してくれた彼ら、特にチャーリー・ワッツ、そしてキース・リチャーズに対して、永遠の感謝を送りたい。キースはアポロ・シアターで行われたジェームズ・ブラウンのコンサートで、親切にも私にジャック・ダニエルズをおごってくれ、チャック・ベリーと一緒に演奏する上での細かな点について（そしてそれほど細かなことではないことについても）語ってくれた。そして私のラジオ・ショーにゲスト出演してくれたボビー・キーズにも感謝したい。放送中の彼は超親切なテキサスのジェントルマンで、ストーンズの（つまりミックの）悪口を言うようなことは全くなかった。その午後はオールド・ファッションド（バーボンのカクテル）でハイになって、ある出来事についての彼の見解を話してくれて、楽しませてくれた。ロニー・ウッドにも出会ったことがある。ジェリー・リー・ルイスのテレビ・スペシャルを収録していたある午後のことで、彼は自分の出番を待っていた。会えて嬉しいと告げると、ロニーは興奮したように私の手を握り、「やあ、俺も会えて嬉しいよ。どうしてるんだい」と言ってくれた。90パーセントのくらいの有名人は、自分が出会う全ての人と面識があるように振る舞うということを知っている。もちろん我々が以前、本当に会ったことなどなかったが、私のことをそんなふうに覚えていてくれたのは素晴らしいことだ。

この本を書く前、ストーンズとの個人的な遭遇をまとめたものはこれで全部だった。これだけでも全く悪いわけじゃない。キースとボビー・キーズと一杯やって、ロニーのスタイリストが彼の髪を真っ直ぐに逆立てるためにどれほど素晴らしい仕事をしたか尊敬するようになったのだから。ロニーの髪は真っ黒で、スティーヴン・ホーキングがかつて書いていた研究のようだった。どんな光も彼の髪から逃れることはできない。まさに宇宙的な異常さだった。

そしてさらに驚くべきことが起こった。チャーリー・ワッツが私に電話してきたのである。パンデミックの時期、ニューヨークは早朝だったが、チャーリーはイギリスから電話して、メッセージを残しておいてくれた。「ハイ、私のことは知らないだろうね。チャーリー・ワッツだ。素晴らしい本を書いてくれてお礼を言うよ。そして留守電にチャーリー・パーカーを使っていることにもね。」それだけでも信じられないようなことだが、二十年間、同じ留守電のアナウンスを使っていて（最初の携帯電話を手に入れた時に、たまたま聞いていたのがチャーリー・パーカーだったのだ）、チャーリー・ワッツだけがこれに気づいてくれた。もちろんすぐ彼に電話して、そのことや他のことについて二、三分間話し、ストーンズが再びロードに出たら、今度はバックステージで会おうということになった。もしかしたら誰かに担がれているのではないかと勘繰り(私が知っているおふざけ野郎どもならそれも十分にあり得る)、「ドラマーにしか分からない」質問をチャーリーにしたら、満点でパスした。少なくとも今のところは、私とチャーリーの間にハイ・サインを掲げていたい。彼はとても親切で、誰もが想像し得る以上に上品だった。この出来事はまるでヴェルヴェットの手袋をした誰かと固く握手を交わしているかのようだった。

この本を書くことが現実になった際(多分15歳くらいの頃からそんなことを考えていた。最初の本を書く二十五年くらい前のことだったから、あれから十年くらいは経っていたと思う)、私の熱意をすぐさまシェアしてくれたのはバックビート出版のジョン・セルーロだった。彼のスピリットと出版経験、素晴らしいチームを引っ張ってくれたことに礼を言う。そのチームのうちの一人、クレア・セルーロは、私の考えが印刷される全工程にわたって、いつも私の背中を押してくれた。

キャサリーン・バナーは実に優れた編集アシスタントだった。

トム・シーブルックは編集とデザインの両面における素晴らしいパートナーだった。この両方を任せられる人が同一人物であることは必ずしも多くない。この本の見た目が素敵で、あなたにとって納得のいくものであるなら、それはトムの手によるものだ。

ティルマン・レイツルはこれまでにも素晴らしい本の表紙をたくさん手がけており、ギグの告知、ポスター、CDのカバー等々でも私を手伝ってくれた。彼はアート・デパートメントで仕事を頼む絶対の人物である。この本の表紙の手書きのタイトルは彼の手によるものだ。彼はいつものように私と辛抱強く付き合ってくれ、この本のエネルギーを正しく表現してくれた。

エース・セッション・マン、スネアドラムのスーパースター、ケニー・アラノフとザ・ローリング・ストーンズを聞くというのは滅多にない経験だった。彼はチャーリー・ワッツのスタイルの深いところまで解説してくれ、特別なゾークを使って、この本のためにマイクロ・ドラム・チャート（楽譜）を書いてくれた。ケニーは、ポール・マッカートニー、イギー・ポップ、ボブ・ディラン、ミート・ローフ、スティーヴィー・ニックス、ジョン・フォガティ（本当はもっと長いリストだ）と演奏したことのあるプレイヤーだ。彼はストーンズとも演奏し、《ブリッジズ・トゥ・バビロン》にパーカッションを加えたり、チャーリー・ワッツとジム・ケルトナーのプロジェクトでも演奏した。[*1] 光を放つような親切心は言うまでもなく、ケニーはドラマーの中のドラマーで、真の人間だ。気前がよく、正直で、面白くもある。私たちがチャーリーの果てしなくヘンテコで、出し抜けに始まる〈ハング・ファイアー〉のドラム・イントロにたまげていた時、ケニーはこう言った。「俺がスト

＊1　ケニーはミック・ジャガーのソロ・ツアーへの参加も要請された。スタジオ・ジャム・セッションは共にしたが、最終的にはスケジュールが折り合わないということで断念した。ミックは自分のバンドのために、Aクラスのセッション・ミュージシャンを常に選ぶが、チャーリーから招待されたということは、チャーリーに認められたということだ。

ーンズに入れたらいいのにな。他の誰もこんなふうには演奏させてなんかくれないよ。」
フォトグラファー、イーサン・ラッセルにも感謝を。彼は１９６9年と72年のストーンズのツアーに参加した。彼と仕事ができたのは光栄なことだった。そして謎と混乱に満ちた写真の山を掘り起こすにあたって素晴らしい助力となってくれたフォトフェスのデレク・デヴィッドスンにも感謝を。

ドン・マカウレイに特別な感謝を。彼はチャーリーのドラム・テクニシャン、つまり城壁の内側にいる男だ。この業界で出会い得るとても親切なやつで、掛け値なしの熱心さと親切心でもって、私の本を彼のボスに（そして他の何人かにも）渡してくれた。この本を書いたことにおける最良のことの一つは、新しい友人ができたことだが、ドンはそのトップだ。

同様に、ジョン・デクリストファーにも感謝しなくてはならない。彼はジェントルマンで真の信望者だが、彼の熱意がこの本の初版を同業者や悪友（本を読むドラマーは似たり寄ったりだ）の目の前に届けてくれた。

このリストにディー・ポップを加えたい。彼は素晴らしい友人、ラビ、ドラミング芸術を探求する学者で、生徒である事を決してやめない賢明さをもった「センセイ」でもある。彼はオデッタ、チャック・ベリー、ガンクラブ、ザ・クラッシュらと共にプレイした経験があり、そして自身のバンド、ブッシュ・テトラスに長きにわたってパワーを注入していることは言うまでもない（そして私と一緒にやっているエディソン・ロケット・トレインでのアルバイトも)。彼が素早くこの本に愛情を示してくれたことは、古い考えに囚われている意地の悪い音楽愛好家など恐るるに足らずだと教えてくれた。自分の無益な粗暴さについては、少しばかりバツの悪い思いをして当然だと思うが、いつもアツくなってしまうのだ。チャーリーやキースやその他の何人か同様、この手の輩の小言は放っておくことにしよう。

何年もの間、私と一緒にプレイしてくれ、全ての書物、全てのハプニングに目を向けさせてくれた多くのミュージシャンたちに永遠の感謝を。彼らはこの大言壮語のオーディオブックを新しい純粋文学的騒動へと変貌させてくれた。特に世界で最も素晴らしいピアニスト、ミッキー・フィン、ビートニク・ナンバー・ワンのボブ・バート、ジョン・〝ザ・ヒットマン〟・スペンサー、そして、〝ザ・カウント〟ことピーター・ザレンバに。世界で二番目に素晴らしいロックンロール・バンドのツイン・ギター、ザ・ルシール・ボールズ(キース・ストレング！マイク・ジブリン！)、いい時も悪い時も、ニューヨークで本当の意味で炎を燃やし続けている人たちこそ、ロールとロックをもってこの本を始めるために必要不可欠だった。疲れ知らずのジェシー・メイリン(幸運にも私が祝福し続けているイースト・ビレッジ・ブック・ミツバーの影の功労者はまさしく彼だ)、そして不沈のダイアン・ジェンタイル。ありがとう。

最後になるが、ブリリアントで美しいクリスタイン・〝デイジー〟・マーティンに感謝を。決してスイス旅行とは言えないような日々を私と付き合ってくれている。ブルックリンのアパートではドラムスを持つことを許してくれないけれど。いつの日か一緒に住む家を買おう。

大人になったストーンズ（1994年）（Photofest）

日本の読者へ

この本の日本語版に「特別なあとがき」を書いてくれと依頼された時、とても嬉しく思い、名誉なことだと感じた。ストーンズが日本のファンにとってどんな意味を持っているか、そしてそれ以上に日本のロックンロールのファンがどれほど熱狂的だか知っているからだ。熱心さと尊敬ということに関しては（日本の文化を有名にしている資質だ）、世界中でも抜きん出ている。ブラジルのファンは他のどこの国の人々よりも大きな声で叫び、アメリカのファンは、この国で行われた素晴らしいツアー、ニューヨーク、ロスアンゼルス、そしてメンフィスと地続きだという理由で、自分たちがストーンズに近いところにいると思っている。そして、もちろん英国のファンはミックとキースを身内の出来の悪い子供たちだと思っている。だが日本のファンはストーンズを全く独特な形で尊敬している。それは時代の先端を行くアーティスト、ショーグン・ウォーリアーズ、怪獣、そしてプロレスラー等、日本独自の歴史があるのと同様で、これらのことを少しばかり考えてみると、ザ・ローリング・ストーンズがどのように定義されているか少し見当がつく。あらゆる意味で、日本は他の文化に比べ、より想像力に満ちているのだ。

私の人生における最も素晴らしかった経験の一つは、１９９０年代初頭、私のおぞましいロックンロール・バンドと共に日本を訪れたことだ。我々が受け取った親切心、愛、そして尊敬は、決して忘れることはできない。日本の読者が私の（ストーンズとチャーリーに対する）情熱、リスペクトを感じ、私のジョークを笑い、そして、それらを少しでも心に留めておいてくれることを願う。近いうちに会おう。

マイク・エディスン
ニューヨーク・シティ

Watts, Charlie. "Home Entertainment." *The Guardian*, May 31, 2001.

Wenner, Jann S. "Mick Jagger Remembers." *Rolling Stone*, December 14, 1995.

Wood, Ronnie. *Ronnie: The Autobiography*. New York: St. Martin's Press, 2007.
(『俺と仲間 ロン・ウッド自伝』五十嵐正訳、シンコー・ミュージック、2009年)

Woodall, James. "Ringo's No Joke. He Was a Genius and the Beatles Were Lucky to Have Him." *The Spectator*, July 4, 2015.

"The World's 'Luckiest' Drummers?" *The Rush Forum*. September 5, 2012. http://www.therushforum.com/index.php?/topic/77156-the-worlds-luckiest-drummers/.

Wyman, Bill. *Stone Alone: The Story Of A Rock 'n' Roll Band*. New York: Viking Adult, 1990.
(『ストーン・アローン:ローリング・ストーンズの真実(上・下)』野間けい子訳、CBS・ソニー出版、1992年)

Zoro and Daniel Glass. *The Commandments of Early Rhythm and Blues Drumming*. Van Nuys: Alfred Publishing Company, 2008.

Kelley, Ken. "That Time Mick Jagger Kicked Off His First Solo Tour." *Ultimate Classic Rock*, March 16, 2016.

Kubernik, Harvey. "Engineer Andy Johns Discusses the Making of the Rolling Stones' 'Exile on Main Street.'" *Goldmin*, May 8, 2010.

Ladies and Gentlemen: The Rolling Stones. Directed by Rollin Binzer. 1994. Dragonaire Ltd.
(『レディース&ジェントルメン』(DVD/Blu-ray) ユニバーサル・ミュージック、2017年)

Let's Spend the Night Together. Directed by Hal Ashby. 1983.
(『レッツ・スペンド・ザ・ナイト・トゥゲザー』(DVD) 東北新社、2003年)

Loder, Kurt. "Keith Richards: The Rolling Stone 20th Anniversary Interview." *Rolling Stone*, November 5, 1987.

Margotin, Philippe and Jean-Michel Guesdon. *The Rolling Stones All the Songs: The Story Behind Every Track*. New York: Black Dog & Leventhal, 2016.

Merlis, Jim. "Rolling Stones Producer Jimmy Miller: 15 Things You Didn't Know." *Rolling Stone*, May 24, 2018.

MOJO Staff. "Charlie Watts: 'I Thought the Stones Were Just Another Band.'" *MOJO*, July 3, 2015.

Needham, Alex. "The Rolling Stones: 'We Are Theatre and Reality at the Same Time.'" *The Guardian*, December 1, 2016.

Newey, Jon. "The Beat Goes On: Charlie Watts and the Great Jazz Drummers." *Jazzwise*, July, 2000.

Palmer, Alun. "'I Drank Too Much and Took Drugs. I Went Mad Really': Charlie Watts, the Calm Man of the Rolling Stones, Looks Back at 50 Years of Chaos." *Mirror*, July 12, 2012.

Patoski, Joe Nick. "Watching Willie's Back." *Oxford American*, Winter 2014.

Paytress, Mark. "The MOJO Interview." *MOJO*, August 2015.

Pidgeon, John. "The Back Line: Bill Wyman and Charlie Watts." *Creem*, November, 1978.

Remnick, David. "Groovin' High." *The New Yorker*, October 25, 2010.

Richards, Keith and James Fox. *Life*. New York: Back Bay Books, 2011.
(『ライフ』棚橋志行訳、サンクチュアリ・パブリッシング、2011年)

The Rolling Stones. *According to the Rolling Stones*. San Francisco: Chronicle Books LLC, 2003.
(『アコーディング・トゥ・ザ・ローリング・ストーンズ』中江昌彦、佐藤めぐみ訳、越谷政義日本語版監修、ぴあ、2004年)

The Rolling Stones: Havana Moon. Directed by Paul Dugdale. 2016. Eagle Rock Entertainment.
(『ハバナ・ムーン ストーンズ・ライヴ・イン・キューバ 2016』(DVD/Blu-ray+2CD) ワードレコーズ、2016年)

The Rolling Stones: Some Girls Live. Directed by Lynn Leneau Calmes. 2011. Eagle Rock Entertainment, DVD.
(『サム・ガールズ・ライヴ・イン・テキサス '78』(DVD/Blu-ray+CD) ユニバーサル・ミュージック、2019年)

Sandall, Robert. "Charlie Watts: The Rock." *MOJO*. May, 1994.

Schlueter, Brad. "Analysis of the Trickiest Drum Intros on Record." *DRUM!*, November 21, 2012.

Shine a Light. Directed by Martin Scorsese. 2008. Paramount Classics.
(『シャイン・ア・ライト デラックス版』(DVD) ジュネオン・ユニバーサル、2009年)

"Somebody Explain Charlie Watts to Me." *Straight Dope Message Board*. June 10, 2008. https://boards.straightdope.com/sdmb/archive/index.php/t-471345.html.

"Stones' Wood: I Did so Many Drugs, Keith Richards Got Mad!" *Daily News*, October 15, 2007.

Sweeting, Adam. "Charlie Watts: I've Recorded Drums in the Lavatory." *Telegraph*, March 14, 2012.

Terich, Jeff. "History's Greatest Monsters: The Rolling Stones – Dirty Work." *Treble*, March 22, 2013.

Thompson, Dave. *I Hate New Music: The Classic Rock Manifesto*. New York: Backbeat, 2008.

Tingen, Paul. "Secrets of the Mix Engineers: Bob Clearmountain." *Sound on Sound*, February, 2009.

Vaillancourt, Eric. "Rock 'n' Roll in the 1950s: Rockin' for Civil Rights,"(Master's Thesis, University of New York College at Brockport, 2011).

Varga, George. "Rolling Stones Flashback: Charlie Watts Interview." *San Diego Union Tribune*, May 19, 2015.

Eggar, Robin. "Charlie Watts: The Esquire Interview." *Esquire*, June, 1998.

Ellen, Barbara. "Charlie Watts: Proper Charlie." *The Observer*, July 9, 2000.

Erlewine, Michael. "Odie Payne, Jr." *AllMusic*. https://www.allmusic.com/artist/odie-payne-jr-mn0000399343/biography.

Falzerano, Chet. *Charlie Watts' Favorite Drummers*. Anaheim: Centerstream Publishing, 2017.

"The First Years of Disco (1972-1974)." *Disco Savvy*. http://www.discosavvy.com/discoearly70s.html/.

Fish, Scott K. "Fred Below — Magic Maker." *Modern Drummer*, September, 1983.

Fish, Scott K. and Max Weinberg. "A Conversation With Charlie Watts." *Modern Drummer*, August/September, 1982.

Flanagan, Bill. "Q&A with Bill Flanagan." *Bob Dylan*. March 22, 2017. https://www.bobdylan.com/news/qa-with-bill-flanagan/

Flans, Robyn. "Charlie Watts." *Modern Drummer*, August/September 1982.

Fletcher, Tony. *Moon: The Life and Death of a Rock Legend*. New York: Spike, 1999.

Flippo, Chet. "The Rolling Stones Grow Old Angrily." *Rolling Stone*, August 21, 1980.

Fornatale, Peter. *50 Licks: Myths and Stories from Half a Century of the Rolling Stones*. New York: Bloomsbury USA, 2013.

Fortnam, Ian. "Interview: Keith Richards and Charlie Watts on the Rolling Stones in Exile." *Classic Rock*, November 15, 2016.

Fricke, David. "Q&A: Charlie Watts." *Rolling Stone*, November 22, 2005.

From the Vault – Hyde Park – Live in 1969. 1969. Eagle Rock Entertainment, DVD.
(『ハイド・パーク・コンサート リマスター版』(DVD) エイベックス・ピクチャーズ、2006年)

From the Vault – L.A. Forum – Live in 1975. 1975. Eagle Vision DVD.
(『ストーンズ〜L.A.フォーラム〜ライヴ・イン1975』(DVD+2CD) ワードレコーズ、2014年)

Giles, Jeff. "That Time the Rolling Stones Regrouped for 'Steel Wheels.'" *Ultimate Classic Rock*, August 29, 2015.

Giles, Jeff. "When the Wheels Came Off: The History of the Rolling Stones 'Dirty Work.'" *Ultimate Classic Rock*, May 9, 2014.

Gimme Shelter. Directed by Albert Maysles, David Maysles, and Charlotte Zwerin. 1970. Maysles Films.
(『ザ・ローリング・ストーンズ/ギミー・シェルター〈デジタル・リマスター版〉』(DVD) ワーナー・ホーム・ビデオ、2009年)

Gray, Tyler. "The Making of the Rolling Stones' 'Exile on Main Street.'" *New York Post*, May 9, 2010.

Greenfield, Robert. *Exile on Main Street*. Da Capo Press, 2008.

Greenfield, Robert. "The Rolling Stone Interview: Keith Richards." *Rolling Stone*, August 19, 1971.

Harper, Simon. "Charlie Watts on 'Exile On Main Street.'" *Clash*, May 19, 2010.

Hudson, Scott. "Rock and Walk: Rolling Stones' 'Dirty Work.'" *Argus Leader*, June 30, 2014.

Ingham, Chris. "Ten Questions for Charlie Watts." *MOJO*, July, 1996.

Jefferson, Margo. "Ellington Beyond Category." *The New York Times*, October 15, 1993.

Jisi, Chris. "Partners In Time: John Entwistle & Keith Moon." *DRUM!*, August 23, 2013.

Johns, Glyn. *Sound Man: A Life Recording Hits with the Rolling Stones, the Who, Led Zeppelin, the Eagles, Eric Clapton, the Faces* . . . . New York: Plume, 2014.
(『サウンド・マン 大物プロデューサーが明かしたロック名盤の誕生秘話』新井崇嗣訳、シンコー・ミュージック、2016年)

"'Just Another Band to Me': In a Rare Talk, Charlie Watts Remembers Joining the Rolling Stones." *Something Else!*, December 13, 2013.

Kaufman, Spencer. "10 Things You Didn't Know About Charlie Watts." *Ultimate Classic Rock*, June 2, 2011.

主な参考文献　Select Bibliography

完全な参考文献はここに列挙したよりもはるかに広範なもので、ザ・ローリング・ストーンズの全てのレコード（ブートレッグ、数十ものライヴ・レコーディングとビデオを含む）のみならず、レッド・ツェッペリン、ザ・フー、ザ・ビートルズ、エルヴィス・プレスリー、ジミー・リード、サン・レコーズ、チェス・レコーズ、モータウン等々の完全なディスコグラフィー、そして言うまでもなく夥しい数のミュージシャン、特に本書で言及したドラマーが参加した作品も含まれる。個々のアルバム、シングル等については本文中に述べてあり、文中に現れる全作品のプレイリストはwww.mikeedison.comでアクセス可能である。

本書の半数を占めるチャーリー・ワッツの引用は*Best of Guitar Player: The Rolling Stones – Inside the Voodoo Lounge, Revealing New Interview with Mick, Keith, Charlie, and Woody*収録、ミュージック・ジャーナリスト、ジャス・オブレヒトが1994年に行ったインタビューによった。

Abelson, Danny. “50 & Counting: Sonic Truth for the Rolling Stones Latest Tour.” *Live Sound*. July 15, 2013.

Altham, Keith. “The Rolling Stone Charlie Watts Takes Over Mansion of First Archbishop of Canterbury!” *New Musical Express*, January 20, 1968.

Berry, Chuck. *Chuck Berry: The Autobiography*. New York: Harmony Books, 1987.
（『チャック・ベリー（自伝）』中江昌彦訳、音楽之友社、1989年）

Beuttler, Bill. “The Charlie Watts Interview.” *DownBeat*, February, 1987.

“Bill Wyman Charlie Watts Rolling Stones Interview 1976 Tour.” *Youtube*. Video File. June 23, 2012. https://www.youtube.com/watch?v=Tyl2cKtkKHM.

Blanchard, Wayne. “19 Reasons to Love Charlie Watts.” *Drum!* , April 12, 2017.

Borgerson, Bruce. “The ‘Brown Sugar’ Sessions: Jimmy Johnson on Recording the Rolling Stones.” *Tape Op*, November/December 2001.

Bungey, John. “Charlie Watts: Me, Retire? What Am I Gonna Do? Mow the Lawn?” *The Times*, May 5, 2017.

Case, Brian. “Charlie Watts Big Band: Ronnie Scott’s, London.” *Melody Maker*, November 30, 1985.

Charlie Is My Darling. Directed by Peter Whitehead. 1966.
（『チャーリー・イズ・マイ・ダーリン』（DVD）ユニバーサル・インターナショナル、2012年）

Cocksucker Blues. Directed by Robert Frank. 1972.

Crossfire Hurricane. Directed by Brett Morgen. 2012. HBO.
（『ザ・ローリング・ストーンズ結成50周年記念ドキュメンタリー／クロスファイアー・ハリケーン』（DVD）ワードレコーズ、2013年）

DeCurtis, Anthony. “Keith Richards: A Stone Alone Comes Clean.” *Rolling Stone*, October 6, 1988.

DeCurtis, Anthony. “Steel Wheels.” *Rolling Stone*, August 29, 1989.

DeCurtis, Anthony. “The Rolling Stone Interview: Keith Richards.” *Rolling Stone*, October 6, 1988.

Derogatis, Jim. “Q&A: Charlie Watts on His New Jazz Album, Sketching Hotel Beds, and the 40-Year-Old Sex Pistols.” *Rolling Stone*, May 30, 1996.

Doyle, Patrick. “Keith Richards on Getting Busted, Zeppelin and Stones’ Future.” *Rolling Stone*, October 8, 2015.

Egan, Sean. *Keith Richards on Keith Richards: Interviews and Encounters*. Chicago: Chicago Review Press, 2013.
（『キース・リチャーズ、かく語りき』富原まさ江、安齋奈津子、難波道明、大田黒奉之訳、音楽専科社、2014年）

訳者あとがき

本書は2019年に刊行されたマイク・エディスン著、〝Sympathy for the Drummer: Why Charlie Watts Matters〟の全訳である。著者エディスン氏は、ジャズ・ドラミング、ロックンロール・ドラミングの歴史、そしてロックンロールという音楽の成立に触れながら、その脈絡の中にザ・ローリング・ストーンズとチャーリー・ワッツを据え、なぜ「世界最高のロックンロール・バンド」は「世界最高のロックンロール・ドラマー」を必要としたのか、チャーリーのどこがすごいのか、彼はストーンズの音楽にどう貢献したのか、そして我々はこのバンドの何に魅かれるのかということについて検証作業を行っている。ストーンズは「ジャズ野郎」チャーリーにとっての新しいジャズであり、彼の演奏の本質は、彼のヒーローたち同様、最小限のドラムセットを使って、もう一方のリズム・セクションの要《かなめ》、キース・リチャーズと絡みながら、予兆（anticipation）を形成し、貫通（penetration）をもたらすことだ。自身もドラマーである著者の言葉には多少の独断と偏見は見られるものの、強い説得力がある。個人的には本書を読むまで何万回と聞いた〈ラヴィング・カップ〉のサビのところで4拍子と5拍子が入れ替わるのに気がつかなかった。さらに著者のユーモアのセンスは抜群だ。

「何万回」と書いたが、私とストーンズの出会いは、1970年代後半、中学生の時に入り浸っていた楽器屋で知り合った友人から借りた《ラヴ・ユー・ライヴ》にさかのぼる。まだ《感激！偉大なるライヴ》という邦題つきのワーナー・パイオニアから発売されていた時代のもので、とにかくハマった。今でも「ストーンズのレコードからどれか一枚」と言われると問答無用でコレだ。中坊にとってのストーンズは、万人に愛されるザ・ビートルズとは一線を画し、聞く者を選ぶ大人の音楽という感じがヒシヒシとした。ジーンズのポケットにベロのパッチを縫い付け、大人になったような気分だったのもこの頃だ。

《ラヴ・ユー・ライヴ》でとびきり好きだったのが「エル・モカンボ・サイド」で、これがブルースとの出会いだった。この面はシカゴのチェス・レコーズに捧げられており、ボ・ディドリー、チャック・ベリーの曲に加え、マディ・ウォーターズ、そしてハウリン・ウルフの歌唱で知られるウィリー・ディクスンの作品が並んでいる。当時の中高生にとってレコードはたいへん高価で、自分で買ったものでも、他人から借りたものでも、ステレオの前に鎮座し、一音残らず何度でも聞こうとしたものだ。さらにライナーノーツは言うに及ばず、ソングライター・クレジットにまで目を通していた。そうやって彼らがどこからインスピレーションを得ていたのかということを知った。それから何年も経ってオレゴン大学での博士論文のテーマにウィリー・ディクスンをとりあげ、かつてチェス・レコーズがあったビルにオフィスを構えるウィリー・ディクスンズ・ブルース・ヘヴン・ファウンデーションで彼の家族にインタビューすることになった。自分のルーツがあの頃舐めるようにして聞いた《ラヴ・ユー・ライヴ》にあったことを改めて認識した。自分にとってのストーンズはそれぐらい大きな存在だ。

★

2020年4月、本書のオリジナルを読んだあと、書評を「レコード・コレクターズ」誌、2020年7月号に執筆した。そこに「ぜひ翻訳希望。できれば私が」と書いたこともあり、いくつかの出版社にプロポーザルを送った。提出したプロポーザルについてDU BOOKSに問い合わせたのは、奇しくもチャーリーが他界した2021年8月24日だった。メールを送った時点ではまだ彼の死について何も知らなかったが、私のオファーが編集会議を通過し、出版権獲得に動き出したという連絡をもらったのは、そのニュースが世界中を駆け巡った直後だった。

今から考えると「予兆（anticipation）」はあった。パンデミックのため2020年5月から予定されていた「ノー・フィルター・ツアー」北米公演の延期が発表され、チャーリーを交えたストーンズの最後のパフォーマンスとなったのは、メンバーそれぞれをオンラインで繋ぎ、4月18日にオン・エアされた「ワン・ワールド：トゥギャザー・アット・ホーム」での〈無情の世界〉だった。チャーリーが演奏していたのはなんと「エア・ドラムス」で、その時は彼一流のジョークだと思っていた。そして2021年7月末、ツアーの再開が発表されたが、間もなくして「チャーリーは手術を受けたばかりで、現在回復中のため、代役はスティーヴ・ジョーダンが務める」とアナウンスされた。彼の死が報じられたのはそれから約二週間後のことだった。

チャーリーの死について知ったのは妻からの電話だった。私は現在米国テネシー州、ナッシュビル郊外の高校で日本語教育を行っているが、妻が職場に電話してくることなど滅多にない。彼女から「チャーリーが亡くなった」と聞いて言葉を失い、すぐに電話を切った。そして学生が周りにいるにもかかわらず、スマホを取り出して開けっぱなしになっていた机の引き出しを思いっきり蹴っ飛ばし、職場では絶対NGの四文字言葉を発し、机に突っ伏して泣いた。心配して私の様子を見に来た隣のクラスの先生と彼女が呼んできた副校長から「アー・ユー・オーケー？」と尋ねられたが、かろうじて「オーケー」と答え、残っていたもう2時間ほどの授業をどうにかこうにかやった。やっている間、チャーリーに「おまえプロだろ。プロならプロらしくしろよ」と言われているようだった。そして泣きながら帰宅した。まるで学校で何か大事なものを失くして、泣きながら家路に着く子供のように。

その夜、妻から「わざわざ電話したのは、チャーリーが死んだのをフェイスブックなんかであなたに知って欲しくなかったから」と言われた。それからストーンズやチャーリーが私の人生にどれほどのものをもたらしてくれたか彼女と話した。まさにエディスン氏が彼のあとがきに書いている通りだ。もちろん彼女にとっては何万回と聞いた話ばかりだったが。さらにチャーリーを激怒させた「俺のドラマーはどこだ」事件に話が及んだ。妻は「あのミックでさえチャーリーを定義できなかった」と言った。そしてそのことこそが、「チャーリー・ワッツはなぜ重要なのか」ということの理由の一つだとも。チャーリーが自分のことを定義できたのはチャーリー自身のみだった。しかしその定義がどうあれ、私にとって最高のチャーリー・ワッツは、彼がザ・ローリング・ストーンズのドラマーだったということだ。彼こそザ・ハート・オブ・ザ・ストーンズだった。

★

本書の日本語版のための出版社探しに「レコード・コレクターズ」誌の工藤大さんに相談にのってもらった。改めてお礼を言いたい。そしてDU BOOKSの編集者、稲葉将樹さんにも。自分の縁故、親戚以外に「稲葉」さんがいるということを当然知ってはいたが、奇しくも我が一族以外の「稲葉」さんと知り合ったのはこれが初めてで、その稲葉さん、そして編集部の飯島弘規さんには、気がつかなければとても恥ずかしいことになっていた間違いを二、三指摘していただいた。ありがとうございました。そして「ゾーク」が何なのかよくわからなかった私に丁寧に説明してくれた著者のマイク・エディスン氏にも「ありがとう」を言いたい。彼はオリジナルにも収録されていないあとがきと、日本の読者へのメッセージの執筆も快く引き受けてくれた。さらに本業の教職に加え、「レコード・コレクターズ」誌への連載、本書の作業、ロードバイク、合気道の稽古、ブルーグラス・バンジョーの練習等々のため、いつも時間をやりくりしている私の無理を聞いてくれる妻パメラと、我々の娘ありあにも感謝を。いつもありがとう。でもこれが最後じゃないよ。

最後にザ・ローリング・ストーンズとチャーリー・ワッツへ最大の敬意を。私がこの本の翻訳担当という大役を担うことになったのも、チャーリーの「ゾーク」のおかげだったのかなと思う。そして何より、あなた方が私の魂に触れてくれたおかげで、人生はとても楽しいものになりました。この翻訳を通じ、あなた方の音楽、仕事、ブルース、ゴスペルを日本のファンに紹介できたことで、そのお礼が少しはできたかなと思います。本当にありがとうございました。

テネシー州、アダムスにて

稲葉光俊

Index　索引

※ストーンズの楽曲、アルバムは
別索引を参照。

マイク・エディスン（Mike Edison）

ドラマー兼作家。「ハイ・タイムズ」誌の元編集者兼発行人。主な著書には、自身の回顧録、ポルノ雑誌業界についての歴史書、政治風刺本など多数。近年では、「ニューヨーク・タイムズ」のベストセラーとなった『Restaurant Man』を共作。Heritage Radio Network「Arts & Seizures」のパーソナリティーも務める。ブルックリン在住。

稲葉光俊（いなば・みつとし）

広島県呉市生まれ。エリザベト音楽大学宗教音楽学科にて学士号、兵庫教育大学学校教育研究科音楽領域にて修士号、オレゴン大学音楽学部音楽史、民族音楽学科にて博士号を取得。専門はアフリカ系アメリカン・ポピュラー音楽。著書にWillie Dixon: Preacher of the Blues（Rowman & Littlefield, 2011）とJohn Lee "Sonny Boy" Williamson: The Blues Harmonica of Chicago's Bronzeville（Rowman & Littlefield, 2016）がある。「レコード・コレクターズ」にて書評やブルースを中心にした記事を寄稿、スティーヴ・クロッパーによる回想録も連載中。現在はテネシー州ナッシュビル郊外のアダムスに在住。

チャーリー・ワッツ論《ろん》――ドラマーを憐《あわ》れむ歌《うた》
ザ・ローリング・ストーンズのリズムの秘密《ひみつ》を探《さぐ》る

初版発行　2022年6月2日

著　者　マイク・エディスン
訳　者　稲葉光俊
デザイン　小野英作
日本版制作　稲葉将樹＋飯島弘規（DU BOOKS）
発行者　広畑雅彦
発行元　DU BOOKS
発売元　株式会社ディスクユニオン
東京都千代田区九段南3-9-14
［編集］tel. 03-3511-9970　fax. 03-3511-9938
［営業］tel. 03-3511-2722　fax. 03-3511-9941
https://diskunion.net/dubooks/

印刷・製本　大日本印刷

ISBN978-4-86647-161-7　printed in japan

本書の感想をメールにて
お聞かせください。
dubooks@diskunion.co.jp

DU BOOKS

ザ・ローリング・ストーンズ楽器大名鑑

Rolling Stones Gear

アンディ・バビアック＋グレッグ・プレヴォスト 著　川村まゆみ 訳

史上初！　ローリング・ストーンズの楽器・機材のすべてをまとめた大著！

ライヴ写真の他、スタジオでの写真やオフショット、当時のカタログやポスターなど、図版・写真を計1,000点以上収録。

関係者の証言をもとに、レコーディングされた全曲・全ツアーの使用楽器・機材を検証。限定生産4,000部。

本体7500円＋税　A4変型　672ページ（オールカラー）

ザ・ビートルズ・アイテム100モノ語り

The Beatles Collection Archive

ブライアン・サウソール 著　奥田祐士 訳　眞鍋 "MR.PAN" 崇 楽器・機材監修

コンサートのチケット、映画の香盤表、スタジオの灰皿、手書きの歌詞草稿、楽器、車、カメラ、服飾品、オフィシャル・グッズ――ファブフォーの活動を新しいかたちで紐解き、浮き彫りにしてくれるモノたちをフルカラーで集大成した、初めての本。

読めば、ザ・ビートルズが世界を支配していた時代の空気が蘇る。

本体3200円＋税　A5変型　256ページ（オールカラー）

ビートルズはどこから来たのか

大西洋を軸に考える20世紀ロック文化史

和久井光司 著

ロックとビートルズをめぐる考察はさらに深化した。19世紀から大西洋を越えて脈々と続いたイギリスとアメリカの影響関係を軸に、「大衆音楽」が音楽的、精神変転を遂げて「ロック」へと花開いた文化史を紐解いていく。

「ロック／ポップ批評の金字塔がここに誕生した」――中森明夫氏「週刊読書人」（2017年12月15日号）

本体2500円＋税　A5　480ページ

ポール・マッカートニー 告白

ポール・デュ・ノイヤー 著　奥田祐士 訳

本人の口から語られる、ビートルズ結成以前からの全音楽キャリアと、音楽史に残る出来事の数々。曲づくりの秘密やアーティストとしての葛藤、そして老いの自覚……。

70歳を過ぎてなお現役ロッカーであり続けるポールの、リアルな姿を伝えるオーラル・ヒストリーの決定版！

本体3000円＋税　A5　540ページ　好評3刷！

英国レコーディング・スタジオのすべて
黄金期ブリティッシュ・サウンドが生まれた場所
ハワード・マッセイ 著　新井崇嗣 訳　サー・ジョージ・マーティン 序文

1960〜70年代にブリティッシュ・ロック名盤を生み出した、46のスタジオとモービル・スタジオを徹底研究！　各スタジオの施設、機材、在籍スタッフをたどりながら、「英国の音」の核心に迫る。
エンジニアとっておきの裏話が読めるコラムも充実。名著『ザ・ビートルズ・サウンド最後の真実』の著者が5年がかりで書き上げた唯一無二の大著。

本体4000円＋税　A4変型　368ページ（カラー88ページ）

フェンダーVSギブソン 音楽の未来を変えた挑戦者たち
THE BIRTH OF LOUD 大きな音はカネになる！
イアン・S・ポート 著　中川泉 訳　ロッキン・エノッキー 翻訳監修

スタートアップのベンチャー VS 伝統ある老舗メーカー。
レオ・フェンダー（機械オタクの技術屋）VS レス・ポール（目立ちたがり屋のギタリスト）
ロック産業と文化を創造した2大企業の歩みを知る!!　人間ドラマ、企業の覇権戦争を描いた傑作ノンフィクション。エレキ・ギター開発史とミュージシャンたちの代理戦争を、ロック黎明期から黄金期の20年間とともに詳述。

本体2500円＋税　四六　528ページ

ロック映画ポスター ヴィンテージ・コレクション
ポスター・アートで見るロックスターの肖像
井上由一 編　アレックス・コックス 序文

あのアレックス・コックス（『シド・アンド・ナンシー』監督）が序文寄稿!!
ロックを映画は、どう表現してきたのか？ “MUSIC makes MOVIES” をキーワードに、ポスター・アートワークの傑作群を俯瞰できる1冊。
貴重なコレクションが世界20ヵ国から一堂に集結！　掲載数400枚超えの永久保存版ビジュアル・ブック。完全限定生産1,000部。

本体3500円＋税　A4　224ページ（オールカラー）

ゴースト・ミュージシャン
ソウル黄金時代、アメリカ南部の真実
鈴木啓志 著

オーティス・レディング、ウィルソン・ピケット、キャンディ・ステイトンなど、1960年代から70年代にかけて、ソウル・ミュージック黄金時代の代名詞となるシンガーたちと数々の名曲の陰には、知る人ぞ知る最高のミュージシャンたちがいた！
アメリカ南部の名門スタジオ、FAME（フェイム）を舞台に、“ゴーストライター” ならぬ “ゴースト・ミュージシャン” たちの功績を明らかにする！

本体2800円＋税　A5　360ページ（カラー口絵8ページ）

DU BOOKS

ジェフ・ポーカロ イッツ・アバウト・タイム

伝説のセッション・ワークをめぐる真実のストーリー

ロビン・フランズ 著　島田陽子 訳

時代のグルーヴをつくり、早逝したドラマーの音楽人生。
著者は、生前のジェフに最も多く取材をしたとも言われる米『Modern Drummer』誌の元ジャーナリストであり、本人のコメントはもちろん、関係者や家族への膨大な取材をもとに本書を編纂。
ジェフ自身によるグルーヴ解説や、〈ロザーナ〉の直筆リズム譜面も掲載！

本体2800円＋税　A5　360ページ（カラー口絵8ページ）

ジェフ・ポーカロの（ほぼ）全仕事

レビュー＆奏法解説でグルーヴの秘密を探る

小原由夫 著

ポーカロの参加作品505枚をジャケットとともに一挙解説！
TOTO 創設メンバーであり、伝説のドラマーの（ほぼ）全セッションを1冊に！
時代時代の音楽に要求されたスタイルをパーフェクトにこなし、新しいエッセンスも盛り込むことができた稀有なドラマーの「音」に迫る！　ポーカロが追及したグルーヴを、オーディオ評論家の視点で解説。ドラマーの山村牧人氏による譜面付き双方解説も。

本体2800円＋税　A5　496ページ　好評3刷！

録音芸術のリズム＆グルーヴ

名盤に刻まれた珠玉のドラム・サウンドは如何にして生み出されたか

藤掛正隆 著

名盤・名曲の肝は、ドラム・サウンドだった!!　ルディ・ヴァン・ゲルダー・スタジオ、アビイ・ロード・スタジオなど、50 ～ 80 年代初期にかけて、名盤を手掛けたレコーディング・スタジオやエンジニアを紹介し、ドラムがどう録音されているのか、そのサウンドの謎を解き明かす。各章ごとにディスクガイド付き。
雑誌『リズム＆ドラム・マガジン』の人気連載を元に待望の書籍化！

本体2200円＋税　A5　272ページ

マンガで読むロックの歴史

ビートルズからクイーンまで ロックの発展期がまるごとわかる！

南武成 著　キム・チャンワン あとがき　岡崎暢子 訳

笑って読めちゃう楽しい音楽史！　パブロック、HR/HM、パンク、ニューウェイヴ、プログレ……。ロックはこうやって進化した！　1960年代後期～70年代、ロックを進化させ様々なシーンを切り拓いた破天荒ロッカーたちの物語。ジャンルを横断して紹介した、韓国発、音楽の歴史本決定版。荻原健太さん監修！「入門編としてだけでなく、ロック上級者の再確認作業にも、ぜひ」

本体2300円＋税　A5変型　344ページ